S0-AVS-350

HEYNE
BÜCHER

Vom gleichen Autor erschienen außerdem als Heyne-Taschenbücher

Die Rollbahn · Band 497
Das Herz der 6. Armee · Band 564
Sie fielen vom Himmel · Band 582
Natascha · Band 615
Strafbataillon 999 · Band 633
Dr. med. Erika Werner · Band 667
Liebe auf heißem Sand · Band 717
Liebesnächte in der Taiga · Band 729
Der rostende Ruhm · Band 740
Entmündigt · Band 776
Zum Nachtisch wilde Früchte · Band 788
Der letzte Karpatenwolf · Band 807
Die Tochter des Teufels · Band 827
Der Arzt von Stalingrad · Band 847
Das geschenkte Gesicht · Band 851
Privatklinik · Band 914
Ich beantrage Todesstrafe · Band 927
Auf nassen Straßen · Band 938
Agenten lieben gefährlich · Band 962
Zerstörter Traum vom Ruhm · Band 987
Agenten kennen kein Pardon · Band 999
Der Mann, der sein Leben vergaß · Band 5020
Fronttheater · Band 5030
Der Wüstendoktor · Band 5048
Ein toter Taucher nimmt kein Gold · Band 5053
Die Drohung · Band 5069
Eine Urwaldgöttin darf nicht weinen · Band 5080
Viele Mütter heißen Anita · Band 5086
Wen die schwarze Göttin ruft · Band 5105
Ein Komet fällt vom Himmel · Band 5119
Straße in die Hölle · Band 5145
Ein Mann wie ein Erdbeben · Band 5154
Diagnose · Band 5155
Ein Sommer mit Danica · Band 5168
Aus dem Nichts ein neues Leben · Band 5186
Des Sieges bittere Tränen · Band 5210
Die Nacht des schwarzen Zaubers · Band 5229
Alarm! – Das Weiberschiff · Band 5231
Bittersüßes 7. Jahr · Band 5240
Engel der Vergessenen · Band 5251
Die Verdammten der Taiga · Band 5304
Das Teufelsweib · Band 5350
Im Tal der bittersüßen Träume · Band 5388
Liebe ist stärker als der Tod · Band 5436

HEINZ G. KONSALIK

DER HIMMEL ÜBER KASAKSTAN

Roman

WILHELM HEYNE VERLAG
MÜNCHEN

HEYNE-BUCH Nr. 600
im Wilhelm Heyne Verlag, München

18. Auflage

Lizenzausgabe mit Genehmigung des Hestia-Verlages, Bayreuth
Printed in Germany 1978
Umschlag: Atelier Heinrichs, München
Gesamtherstellung: Ebner, Ulm

ISBN 3-453-00078-1

Non mortem timemus,

sed cogitationem mortis ...

Nicht den Tod fürchten wir,

sondern unsere Vorstellung vom Tode ...

SENECA DER JÜNGERE

Sie ritten über die Steppe und trieben ihre Herden zusammen. Ihr »Heij! Heijo! Dawai! Dawai!« schallte über das unendliche Land und übertönte das Brummen der Rinder und das helle Wiehern der kleinen, struppigen Pferde.

Mit den Hirten ritt auch Rudolf Bergner. Er saß auf seinem hohen Pferd, das er vor drei Jahren auf einer Auktion in Shitormir gekauft hatte und von dem im Dorf die Sage ging, es stamme aus einer Zucht von erbeuteten Zarenpferden. Es war ein herrliches, hochbeiniges, breitbrüstiges Pferd mit einem weiß-goldbraun gefleckten Fell, das in der Sonne leuchtete, als sei es mit Goldstaub überzogen.

»Wir müssen sie schneller zusammentreiben, Freunde!« schrie Rudolf Bergner über die donnernden Hufe und die gesenkten Rinderköpfe hinweg. »Bei Sonnenuntergang müssen wir in Nowy Wjassna sein! Noch einen Tag können wir sie das verbrannte Gras nicht fressen lassen! Dawai!«

Er beugte sich über den Hals seines goldenen Pferdes und tätschelte es. Das Pferd warf den Kopf herum und versuchte, mit den trockenen Nüstern seine Hand zu erreichen.

»Durst, mein Lieber?« Rudolf schob den ausgeblichenen Filzhut in den Nacken und öffnete das Hemd über der behaarten Brust. »Noch drei Stunden, moj druk (mein Freund), und du stehst an der Krippe. Drei kleine Stündchen ... sie werden staunen in Nowy Wjassna, wie schön unsere Rinder geworden sind ...«

Unter den Hufen der Tiere wirbelte der Staub auf. Ein Donnern ging durch den Steppenboden, als erschüttere ihn ein Erdbeben. Schreiend, die Peitsche schwingend, auf den schnellen, kleinen Kosakenpferden mit der Fertigkeit von Artisten sitzend und im Galopp sich hinüberbeugend zu widerspenstigen Rindern und sie mit der Lederpeitsche zwischen die Augen schlagend, jagten die Hirten mit der Herde nach Norden. Ihr helles Geschrei flog den Tieren voraus und flatterte der Herde nach und vermischte sich mit Staub, Sonne und aufgewirbelten Grasballen zu einem Ganzen.

Als sie in Nowy Wjassna einritten, kamen ihnen nicht wie sonst die Kinder entgegen, standen nicht die geduldigen Frauen in ihren hellen Kopftüchern unter den Haustüren.

Der Platz neben den beiden großen Dorfbrunnen war leer. Einige Eimer standen um den gemauerten Rand, so, als habe man sie bei einem eiligen Aufbruch vergessen.

Von beiden Seiten der einziehenden Herde ritten die Hirten nach vorn. In ihren Augen spiegelte sich Ratlosigkeit.

»Das Dorf ist leer, Rudolf!« rief einer von ihnen. »Ich habe bei Marusja ans Fenster geklopft ... als ich in die Stube hineinsah, standen das Brot und der kalte Braten auf dem Tisch, aber Marusja war nicht da!«

»Die Eimer am Brunnen ...«

»Und Wandaschka steht auch nicht an der Tür!« rief ein junger Bursche. Wandaschka war seine erste Liebe ... ein schmales, hübsches, großäugiges Geschöpf, das immer am Dorfrand stand und ihm zuwinkte, wenn er nach zwei Wochen Viehtrieb zurückkam nach Nowy Wjassna. Heute war ihr Platz leer, und Piotr begriff es nicht.

»Es wird eine Versammlung sein«, sagte Rudolf laut. Aber er überzeugte nicht, weil er es selbst nicht glaubte.

»Jetzt, im September?! Die Kolchosennorm ist doch noch gar nicht ausgerechnet!«

»Wir werden es gleich wissen, Freunde.«

Sie ritten weiter. Schneller, ungeduldig, die Herde nicht mehr treibend, sondern sie ohne Zusammenhalt durch das Dorf traben lassend. Vor dem Hofe Rudolf Bergners hielten sie an und sprangen vom Pferd.

Auf dem Platz vor der Scheune, nahe der Mauer, die das Gehöft von der Straße trennte, stand ein altes Auto. Der Lack war an vielen Stellen abgeblättert und das rostende Blech sah hervor. Die Rückscheibe fehlte und der linke vordere Kotflügel. Aber es fuhr noch ... man sah es an dem frischen Staub, der auf der Kühlerhaube lag und auf den ungelenke Kinderfinger das Wort ›Swinja‹ (Sau) geschrieben hatten.

»Genosse Semjow ist da!« sagte Rudolf. Er ließ sein Pferd laufen, das in den Stall trabte. Die Hirten umstanden ihn und sahen hinüber zu dem langgestreckten Haus, durch dessen Fenster man das Summen vieler Stimmen bis hinaus auf den stillen Platz hörte.

»Das ganze Dorf ist bei dir, Rudolf!«

»Genosse Distriktsowjet wird eine neue Norm verkündet haben. Jetzt streitet man darüber. Als ob das einen Sinn hätte ...«

»Wenn die neue Norm uns vorschreibt, daß wir noch mehr Schweine, Bohnen, Kohl, Getreide und Sonnenblumenkerne abgeben müssen, trete ich den Genossen Semjow in den Hintern!« schrie ein älterer Hirte.

»Das hält er aus! Er ist dick genug.« Rudolf winkte ab. »Gehen wir erst hinein ... vielleicht ist es auch nur eine Schulung, die er abhält?«

»Bei dir? Wozu haben wir unsere stolowaja? Für 10 000 Rubel haben wir den Festsaal erbaut!«

»Wir werden sehen.«

Rudolf betrat sein Haus und riß die Tür zu dem großen Zimmer auf. Hinter ihm drängten sich die Hirten in den Raum, der bei ihrem Eintritt das Summen verlor.

Dicht gedrängt, kaum, daß sie sich rühren konnten, standen die Männer, Frauen und Kinder von Nowy Wjassna vor einem an die Wand geschobenen Sessel, in dem eine dicke, schon unförmig anzusehende Gestalt hockte. Sie hob den Kopf, als die Tür aufging, und eine große Hand winkte Vera Petrowna ab, die mit erhobenen Armen auf ihren Mann Rudolf zueilen wollte.

»Stoij!« sagte eine dunkle Stimme. »Bleib, mein Täubchen. Es ist gut, daß Rudolf rechtzeitig kommt! Bleib stehen!«

Rudolf Bergner sah in die Gesichter seiner Dorfgenossen. Sie waren ernst, verschlossen, wütend, ratlos, aufgelöst, verbissen, trotzend ... sie waren alles, was ein Mensch an Gefühlen zusammenballen kann, und doch waren sie ein Nichts, weil das Hauptmerkmal eine grenzenlose Ratlosigkeit war.

»Was wollen Sie, Genosse Igor Igorowitsch Semjow?« fragte Rudolf laut. Seine mächtige Stimme füllte das große, stille Zimmer aus und zerriß das leise, stoßweise Atmen der schweigenden Menschen. »Was geht hier vor?!«

»Ich bringe euch einen Gruß von Brüderchen Stalin.« Semjow erhob sich ächzend. Jetzt, wo er stand, verlor sich etwas seine Fülle. Er wirkte massig, so wie ein Bär, der sein Winterfell noch nicht ausgehaart hat und sich frierend zusammenzieht wie zu einem Fellknäuel. Sein breites Gesicht war etwas mongolisch ... nur ein bißchen, die Augen standen schräg, und die Hautfarbe war ein schmutziges Gelb, doch fehlten die vorstehenden Backenknochen und die Fettfalten an den Augen. Er war ein Mischling, und daran trug er schwer, denn keiner zählte ihn zu sich ... der Russe nicht und der Mongole nicht. Da wurde er ein glühender Bolschewist, und als Natschalnik beherrschte er Russen und Mongolen. Die Macht über die Kleinen, Getretenen, war sein höchstes Glück. Sie war ihm der Inbegriff seines Lebens.

Rudolf Bergner sah auf seine Frau. Sie hob wieder den Arm und wollte etwas sagen, aber Semjow fächelte wieder mit seiner schweren Hand durch die Luft.

»Sie sind hier alle erregt, Genosse Rudolf. Ich verstehe sie nicht, die Brüderchen. Es ist ein Befehl gekommen aus Moskau ... ein Befehl für uns, begreifst du das, Genosse?! Zum erstenmal seit der Oktoberrevolution erreicht ein persönlicher Befehl aus Moskau das Amt in Korosten. Als der Telegraf tickte, mußte ich mich am Stuhl festhalten, sonst wäre ich umgefallen. Stalin ruft Korosten. Stalin hat Worte für Igor Igorowitsch Semjow! Ist das nicht herrlich?!«

Seine Augen glänzten und flimmerten. Er hatte sich höher

aufgerichtet und stand im Raum wie ein Denkmal. Die zusammengedrängte Schar der Dorfbewohner starrte ihn an wie den Wolf, der einen Engpaß versperrt, durch den die Herde ziehen muß.

»Was will Stalin?!« sagte Rudolf hart.

»Wir sollen weg!« schrie Vera Petrowna. »Wir sollen weg aus Nowy Wjassna!«

Es war, als ginge ein Seufzen durch den Raum. Die Mienen der Männer waren starr. Nur Semjow drehte sich zu Rudolf um und lächelte.

»Das ist doch nicht wahr«, sagte Rudolf leise. Er sah zu seiner Frau hinüber und zu seiner kleinen Tochter Erna-Svetlana, die sich mit großen, unwissenden Augen an die Mutter drängte. »Das ist doch ein Irrtum, Semjow! Wir sind doch hier nicht in Sibirien, wo man Pelzjäger umsiedelt!«

»Es ist ein prikaß (Befehl) aus Moskau.«

»Dann sind sie verrückt geworden in Moskau! Hast du nicht sofort zurücktelegrafiert: Idioten!?«

»Genosse Rudolf«, sagte Igor Igorowitsch Semjow sanft, »ich fühle mich in Korosten wohl. Wie sollte ich so etwas sagen?«

»Aber das ist doch Irrsinn?! Wo sollen wir denn hin? Eine neue Kolchose? Mit Kind und allem Vieh und allen Möbeln? Das hier sind unsere Häuser! Wir haben sie erbaut ... vor über hundert Jahren! Es sind unsere Felder! Katharina die Große hat sie uns geschenkt!«

»Katharina ...« Semjow lächelte mokant und setzte sich ächzend wieder in seinen Sessel. »Wer spricht denn noch von der geilen Katharina? Genosse Stalin –«

»Wo sollen wir denn hin?!« schrie Rudolf.

»Nach Deutschland –«

»Nach –«

Rudolf Bergner sah auf seine Frau. In ihren Augen stand etwas wie Grauen vor dem Wort Deutschland. Sie war Russin, eine geborene Sislewskaja. Sie kannte Deutschland nicht, sie hatte es nur in der Schule auf einer großen Karte von Europa gesehen, und der Towaritsch utschitel (Lehrer) hatte mit einem Stock auf einen kleinen blauen Fleck gezeigt und gesagt: »Das hier, dieser Fleck, der aussieht, als habe man auf die Karte gespuckt, das ist Deutschland. Und hier, das große Reich, die halbe Welt, das ist Mütterchen Rußland. Dieser Spuckfleck aber, dieser Fleck einer zerdrückten Wanze, ist der größte Feind Rußlands! Wir müssen Deutschland vernichten ... dafür lebten eure Großväter, dafür leben eure Väter, dafür müßt ihr leben! Die Welt wird erst glücklich sein, wenn Rußlands Grenzen dort sind ...« Und er zeigte auf einen großen blauen Fleck, und sie lasen gemeinsam im

Chor, leiernd, wie es Schulkinder tun: »Deutschland ... Nordsee — Ostsee — Deutschland — Nordsee — Rußland —«

»Nach Deutschland?« sagte Rudolf leise.

»Ja.«

»Was sollen wir in Deutschland?«

»Ihr seid doch Deutsche?«

»Ich habe Deutschland nie gesehen! Das weißt du! Wir alle sind in Rußland geboren. Unsere Eltern, unsere Großeltern kamen aus Deutschland.«

Igor Igorowitsch Semjow hob die breiten Schultern. »Was interessiert es mich, Genosse?! Sie werden es im Kreml besser wissen!«

»Du mußt ihnen schreiben, daß es ein Irrtum ist!«

»Moskau irrt sich nie!«

»Es ist doch Wahnsinn, uns von den Häusern und den Weiden wegzuschaffen in ein Land, das wir nicht kennen!«

»Es ist die Heimat, Genosse.«

»Unsere Heimat ist Rußland! Unsere Heimat sind die Weiden zwischen Jumiltschin und Miakolowitschi, sind die Sümpfe von Ubortj, sind die Fische im Usch, sind die Steppen Andrejewitze! Man kann uns doch nicht einfach —«

Semjow nickte heftig. Er unterbrach Rudolf Bergner, indem er sich erhob.

»Man kann, Genosse!« Er drehte sich plötzlich herum und sah Bergner an. Seine schräggestellten Augen glitzerten. Das Asiatische seines Gesichtes prägte sich heraus. Macht, dachte Semjow. Oh, welche Macht! Sie haben mich alle mit Mißachtung angesehen, weil ich eine gelbe Haut habe. Jetzt zeige ich es ihnen, jetzt vernichte ich sie mit meinem Lächeln. O ihr verdammten nemjäzkijs (Deutschen), ihr stolzen Bauern, ihr fleißigen Arbeiter, ihr klugen Neunmalklugen ... jetzt seid ihr arm wie Mäuse im Stroh, wenn die Heugabel nach ihnen sticht.

»Sprichst du nicht deutsch, Genosse?« fragte er leise. Dabei lächelte er und rieb sich die Hände.

»Ich spreche deutsch und russisch.«

»Und deine Kinder?«

»Auch!«

»Und wie heißt du, Genosse?«

»Bergner —«

»Ich weiß, ich weiß. Wir kennen uns ja ... seit 10 Jahren, Genosse Bergner. Doch sag einmal: Ist Bergner ein russischer Name?«

Durch Rudolf Bergner zog es wie ein eisiger Hauch. Auch die anderen schienen ihn zu spüren ... das erregte, hastige Atmen verstummte im Raum.

»Das ist die dümmste Frage, die du je gestellt hast«, würgte Rudolf Bergner hervor.

»Es ist die klügste, Genosse.« Semjow rieb sich die Hände. »Und kennst du einen Russen, der Rudolf heißt?« Er reckte sich und wandte sich zur Tür. Dort standen die Hirten und wichen nicht zurück, als er sich mit trägen Schritten näherte. Plötzlich stand Schweiß auf seiner Stirn, aber sein Lächeln erstarb nicht, sondern wurde breiter.

»Gebt das Türchen frei«, sagte er sanft. »Was wollt ihr von mir, Genossen? Ich bringe nur eine Nachricht aus Moskau. Weiter nichts.« Er drehte sich noch einmal um und überblickte die Schar der Bauern und Frauen und Kinder. »Ihr könntet bleiben, sagt Genosse Stalin . . .«

»Wenn . . .?« fragte einer der Hirten hart.

»Wenn ihr in der *Prawda* und der *Iswestija* und im Moskauer Rundfunk veröffentlicht, daß ihr Deutschland haßt und gute Bolschewisten seid.«

»Wie können wir die Heimat hassen?« schrie Rudolf Bergner.

»Ach! Die Heimat?! Ich denke, du kennst sie nicht? Ich denke, du bist Russe?« Er spuckte vor Bergner auf den Boden und verzog den Mund. »Du Schwein! Du deutsches Schwein! Man sollte euch aufhängen, statt euch nach Hause zu schicken —«

Ungehindert verließ er den Raum und stieg draußen in seinen alten, rasselnden Wagen.

Durch die Reihen der Bauern lief ein Zucken. Die Starrheit bröckelte von ihnen ab, ihre Gesichter verloren das Maskenhafte.

»Das können sie doch nicht tun?!« schrie Vera Petrowna. Sie stürzte zu Rudolf Bergner und umklammerte ihn wie eine Erstickende. »Sie können uns doch nicht den Hof nehmen, und die Felder, und die Herden. Wir sind doch hier geboren, Rudolf . . .«

»Sie können alles«, sagte Bergner leise. »Sie können alles, Veranja. Es muß draußen etwas geschehen sein, was sie daran erinnert, daß wir Deutsche sind.« Er wandte sich an die anderen. Seine Stimme übertönte ihr erregtes Gespräch. »Ich werde morgen nach Shitomir fahren!« rief er. »Ich werde mit der Regierung sprechen! Seit 174 Jahren leben wir hier — und wir bleiben hier!«

Als die Bauern das Haus Bergners verließen, sahen sie noch das Auto Semjows über die Dorfstraße hüpfen.

Die Vorsprache bei dem Regierungssowjet in der Hauptstadt der Provinz Wolhynien, Shitomir, war kurz.

Bevor Rudolf Bergner mit einem Pferdekarren aus Nowy Wjassna abfuhr, hatte er den Besuch der anderen Dorfbürgermeister des Gebietes bekommen.

Bei einigen war ebenfalls Igor Igorowitsch Semjow gewesen;

andere hatten den Befehl mit der Post bekommen, die einmal in der Woche von einem reitenden Briefträger aus Korosten über das Land und in die Sümpfe zwischen Pripjet und Bug gebracht wurde.

Es gab keinen Zweifel mehr: Nicht Nowy Wjassna allein galt der unsinnige Befehl aus Moskau – an alle deutschen Dörfer und Bauern in Wolhynien war der Erlaß gegangen, ihre Sachen zu packen und mit Pferd und Wagen und tragbarem Gepäck nach Shitomir zu ziehen, wo sie in Viehwagen weggebracht werden sollten nach Deutschland.

Der Regierungssowjet sah Rudolf Bergner groß und erstaunt an, als er erfuhr, welchen Sinn der Besuch aus Nowy Wjassna hatte.

»Lebt ihr hinter dem Mond, Genossen?« fragte er grob. »Lest ihr keine Zeitung? Hitler hat einen Krieg mit Polen angefangen und es erobert!«

»Wer ist Hitler?!« fragte Bergner.

»Man sollte deinen Schädel aufmeißeln und nachsehen, ob du überhaupt Gehirn hast! Seit 1933 ist der neue Herrscher in Deutschland Hitler! Adolf Hitler! Er nennt sich ›Der Führer‹! Er ist ein Held wie Stalin.«

»Der Führer –«, sagte Bergner leise. Er hatte einen unangenehmen Geschmack im Mund.

»Er wird euch in die Heimat führen, nemjäzkij.«

»Hitler? Was geht uns Hitler an?«

»Er hat uns die Hälfte von Polen gegeben. Wir haben brüderlich geteilt. Ist ein großer Mann, euer Hitler! Er hat mit Stalin einen Nichtangriffspakt geschlossen, und jetzt verteilen wir die Welt unter uns! Euch aber hat er zurückgerufen.«

»Uns?« Bergner schüttelte den Kopf. »Er kennt uns doch gar nicht.«

»Hitler hat gesagt: ›Ich vergesse nicht meine Brüder in Siebenbürgen, hinter dem Ural, an der Wolga und in Wolhynien. Ich hole euch heim ins Reich!‹ – Das hat er gesagt, und der große Stalin hat den Wunsch erfüllt.«

»Heim ins Reich ...« Rudolf Bergner wischte sich verstört über die Augen. »Aber er weiß doch gar nicht, ob wir es wollen. Wir kennen doch Deutschland gar nicht. Seit 174 Jahren leben wir in Rußland. Wir lieben dieses Land. Unsere Kinder sind hier geboren, wir sind hier geboren ... Nur unsere Namen, unsere Art und unsere Sprache sind deutsch –«

»Genügt das nicht?«

»Um Tausende von Männern, Frauen und Kindern wegzureißen von Haus und Hof? Nein!«

Der Regierungssowjet schüttelte den Kopf und zündete sich

eine Papyrossi an. Vorher drückte er zweimal das lange Pappmundstück zusammen und roch genießerisch an dem goldgelben Tabak. Er kam aus China und schmeckte süß wie Honig.

»Was schreist du so«, sagte er und blies den Rauch an die weißgetünchte Decke. »Es ist Politik. Davon verstehst du nichts.«

»Und Sie werden nicht nach Moskau schreiben und melden, daß wir bleiben wollen?«

»Nein!«

»Warum nicht?!« schrie Bergner.

»Kennst du Sibirien, Genosse?« Er sah dem Rauch seiner Zigarette nach. »In der Registratur arbeitet ein Mann, der war zehn Jahre in einem Lager am Omoron. Dort ist das Ende der Welt, und die Wölfe erfrieren beim Laufen. Wenn du ihm einen Wodka gibst, erzählt er dir davon ...«

Ohne ein weiteres Wort verließ Bergner den Raum.

Er taumelte ein wenig, als er die breite Treppe hinabging. Wer ist Hitler? fragte er sich bei jedem Schritt. Wo kommt er her? Was kümmert uns dieser Hitler? Uns geht nur die Ernte an, das Soll der Kolchose, das Gedeihen der Rinder und der Auftrieb des Viehs zu den Weideplätzen am Usch. Wer hat diesem Hitler gesagt, daß wir zurück nach Deutschland wollen? Wen von uns hat er gefragt?

Ein wahnsinniger Gedanke setzte sich in ihm fest.

Wir werden uns weigern. Vor aller Welt werden wir uns weigern! Wir werden es hinausschreien, wir alle in Wolhynien: Laßt uns dort sterben, wo wir geboren sind!

Mit diesem Gedanken fuhr er nach Hause. Dieser Gedanke gab ihm Kraft. Einigkeit, dachte er. Das ist das einzige, was überzeugt.

Als er zurückkam nach Nowy Wjassna, fand er ein anderes Dorf vor als das, das er verlassen hatte.

Das Vieh stand in den Ställen, die Gemüsegärten lagen verwaist. Aber hinter den geöffneten Fenstern, durch die die heiße Herbstsonne brannte, saßen sie um die selbstgezimmerten Tische und lasen Zeitungen und Broschüren, Flugblätter und Briefe, die der Postreiter ihnen mitgebracht hatte.

Zeitungen aus Deutschland. Sie hatten stolze, aufreißende, klirrende, das deutsche Herz angreifende Namen.

Vorwärts ... Völkischer Beobachter ... Das Reich ... Der Stürmer ... Das Schwarze Korps ...

»Sie sind alle verrückt«, sagte Iwan Brennecke, ein Bauer aus der Nachbarschaft, als Bergner bei ihm anhielt. »Hitler hat uns Zeitungen geschickt. Er verspricht uns besseres, größeres Land, er verspricht uns neue Höfe, ertragreicheres Vieh und ein freies Leben, ohne Soll, ohne Kolchosen, ohne Dorfsowjet, ohne Arbeitsnormen. Er verspricht uns das Paradies! ›Das Vaterland holt seine liebsten Söhne heim!‹ sagt ein Dr. Goebbels. ›Hinter dem Willen des Führers stehen 65 Millionen!‹«

Rudolf Bergner hörte nicht mehr hin. Er schnalzte mit der Zunge und fuhr weiter, seinem Hofe zu.

Einigkeit, dachte er. Mein Gott, verzeih, daß ich daran glaubte –.

Zu Hause traf er seine Frau, Vera Petrowna, nicht an.

Nur seine Kinder spielten im Hof auf einer Wippe. Die kleine Erna-Svetlana und der zehnjährige Mischa, ein Krüppel, der seine Beine nicht bewegen konnte, seit er vor vier Jahren von einem scheuenden Pferd zu Boden getrampelt worden war und beide Beine so zerbrachen, daß kein Arzt sie wieder zurechtrücken konnte.

»Wo ist die Mutter?« rief Bergner ihnen zu. Als Mischa bedauernd die Arme hob, verließ er den Platz vor der Scheune und ging über die Dorfstraße hinüber zur stolowaja, dem Versammlungshaus von Nowy Wjassna. Sie war der Stolz des Dorfes. Sogar der ungläubige und ewig lästernde Semjow war einmal zu einer Weihnachtsfeier gekommen, die man in der stolowaja mit dem ganzen Dorf und dem Nachbardorf veranstaltete. Er hatte über den brennenden Tannenbaum gelächelt, die Kinder, die als Engel verkleidet Gedichte aufsagten, laut belacht ... aber als die deutschen Bauern mit gefalteten Händen ›Stille Nacht, Heilige Nacht‹ sangen und im Saal eine bisher verborgene und versteckte Glocke zu läuten begann, war auch Semjow still geworden und hatte am Ende der Feier das Dorf sehr nachdenklich und mit Gefühlen verlassen, die er drei Tage bekämpfen mußte, bis er sein bolschewistisches Herz wiederfand.

Leise betrat Bergner die stolowaja. Er zog hinter sich vorsichtig die Tür zu und blieb an ihr stehen.

Als man vor vier Jahren auf eine Anregung aus Moskau hin, jedes Dorf müsse seinen Festsaal haben, um die Redner aus der Stadt zu hören oder Stalins Geburtstag und das Fest der Oktoberrevolution würdig zu begehen, diesen Saal am Rande von Nowy Wjassna baute, hatten die Bauern heimlich die Rückwand aus einer doppelten Wand hergestellt. Zwischen den beiden Wänden war so ein Hohlraum von etwa einem Meter Tiefe entstanden. Hier stand ein kleiner, schlichter Altar mit einem handgeschnitzten Christus darauf, der die Arme ausbreitete, als wolle er sagen: Kommet alle zu mir, ich will euch helfen ...

In Shitomir, in Korosten, selbst im Nachbardorf Perdunja wußte man nichts von dieser Doppelwand und der heimlichen Kirche von Nowy Wjassna. Nur einmal, eben an jenem Weihnachtsabend, als Semjow in der stolowaja hockte, hatte die verborgene winzige Glocke die Heilige Nacht in aller Öffentlichkeit eingeläutet. Aber Igor Igorowitsch unternahm nichts. Er war zu ergriffen, und später, wieder in Korosten, vergaß er es.

Als Rudolf Bergner den Saal betrat, war die Hinterwand aufgeklappt. Vor dem armeausbreitenden Christus brannten zwei kleine Ikonenlichter in bunten Papierschalen und warfen ihr armseliges, flackerndes Licht über das roh geschnitzte Gesicht der Figur.

Vera Petrowna kniete vor dem Altar und betete. Ihr Kopf war tief über die gefalteten Hände gebeugt ... sie verschwamm fast in der Dunkelheit, nur ihr weißes Kopftuch, gebleicht in der Sonne des Pripjet, durchbrach die Dunkelheit und wirkte unter dem zitternden fahlen Licht wie ein großflächiges, von Form und Zügen entblößtes Gesicht.

Sie hatte Rudolf Bergner nicht bemerkt, als er eintrat. Ihre Versunkenheit in das Gebet war zu stark, um seine leisen Schritte zu hören. Erst als er ihre Schulter berührte, zuckte sie zusammen und schnellte wie ein Raubtier empor.

»Du, Sascha ...«, sagte sie aufatmend.

Sie warf sich an seine Brust und verbarg den Kopf an seinem Rock. Als er sie umfaßte, spürte er ihr Zittern.

»Du mußt keine Angst haben, Veraschka«, sagte er zärtlich. »Es wird ja alles gut.«

»Was haben sie in Shitomir gesagt?«

Bergner sah auf das Gesicht Christus'. Der armselige Kerzenschein schien sich in den Runzeln zu verstecken.

»Wir müssen gehen ...«

»Man hat uns Zeitungen und Zettel geschickt. Man verspricht uns neue Höfe und besseres Land, wenn wir sagen: Wir sind Deutsche! Gibt es denn besseres Land als unseres, Sascha?«

»Es wird keine Kolchosen mehr geben und keine Norm. Wir werden das, was wir ernten, behalten dürfen. Wir werden ...« Er wischte sich über die Augen und drückte Vera Petrowna an sich. »Als mein Großvater nach Rußland ging, tat er es, um nicht Sklave eines Fürsten zu sein. Jetzt sollen wir versklavten Enkel zurück in eine freie Heimat. Ist das nicht ein guter Tausch?«

Sie sah ihn an, aus großen, starren Augen. »Gestern hast du anders gesprochen, Sascha ...«

»Gestern. Ich habe eingesehen, daß es keinen Zweck hat, sich dagegen zu wehren. Es ist eine große Welle, die über uns hinwegspült. Hitler hat Polen erobert und Rußland einen Teil seiner Beute abgegeben. Der Lohn dafür sind wir. Man nennt es Politik, Veraschka ... es sind Mühlsteine, in denen die Völker zermahlen werden, bis sie Schrot sind. Aus ihm backt man die neuen Staaten. Kann sich ein Korn dagegen wehren, zermahlen zu werden?«

»Und das nennst du frei sein, Sascha?«

Es war ein Ton in ihrer Stimme, der ihn an einer Antwort hinderte. Ein Ton von Auflehnung, Haß, Widerstand und Verachtung. Sie war eine Russin, und sie fühlte als Russin. Daß sie einen deutschen Namen trug, interessierte sie nicht. Sie hatte nicht den Namen geheiratet, sondern den Mann Rudolf Bergner.

»Komm«, sagte er leise. Er sah hinüber zu dem kleinen Altar. »Sie können uns nicht einfach aufladen. Es wird Monate dauern, bis alles soweit ist. Dann wird Winter sein. Er ist unser bester Schutz . . .«

Sie klappten die zweite Holzwand wieder vor die Altarnische. Vorher blies Vera Petrowna mit gespitzten Lippen die Lämpchen aus und knickste noch einmal vor dem hölzernen Christus.

Auf der Dorfstraße kamen ihnen einige Freunde entgegen. Sie schwenkten Zeitungen durch die Luft und lachten. Alkoholdunst flog ihnen voraus; untergefaßt marschierten sie durch das Dorf und sangen. Deutschland, Deutschland, über alles . . . über alles in der Welt . . .

»Sie sind verrückt, Sascha«, sagte Vera Petrowna leise und drückte seine Hand.

»Freust du dich, Rudi?« schrie einer aus der Menge. »Warst du nicht dagegen, du Idiot?! Hier, lies es doch!« Er schwenkte eine Ausgabe des *Völkischen Beobachters* und hielt sie aufgefaltet Bergner vor das Gesicht. »Lies es doch: Neue Höfe! Die besten Kühe im Stall! Fettschweine! Hühner, Gänse, Puten! Und für jeden von uns ein Gut, das uns keiner jemals wegnehmen kann. Erbhöfe nennen sie es! Was sagst du nun?!«

»Nichts!« antwortete Bergner laut.

»Das ist gut!« Die Bauern grölten betrunken. »Immer die Schnauze halten, Rudi! Dieser Hitler ist ein Bombenkerl! Er ist unser Mann! Wie sagen sie jetzt in Deutschland: ›Heil Hitler!‹« Einer der Bauern trat auf Bergner zu. Sein Gesicht war rot vor Trunkenheit. »Los Rudi, los, sag es auch: ›Heil Hitler‹.«

»Ja —«

»Sag ›Heil Hitler‹, du Schwein!« brüllte der Bauer.

»Tu es«, sagte Vera Petrowna schwach. Rudolf Bergner biß sich auf die Lippen.

»Heil — Hitler —«, knirschte er, kaum hörbar.

»Die rechte Hand hoch zum Deutschen Gruß, du Russenknecht. Los, los! Und dann noch mal, laut, daß es alle hören: ›Heil Hitler!‹«

Bergner tat es. Umringt von den drohenden Gestalten reckte er den Arm in den Abendhimmel und schrie laut, sich überschlagend, den neuen Deutschen Gruß. Es war wie ein Aufschrei, wie der letzte sich aufbäumende Laut eines Gefolterten.

Grölend, die Zeitungen schwenkend, zogen die betrunkenen

Bauern weiter durch Nowy Wjassna. Ihr ›Deutschland, Deutschland über alles ...‹ flatterte noch über die Strohdächer und um die Scheunen, um die hohen Balken der Ziehbrunnen und die offenen Schafställe, als es schon Nacht war und Herbstkühle von den Sümpfen herüberwehte.

»Daß wir Deutschen immer singen müssen«, sagte Bergner dumpf.

Knapp acht Tage später fuhr wieder Igor Igorowitsch Semjow in Nowy Wjassna ein.

Er fand ein anderes Dorf vor.

Verwundert hielt er seinen klapprigen Wagen mitten auf der Dorfstraße und wunderte sich, daß weder der Bürgermeister Bergner noch die anderen Bauern zusammenliefen, noch daß die Mädchen am Brunnen ihn begrüßten oder die Kinder wie sonst ehrfurchtsvoll seinen Wagen umstanden und nur heimlich ›swinja‹ auf die dreckige Kühlerhaube schrieben.

Es war überhaupt niemand da, der ihn beachtete. Es war, als sehe man durch ihn hindurch, als sei er überhaupt nicht vorhanden.

»He!« schrie Semjow über die Straße zu einigen Hirten hin, die in der Sonne saßen und Machorka in selbstgeschnitzten Pfeifen rauchten. »Habt ihr Blei in den Hintern?!«

»Das wirst du merken, wenn du sie uns leckst!« schrie einer zurück.

Wütend schlug Igor Igorowitsch die Tür seines Wagens zu und stampfte durch den aufquellenden Staub zum Hause Rudolf Bergners. Mischa, der Krüppel, grinste ihm zu und spuckte Sonnenblumenkerne vor seine Füße.

»Ich schlage dir dein Gehirn aus dem Wasserkopf, du Kretin!« schrie Semjow wütend. Mit dem Fuß stieß er die Tür zum Wohnzimmer auf und stemmte die Hände in die Hüften, als er Bergner am Fenster sitzen sah. »Was ist hier los?« brüllte er. »Auf der Straße grüßt mich keiner! Mischa, deine Fehlgeburt, spuckt mich an ...« Er blieb an der Tür stehen und musterte Bergner mit seinen schräggestellten Augen. Sein gelbes Gesicht war gerötet und wie aufgedunsen. »Was ist hier los?!« wiederholte er.

»Das kannst du noch fragen, Igor Igorowitsch? Seitdem Moskau uns alle zu Deutschen gemacht hat, pfeifen wir auf eure sowjetischen Normen. Ihr habt uns statt Stalin einen Hitler gegeben ...« Bergner hob die Schultern. »Nun warten wir, was Hitler uns zu befehlen hat. Du weißt doch, Semjow, daß dem Deutschen immer befohlen werden muß.«

»Ich werde es dem Sowjet in Shitomir melden!« kreischte Semjow. »Das ist Sabotage!«

Bergner erhob sich. »Ich habe mich gewehrt, Nowy Wjassna zu verlassen. Aber ich muß, weil ich Deutscher bin. Jetzt wehre ich mich dagegen, daß ein solch dreckiges Schwein wie du hier in meiner Stube steht und mich anbrüllt! Was willst du noch, Igor Igorowitsch?!«

»Ich hetze euch die GPU auf den Hals!«

Bergner lächelte. Er ging an Semjow vorbei, öffnete die Tür, drehte sich herum, faßte Semjow an dem Kragen seines Mantels, riß ihn herum, stieß ihn zur Tür hinaus und trat ihn dabei in das feiste Gesäß. Wie eine Kugel schoß Igor Igorowitsch auf den Platz vor der Scheune und mußte sich an einer Wagendeichsel, die er gerade fassen konnte, festhalten, um nicht in den Staub zu fallen.

Mit gesenktem Kopf verließ Semjow den Bergnerschen Hof. Ich werde sie verrecken lassen, dachte er. Wenn sie abziehen, werde ich alles von ihren Wagen werfen lassen, was mehr wiegt als fünfzig Pfund. Alles! Ich werde verantwortlich sein für den Transport von Nowy Wjassna nach Shitomir ... es ist eine schöne, einsame Strecke, auf der ich sie quälen werde, bis sie sich selbst erschießen.

Er verließ das Dorf sofort, aber er kam am nächsten Tag wieder. Diesmal brachte er drei junge Leute mit ... Burschen von 17 und 18 Jahren, Schüler der Komsomolzenschule in Shitomir, die in Korosten ihr landwirtschaftliches Praktikum machten. Sie hatten dunkelgrüne Hosen und Röcke an, Uniformen ähnlich, trugen auf den kahlgeschorenen Schädeln grüne Schirmmützen und benahmen sich hochmütig und fast spöttisch.

Igor Igorowitsch war in bester Stimmung. Er schritt an den staunenden Bauern vorbei und ließ seine drei Helfer einen Stapel Holzschilder schleppen, die er auf dem Brunnenplatz aufschichtete. Dann holte er Hammer und einen Kasten Nägel aus dem Auto und entfaltete eine Liste.

»Fangen wir an, Genossen«, sagte er mit fast jubelnder Stimme zu den drei jungen Burschen. »Zuerst bei Bergner. Dort, der Misthof! Wird in einem Jahr unter russischer Leitung eine Musterkolchose werden! An den Zaun kommt Plojenski.«

Die Komsomolzenschüler nahmen ein Schild, Hammer und Nägel und nagelten das Schild mit dem Namen Plojenski an den Zaun.

»Weiter!« rief Semjow. Er schwenkte seine Liste und zeigte auf den Nachbarhof.

»Boljekow!«

Ein Schild, ein Hammer, Nägel ... Am Zaun stand Boljekow.

So ging es weiter. Von Hof zu Hof, von Zaun zu Zaun. Stumm folgte den vier Sowjets die Masse der Bauern, die von ihren Frauen aus den Gärten, von den Feldern, von den Weiden geholt worden waren. Es war wie eine Prozession. Vorweg Semjow mit seiner Liste. Dann zwei Komsomolzen mit den Schildern, gefolgt von dem Burschen mit Hammer und Nagelkiste. Hinter ihnen, in Dreierreihe, die Bauern und Frauen.

An jedem Zaun, an jedem Bauernhaus blieben sie stehen, und es wurde ein Schild mit einem Namen angenagelt.

Krajenkow ... Bulschestin ... Sinjanowitsch ... Petrikow ... Adenorenkow ... Pjuljew ...

Namen ... Namen ... auf Holzschildern mit dicker, schwarzer Farbe geschrieben.

Nach seinem Rundgang, der über eine Stunde gedauert hatte, war Semjow wieder bei seinem Auto angekommen. Er stieg in seinen Wagen, die drei Burschen aus Shitomir klemmten sich hinter ihm auf den Rücksitz. Semjow sah in die harten, stummen Gesichter der Bauern. Er würde aufatmen, wenn er aus Nowy Wjassna wieder herausgefahren war.

»Sie kommen in drei Wochen, liebe Deutsche! In drei Wochen müßt ihr 'raus sein!«

»Das ist unmöglich!« schrie einer aus der Menge.

»In Moskau ist nichts unmöglich«, sagte Semjow und fuhr schnell ab.

Mitte Oktober — es hatte zum erstenmal in der Nacht geschneit und Bergner sagte zu Vera Petrowna, als er aus dem Fenster blickte: »So, jetzt haben wir Zeit bis zum Frühjahr«, kam der Befehl, die Sachen zu packen.

»Sie sind verrückt geworden!« rief Peter Borweck, ein großer Bauer vom Rande Nowy Wjassnas. »Wir haben im Dorf fünfzehn Säuglinge und dreißig Kinder unter zehn Jahren! Sollen die alle erfrieren, wenn die Novemberstürme kommen? Rudolf, du mußt mit Igor Igorowitsch sprechen.«

»Ich werde nicht mehr sprechen«, antwortete Rudolf Bergner. »Ihr habt mich bald erschlagen, als ich aus Shitomir zurückkam, um zu betteln, hierbleiben zu können. Ihr hattet den *Völkischen Beobachter* und die Rundschreiben in der Hand und nanntet mich einen Lumpen. Jetzt seht, wie ihr zurechtkommt!«

Er wandte sich um und ging.

»Du hast doch selbst zwei Kinder!« schrie ihm Borweck nach.

Die habe ich, dachte Bergner. Aber ich bringe sie durch. Sie haben mich gezwungen, die Hand zu heben und ›Heil Hitler‹ zu rufen, mitten auf der Dorfstraße. Ich hasse sie alle! Ich hasse sie deswegen, weil sie mich in diesen Minuten lehrten, mich zu schämen, daß ich ein Deutscher bin.

Er zog den Kopf ein und ging weiter durch den aufkommenden Schneesturm seinem Haus zu.

In der Nacht heulte es durch das Dorf. Die Sümpfe am Pripjet froren ein, von Norden kamen die ersten Eisschollen den Bug hinabgeschwommen ... noch klein, vereinzelte dünne Absprengsel einer sich bildenden Eisdecke, die schneller, als man glauben konnte, nach Süden weiterzog und die Flüsse zu festen Straßen werden ließ. Ein Eis, so dick, daß man in Sibirien sogar die Zugstrecken abkürzte und die Gleise über die zugefrorenen Seen legte.

Aus Shitomir erschien ein Kommissar mit drei Helfern. Er kam in einer großen Moskwa-Limousine, trug einen dicken Pelz aus Rotfüchsen und war ein wenig asthmatisch. Ausgerechnet in der stolowaja quartierte er sich ein und baute sein Büro vor der Doppelwand mit dem verborgenen Altar auf.

Jeden Tag hängte er ein neues Schild an die Tür ... acht Tage hintereinander.

Familien-Registrierung.

Vieh-Registrierung.

Hausbestandsaufnahme.

Vermögensberechnung.

Entschädigungsansprüche.

An diesem Tag geschah es. Oder vielmehr in der Nacht. Während Sergeij Pondrezkij, so hieß der Kommissar, kurzatmig auf seinem Feldbett lag und unter Decken und Fellen schlief, begannen in der nachtdunklen, stillen stolowaja merkwürdige Töne aufzuklingen.

Eine Glocke läutete.

Sergeij Pondrezkij richtete sich auf und sah sich um.

Alles war still, nur das Schnarchen seiner drei Gehilfen zerriß die Dunkelheit. Kopfschüttelnd rollte er sich auf die andere Seite und schloß die Augen.

Da — er schnellte empor. Wieder die Glocke! Doch kaum saß er, war es vorbei, so, als habe es nur in seinem Kopf geklungen.

»Job twoje madj«, sagte Pondrezkij und legte sich auf die rechte Seite. Ich habe es am Herzen, dachte er. Wenn ich links liege, kommen mir Halluzinationen.

Doch Kommissar Pondrezkij schien sehr krank zu sein. Denn auch die rechte Seite reagierte auf Halluzinationen ... das Geläut einer Glocke flatterte Sergeij durch das Gehirn und ließ seine Nerven mitschwingen.

»At da tschort!« (Hölle und Teufel) brüllte er. Er riß die Decken fort, warf den Pelz auf den Boden und sprang von seinem Feldbett. Er rüttelte seine drei Gesellen wach, und als sie schlaftrunken in seine Taschenlampe blickten, ohrfeigte er sie. »Hier läutet eine Glocke!« schrie er.

»Njet«, sagt einer der Gehilfen.

»Ich habe es dreimal gehört, du Schnarchbulle!« brüllte Pondrezkij. »Dreimal! So oft kann man nicht hintereinander das gleiche träumen.«

»Ich habe viermal im Traum hintereinander ein Mädchen gehabt«, sagte einer der Gehilfen weise. »Wenn man sich auf etwas konzentriert . . .«

»Legt euch hin, ihr Rindviecher!« schrie der Kommissar. Er wickelte sich wieder in seine Decken und lag bis zum Morgen wach. Um ihn herum schnarchten wieder die drei Gehilfen.

Die Glocke läutete nicht wieder.

Übernächtigt saß Sergeij Pondrezkij am nächsten Morgen hinter seinem Schreibtisch und philosophierte über sein Gehirn nach. Glocken, durchfuhr es ihn. Reaktionäre Glocken träume ich. Ich, der Kommissar und Kommunist! Das ist eine Schande für die Partei und ein Hemmnis meiner Karriere. Ausgerechnet Glocken!

Vor Einbruch der neuen Nacht zog Pondrezkij um. Er schlug sein Bett in der Wirtschaft von Jerinski auf. Der Ortswechsel schien etwas Gutes zu haben . . . er träumte in dieser Nacht und in den folgenden Nächten nicht mehr von Glocken.

Das Dorf Nowy Wjassna aber rettete seine Glocke und seinen hölzernen Christus. Während Pondrezkij glücklich schlief, bauten die Bauern den Altar und die Glocke aus der doppelten Wand der stolowaja aus und versteckten beides im Stroh von Bergners Scheune.

»Sie soll in der Heimat unsere Freiheit einläuten«, sagte der Bauer Borweck pathetisch. »Und unser Christus soll endlich von einem richtigen Pfarrer gesegnet werden . . .«

Was wußten sie alle von dem Deutschland, das sie heimrief –

Am 15. Oktober rasselten Raupenschlepper und große, hohe Lastwagen über die verschneite Straße von Miakolowitschi, drückten den Schnee zur Seite und bahnten sich eine Schneise nach Nowy Wjassna.

Die Bauern lagen noch in ihren Betten und hatten die Vorhänge vor die zugeklebten Fenster gezogen, als die Kolonnen über die Dorfstraße klirrten. Sie hatten sich sicher gefühlt, als der Schnee drei Tage lang ununterbrochen aus dem bleigrauen Himmel rieselte und die Dörfer und Wälder, die Sümpfe und Straßen und überhaupt alles, was über der Erde lag, in weiße, sanft geschwungene Wellen verwandelte.

»Sie kommen nicht mehr durch«, hatte Piotr gesagt, der als der Sorgloseste von allen mit einem Schlitten in Richtung Korosten fuhr und erst umkehrte, als das Pferd bis zum Bauch im Schnee versank und aus der Ferne, vom Pripjet her, das erste Heulen der hungrigen Wölfe das Schneetreiben durchschnitt.

»Sie kommen nicht durch, Freunde! Jetzt haben wir Ruhe bis zum Mai.«

Man kannte in Nowy Wjassna nicht die Raupenschlepper aus Shitomir und nicht die Schneepflüge, wie sie am Rande der Taiga von den großen Schneeräumbrigaden eingesetzt werden. Hier, in Wolhynien, grub man die Straßen noch frei, so, wie man es seit Hunderten von Jahren gemacht hatte. Das ganze Dorf zog mit Schaufeln hinaus ... es wurde ein Gang vom eigenen Haus aus zur Straße geschaufelt, und von dort, so wie Fuchsgänge zu einem Lager zusammenkommen, grub man die Straße hinaus in die Freiheit frei ... Das gleiche taten die anderen Dörfer ... man grub sich entgegen, und wenn man sich traf, trank man einen scharfen Wodka und feierte das harte Stück Arbeit.

In der Nacht kam dann ein Sturm, der Schnee wehte über Steppe und Sumpf, die Gräben füllten sich wieder. Am Morgen war die Einsamkeit wieder vollkommen, und die Welt war vereinheitlicht zu weißen, sanften Hügelwellen.

Monate ging es so. Man kannte es nicht anders.

Und nun kamen durch die unendlichen Schneefelder Autos und Traktoren, vermummte Menschen, in Pelze und Steppmäntel verborgen, sprangen in den Schnee und klopften die Hände aneinander.

Die Bauern drückten sich an den Scheiben ihrer Fenster die Nasen platt. Dann drückten sie die Türen gegen den Schnee auf und stapften hinaus in die klirrende Kälte.

Kommissar Pondrezkij war wieder da, und mit ihm waren Igor Igorowitsch Semjow und drei Beamte aus Shitomir gekommen. Als sich die Planen der Wagen hoben, erstarrten die Gesichter hinter den Scheiben. Frauen und Kinder, Männer und Greise sprangen in den Schnee und sahen sich um.

Mit langen Schritten, in hohen Filzstiefeln, watete Rudolf Bergner auf Semjow und Pondrezkij zu.

»Was soll das, Igor Igorowitsch?« rief er, noch bevor er die Gruppe Männer erreicht hatte, die neben dem Brunnen stand.

»Das frage ich dich!« Semjow grinste breit. Habe ich dich, du deutscher Hund, dachte er zufrieden. »Wo sind die beladenen Wagen? Wo ist das Vieh ... pro Kopf eine Kuh und zwei Hühner? Wo sind eure Weiber und Kinder? In einer Stunde geht es ab!«

Bergner ballte die Fäuste. Er sah zu Pondrezkij hinüber, aber dieser las in langen Listen und faßte die ganze Sache rein bürokratisch auf.

»Wir haben nicht gedacht, daß durch den Schnee ...«

»Gedacht!« Semjow wedelte mit beiden Händen durch die eisige Luft. »Ihr habt nicht an den Fortschritt geglaubt! Was geht uns der Schnee an, Genosse?! Wenn Moskau sagt: Am 15. Oktober geht es los ... dann geht es los, Brüderchen!« Er sah sich um. Das Dorf ertrank im Weiß ... nur der Rauch aus den niedrigen Schornsteinen verriet, wo Hütten standen. »Ihr habt nicht gepackt, Genosse?«

»Nein!«

»Traurig. Sehr traurig!« Igor Igorowitsch schnalzte mit der Zunge. »Dort warten eure Nachfolger, Genosse. Gute Russen. Echte Russen! Verdiente Kommunisten aus dem ganzen Land. Bauern, Kolchosenleute, Jungkommunisten, Landarbeiterbrigaden, sogar ein ›Held der Arbeit‹ ist dabei! Sollen sie in der Kälte warten und erfrieren, nur weil ihr deutschen Hunde zu faul wart, die Wagen aufzupacken?« Semjows Stimme quoll auf ... sie war Brüllen und Jubel in einem. »In einer Stunde marschieren wir ab! Wer dann nicht fertig ist, kann an der Grenze von Nowy Wjassna verrecken!«

»Ich werde es nach Moskau melden!« schrie Bergner zurück. »Wir haben jetzt als Deutsche ein Recht, vernünftig behandelt zu werden.«

»Scheiße habt ihr«, sagte Semjow genußvoll. »Ihr könnt euch beschweren, wenn ihr Deutschland erreicht habt. Wenn, Brüderchen. Bis ihr dorthin kommt, bin ich eure einzige Beschwerdestelle.«

»Du wirst uns heil und gesund nach Shitomir bringen müssen. Man erwartet uns in Deutschland.«

»Es gibt keine Listen. Nur ungefähre Zahlen. Wir waren nicht so dumm, Zahlen zu nennen. Wir rechnen immer mit einigen Ausfällen.« Igor Igorowitsch leckte sich über die Lippen. Er bereute es sofort, denn der Speichel erfror fast auf der Zunge. »Es würde nicht auffallen, wenn Nowy Wjassna verschwindet. Es hat es einfach nicht gegeben, Brüderchen ... wer will's uns nachweisen?« Er schlug die Arme gegen seinen dicken Körper. Die Kälte drang sogar durch seinen Fuchspelz. »In einer Stunde – ich warte nicht länger.«

Was ist eine Stunde, wenn man eine Heimat verlassen soll, in der man 174 Jahre lebte? Was sind läppische 60 Minuten, wenn das Gepäck eines neuen Lebens zusammengerafft, gesichtet, überlegt und verschnürt werden muß? Was sind 3600 Sekunden, wenn an ihnen das ganze Leben hängt.

Während von den Lastwagen die Möbel und Betten, die Säcke und Kisten, die Truhen und Kartons der neuen Dorfbewohner abgeladen und vor den Häusern in den Schnee gestellt wurden, packten die Deutschen im Inneren der Häuser ihre Habe.

Fünfzig Pfund Gepäck. Mehr nicht. Eine Kuh ... wie sollte

diese Kuh jemals in dieser Kälte, durch diesen Schnee, über dieses Eis nach Shitomir kommen, wo die Eisenbahnwagen standen?

Vera Petrowna Bergner stand in der Mitte des großen Zimmers. Ihre Augen waren leer, ihr Gesicht war leer, ihr Herz war leer. Sie empfand nichts mehr als Leere. Mischa, der Krüppel, saß auf einem Stuhl und greinte, Erna-Svetlana drückte ihr fünfjähriges Näschen gegen die Scheibe und bewunderte mit weiten Augen die Schätze, die man draußen vor dem Haus in den Schnee stellte.

»Sie haben einen Kinderwagen, Mamuschka!« rief sie mit ihrer hellen Stimme. »So, wie er im Katalog des Kaufhauses von Shitomir stand. Einen richtigen Kinderwagen mit einem Dach darüber ...«

Rudolf Bergner kam in das Zimmer. Er schleppte einen Sack mit Bettzeug hinter sich her. Schweiß stand auf seiner Stirn.

»Noch fünfunddreißig Minuten, Veraschka! Er nimmt Rache, dieser Hund von Semjow. Piotr war bei ihm und bettelte ihn um noch eine Stunde an. Er wurde ins Gesicht geschlagen! ›Noch fünfunddreißig Minuten oder im Schnee verrecken!‹ schrie er ihn an. Wir müssen uns beeilen, Petrowna.«

Sie nickte, aber sie blieb stehen, wo sie stand. Unbeweglich. Nur ihre Blicke begannen, umherzuirren. Das Sofa ... der Schaffellteppich, den die Großmutter geknüpft hatte ... der Tisch, die Fenstervorhänge aus Kiew, die Rudolf einmal von einer großen Reise zu einer Parteitagung mitgebracht hatte. Die Lampe mit dem Holzperlenschirm ... und nebenan ... die Betten ... die Kommode, der Kleiderschrank ... und weiter ... immer weiter ... die Felder, die Kühe, die Schweine, die Hühner, Alko, der Wolfshund ... und am Rande des Dorfes die Gräber ... vor allem die Gräber ... Stephan lag dort, das erste Kind. Es starb mit fünf Jahren an einer Lungenentzündung. Es hatte krause blonde Locken und hellblaue Augen, wie sein Vater. Moj ljubimez, stand auf der hölzernen Grabplatte (Mein Liebling).

»Ich schirre die Pferde an!« rief Rudolf Bergner vom Schlafzimmer aus. »Zieh die Kinder an, Vera! Es sind nur noch 17 Minuten!«

Auf dem Dorfplatz, vor dem Brunnen, stand Igor Igorowitsch Semjow und sah auf seine Uhr. Er tat es deutlich für alle, die zu ihm hinblickten. Es war fast, als zähle er die Sekunden mit, die in seiner großen, fleischigen Hand vertickten.

»Noch 10 Minuten, Genosse Kommissar«, sagte er zufrieden.

»Was dann?« fragte Sergeij Pondrezkij. Er hatte alle Mühe, die neuen russischen Bauern abzuwehren, die sich beschwerten, daß sie im Schnee warten mußten.

»Dann können wir einziehen. Dann fliegen diese Deutschen

hinaus wie ein Bündel Stallmist. Es wird ein Fest werden, Genosse Kommissar.«

Pondrezkij nickte. »Ich werde es nach oben melden, Igor Igorowitsch. Sie sind ein guter Organisator.«

»Noch sieben Minuten«, sagte Semjow breit. Er schüttelte die Uhr, als solle sie schneller gehen. Dann verzog er sein Gesicht, faßte mit den Zähnen den Handschuh der rechten Hand, zog ihn aus und stellte die Zeiger der Uhr zwei Minuten vor.

Die Zeit stimmte immer. Es galt nur eine Uhr, und das war seine.

An zwei Minuten können ganze Völker sterben —

»Dawai!« brüllte Semjow über den Dorfplatz zu den wartenden Russen. »Nehmt eure Sachen auf, Genossen! Noch fünf Minuten — es lebe der große Stalin ...«

»Noch sieben Minuten!« sagte Bergner und lud den Wagen auf. »Er kann keine Uhr haben, die schneller geht als meine!«

Die ersten Wagen, hoch beladen mit Betten, Hausrat, Öfen, Möbeln und frierenden, dicht vermummten Menschen, bogen aus den Hofeinfahrten auf die Dorfstraße. Ihnen folgten die Kühe. Ein paar Schafe sprangen durch den hüfthohen Schnee ... von den Wagen herab, zwischen den Betten und dem Hausrat, gackerten und schnatterten in kleinen Transportkörben die Hühner, Gänse und Enten.

Igor Igorowitsch Semjow grinste genußvoll.

»Alles beim Brunnen sammeln!« schrie er grell. »Und 'runter mit den Möbeln! Womit wollt ihr das Vieh ernähren bis Shitomir?! Von uns bekommt ihr keinen Halm Heu!« Er sah auf seine Uhr und hob die Hand! »Eine Stunde herum! Genossen!« brüllte er über die wartenden Russen vor den Häusern. »Es ist soweit. Nehmt Besitz von euren Häusern! Los!«

Die wartenden Neubauern stürmten in die Höfe. Sie rissen die Türen auf, sie durchrannten alle Räume, sie stießen die Fenster auf und warfen hinaus in den Schnee, was noch in den Stuben lag ... eine Puppe, eine halb geleerte Kanne mit Tee, Kisten und Stroh ... zwei Häuser neben Bergner wurde der noch nicht mit Packen fertige Piotr mit Fußtritten aus seinem Haus gejagt und in den Schnee geworfen.

»Meine Koffer!« schrie er. »Ich habe doch noch meine Koffer im Haus.«

»Job twoje madj!« lachten die neuen Besitzer ihm nach. »Hitlärr gibbt neues Koffärr!«

Auch zu Bergner kamen die Nachfolger. Er stand im Stall und legte die Handgriffe an Wagen und Pferde. Er sah dem bulligen Russen entgegen, der mit gesenktem Kopf, wie ein angreifender Stier, auf ihn zukam.

»Zeit um!« sagte er grollend.
»Noch zwei Minuten.«
»Semjows Uhr geht gut!«
»Sie geht zwei Minuten vor.«
»Eine gute Uhr. Wem die Uhr vorgeht, der wird immer der Erste sein! Wir Russen sind die Ersten! Die Uhren im Westen gehen immer nach.«
Rudolf Bergner hob Vera Petrowna auf den Wagen und steckte sie zwischen die Betten und einige Strohballen. Erna-Svetlana und Mischa, der Krüppel, saßen bereits zwischen Tischen und Stühlen und hatten die kleinen Gesichter tief in die Fuchspelze gesteckt. Nur ihre hellen Augen schauten aus dem Gewirr von rotgelben Haaren hervor und musterten den fremden Mann, der mit dem Vater sprach.
Rudolf Bergner musterte den bulligen Russen verwundert. So spricht kein Bauer, dachte er.
»Wer sind Sie?« fragte er.
»Iwan Plojenski.«
»Aber kein Bauer!«
»Ich bin Arzt.«
»Arzt? Was wollen Sie dann hier?«
Iwan Plojenski hob die breiten Schultern. »Es gibt in Rußland einen Ausspruch, Genosse Bergner – ich las Ihren Namen draußen an der Tür –, den Sie als Deutscher eigentlich begreifen müßten: Denke nie über einen Befehl nach! Ein Befehl ist in Rußland das, was einmal im Mittelalter das Wort Gottes war. Er ist ein Dogma.« Er knöpfte sich die dicke Steppjacke auf. Darunter trug er einen dicken, aus ungebleichter Schafwolle gestrickten Pullover. »Ich habe von Moskau aus den Befehl, hier in Nowy Wjassna eine Sanitätsstation aufzubauen. In Ihrem Hause, Herr Bergner. Es soll sich hier alles verändern. Das ganze Gebiet soll eine Musterkolchose werden, mit Landarbeiterbrigaden, Traktoren-Zentralhöfen, einem Arbeitslager für ›politisch Unzuverlässige‹ ... es soll alles ausgetilgt werden, was in diesem Dorfe typisch deutsch war ... zum Beispiel die Namen an den Haustüren.« Iwan Plojenski hob wieder die Schultern. »Nun bin ich hier, Herr Bergner. Mit Frau und drei kleinen Kindern. Von Kiew hinaus in die Pripjet-Sümpfe. Es ist eben ein Befehl –«
Um die Ecke der Scheune bog in schnellem Lauf Igor Igorowitsch. Er schwenkte in heller Wut seine Uhr durch die eisige Luft.
»Zehn Minuten drüber!« brüllte er hysterisch. »Zehn Minuten! Warum treten Sie den dreckigen Deutschen nicht in den Hintern, Genosse Plojenski?!«
»Ich habe Rheuma in den Beinen«, sagte Dr. Plojenski und

wandte sich ab. Semjow schluckte, aber er entgegnete nichts. Haßerfüllt sah er Bergner an.

»Fertig?!«

»Ja.«

Semjow musterte den großen Leiterwagen und die beiden Pferde. »Auch bis oben beladen mit Plunder«, schrie er. »Seid ihr Deutschen alle Idioten? Nehmt Heu und Stroh mit, Kapusta und Knollen! Womit wollt ihr das Vieh füttern?«

»Füttern?« Bergner ahnte etwas Schreckliches. »Bis Shitomir brauchen wir drei Tage! Dafür reicht es!«

Über das breite Gesicht Igor Igorowitschs zog ein Leuchten.

»Wir werden drei Wochen brauchen, Genosse Bergner. Wir ziehen erst nach Süden und nehmen die anderen Dörfer mit. Alle Deutschen sollen gemeinsam in Shitomir einziehen.«

»Das ist ein Verbrechen!« schrie Bergner entsetzt. »Das ist Mord!«

»Es ist Befehl aus Moskau«, sagte Semjow gemütlich und ging.

Auch drei Wochen gehen vorüber.

Nach vier Tagen mußten die ersten Kühe geschlachtet werden. Sie wurden zu Gefrierfleisch. Die Kälte ließ alles erstarren.

In den anderen deutschen Dörfern war es ähnlich wie in Nowy Wjassna. Die Bauern warteten schon auf den Transport ... die Dorfsowjets hatten präzise gearbeitet, es gab keine Aufenthalte mehr wie in Nowy Wjassna.

Semjow strahlte. Seine Organisation! Auf sie würde sogar Moskau aufmerksam werden. In Shitomir war der Posten des Parteisekretärs noch unbesetzt. Der bisherige Sekretär war nach Sibirien in ein Bleibergwerk abtransportiert worden. Keiner wußte, warum. Aber wenn Moskau befahl –

Rudolf Bergner hatte eingesehen, daß es wichtiger war, das Leben zu retten als den Hausrat. Er warf alles vom Wagen, was nicht unbedingt notwendig war. Vera Petrowna weinte zwar, aber Heu und Kapusta gaben die Garantie des Weiterkommens und Überlebens. Und Überleben war das einzige, was ihnen geblieben war von Wünschen und Hoffnungen.

In Shitomir kamen sie zusammen ... viertausend Wolhynien-Deutsche. Der erste Transport ins ›Reich‹, wie es der *Völkische Beobachter* nannte. Die Wiederkehr der Deutschen, die seit Generationen als Minderheit geknechtet worden waren und deren Sehnsucht Deutschland war.

Auf dem Güterbahnhof von Shitomir wurden sie verladen ... in Viehwagen, die nicht ausgekehrt oder ausgewaschen waren, in denen noch der Rinder- und Schweinekot lag, die nach Bullen und

Ziegen stanken und deren Stroh auf dem Boden in den Lachen von Urin faulte.

Die Deutschen bissen die Zähne zusammen. Es gab keine Beschwerdestellen, es gab kein Verständnis, keine Hilfe ... die einzigen, die halfen, waren vierzehn deutsche Ärzte und fast dreißig Krankenschwestern, die von Wagen zu Wagen gingen und an Kranke und Schwache die russische Depot-Medizin verabreichten, von der keiner wußte, wie lange sie in den Lagern gelegen hatte und ob sie überhaupt noch wirksam war.

Erst hinter Kowel änderte sich das.

In Kowel mußten alle die Wagen verlassen. Es wurde neues Stroh ausgegeben, die Wagen wurden gereinigt, man konnte sogar baden, die Sauna besuchen und sich entlausen lassen. Mit der Gründlichkeit der russischen Parteiorganisation standen vierzig Friseure zur Verfügung ... sie schnitten die Haare, rasierten, stutzten die Bärte, zogen nach alter Feldscherart schmerzende Zähne. Man brachte die Deutschen auf Hochglanz ... es sollte ein Propagandaschlag gegen die deutsche Presse werden: Seht, so gut genährt und gepflegt lebten bisher die Deutschen unter Stalin.

Nur Mischa, der Krüppel, brauchte keine Frisur und keine Banja mehr. Er wurde in Kowel ausgeladen, zusammen mit dem fauligen, stinkenden Stroh. Zwischen Shitomir und Kowel war er eingegangen, so, wie ein Licht verflackert, wenn Wachs und Docht niedergebrannt sind.

Vera Petrowna und Rudolf Bergner merkten es erst am Morgen. So still und unauffällig war er gestorben. Die kleine Erna-Svetlana lag noch neben ihm und schlief. Sie hatte ihr Ärmchen über das starre Gesicht des Toten gelegt ... wenn sie zusammen schliefen, lagen sie oft so umarmt.

Es war, als bräche Vera Petrowna auseinander. Sie schrie nicht ... um Erna-Svetlana nicht zu wecken. Aber sie sank neben das weiße Antlitz Mischas auf die Knie, drückte ihr Gesicht in das stinkende Stroh, wühlte sich mit dem Kopf neben den Toten und weinte, so haltlos, so wegfließend im Schmerz, daß ihre Knie nachließen und sie lang ausgestreckt neben dem toten Kind lag und sich schüttelte wie in Krämpfen.

»Mischaka!« schrie sie in das Stroh. »Moj angel! Moj medwjädika!« (Mein Engel! Mein Bärchen) Sie streichelte über sein schon eiskaltes Gesicht und begriff nicht, wie es geschehen konnte.

Vorsichtig richtete Rudolf Bergner seine Frau auf. Ihre Augen waren leer und groß, unnatürlich geweitet. Ihr schöner Mund stand offen, als hätte der Schrei ihre Kiefer auseinandergepreßt und ausgerenkt.

»Er hat ausgelitten«, sagte Bergner stockend. Die Worte würgten in seiner Kehle, er rang nach Luft. »Er wäre nie ein erwachsener Mensch geworden ...«

»Aber er war so glücklich, daß er lebte ...«, stammelte Vera Petrowna. »Er wollte nie sterben –«

Als Mischa in Kowel ausgeladen wurde, war Erna-Svetlana weggebracht worden in den Nebenwagen. Vera Petrowna umklammerte den kleinen toten Körper und schrie, als man ihn ihr aus den Armen riß.

»Ihr Hunde!« brüllte sie. »Ihr Mörder! Ihr wilden Tiere! Ihr Wölfe! Gott strafe euch! Gott strafe euch!«

»Gott!« Die sowjetischen Soldaten, die den Güterbahnhof von Kowel absperrten und die neugierigen Russen wegdrängten, lachten laut. »Grüß deinen Gott in Deutschland von uns, Mütterchen.« Und während Vera Petrowna um sich schlug und zusehen mußte, wie man ihren kleinen Mischa auf einen Karren warf, zwischen Kuhmist und Abfälle, so, wie man eine verfaulte Wurzelknolle wegwirft, tätschelten ihr die grölenden Soldaten die Hüften und kniffen sie in die starke Brust. »Bist ja noch jung, Mütterchen«, lachten sie. »Kannst noch zehn Kinder haben!«

Rudolf Bergner befreite sie aus dem Kreis der Soldaten und führte sie zum Wagen zurück. Dort hockte sie in der Ecke neben den Transportkörben mit den übriggebliebenen Hühnern und stierte vor sich hin.

Sie sprach kein Wort, bis sie sich der polnischen Grenze näherten. Eine Delegation deutscher Parteifunktionäre, an der Spitze ein Bereichsleiter der NSV und ein Beauftragter des ›Deutschtums im Ausland‹ empfingen den langen Gütertransport mit Fahnen und großen Kesseln heißen Kaffees.

Da erst sagte sie das erste Wort. »Sie haben ihn mit dem Mist weggefahren«, sagte sie leise. Über Bergners Rücken zog ein Frieren.

»Wir müssen es vergessen, Veraschka«, sagte er mit fast brechender Stimme. Er setzte sich neben sie in die Ecke und ergriff ihre Hände. »In einer Stunde beginnt unser neues Leben. Wir wollen es anpacken, nicht es wegwerfen. Denn das Leben geht ja weiter, Veraschka. Und wir haben ja noch unsere kleine, süße Erna-Svetlana. Unseren Liebling.« Er legte den Arm um ihre bebenden Schultern. »Vielleicht schenkt uns Gott wieder einen Jungen ... in der neuen Heimat, im neuen Leben, in Deutschland. In einer Stunde sind wir freie Menschen, freie Bauern, neue Menschen –«

Sie nickte. Sie tat es, weil es Rudolf sagte. Was Rudolf sagte, war richtig und gut. Sie kannte es nicht anders. Die Weite der russischen Steppe macht demütig und gläubig.

Sie standen vom Boden auf und gingen zu der großen Schiebetür. Als sie hinaussahen, tauchte zwischen vereisten Hügeln ein Bahnhof auf. Der Bahnsteig war schwarz von Menschen.

»Gleich sind wir im neuen Leben, Veraschka«, sagte Bergner. Er legte den Arm um ihre zitternde Schulter und drückte sie an sich. »Dort kommt die Heimat näher.«

Der Bahnhof von Chélm.

Das von Hitler eroberte Polen.

Aus der Menschenmenge auf dem Bahnsteig ragten einige gelbbraune Uniformen heraus. Die weißen Hauben von Rote-Kreuz-Schwestern leuchteten in der kalten Wintersonne.

Eine Kapelle spielte einen Marsch. Kriegsberichter der Wochenschau filmten. Aus den einlaufenden Viehwagen winkten die Bauern und ließen die Frauen die Kopftücher wehen. Das Kritische, das Tastende, das Abwartende war von ihnen abgefallen ... sie ließen sich mitreißen von der Begeisterung auf dem Bahnhof und jenem unerklärbaren Gefühl von Freude und Glück, unter Menschen zu sein, die sich Brüder und Schwestern nannten.

Als Bergner von seinem Wagen sprang, fing ihn ein gutgenährter Mann in gelber Uniform auf. Er umarmte Bergner, klopfte ihm auf die Schulter und schrie ihm mit in der kalten Luft dampfendem Atem ins Gesicht:

»Heil Hitler, Volksgenosse!«

»Heil Hitler!« antwortete Bergner steif.

Bin ich jetzt ›Zu Hause‹, dachte er?

Das Dorf, in das die Leute von Nowy Wjassna kamen, hieß Neuenaue und lag im Warthegau. Es hieß früher Nowo Luki und duckte sich nördlich des großen Warthebogens zwischen Konin und Sompolno an die trostlose polnische Erde.

Man hatte von den deutschen Parteidienststellen aus die Dorfgemeinschaften zusammengelassen. Das war aber auch alles, was geblieben war.

Ein Kreisleiter hielt eine Rede, in der er den Führer den ›Von Gott Gesandten‹ nannte. Ein Abgesandter aus Berlin mit viel Goldschnüren auf seiner Uniform verlas ein Grußwort Rudolf Heß' als Führer der Auslandsdeutschen. Ein dicker Mann, dessen Funktionen keiner kannte, überbrachte die Grüße aller Deutschen. Später stellte sich heraus, daß er von der Arbeitsfront Robert Leys kam ... er ging zwei Tage später von Bauer zu Bauer und nahm sie in die Arbeitsfront auf. Den ersten Beitrag kassierte er der Einfachheit halber gleich mit ein.

»Ihr könnt mit ›Kraft durch Freude‹ nach Norwegen fahren, nach Italien, nach Teneriffa! Ihr könnt euch die Welt ansehen!«

Die Wolhynienbauern nickten. Sie trugen noch ihre Wattejacken und Pelze. Sie wollten nicht Italien, Norwegen oder Teneriffa sehen ... sie wollten Neuenaue sehen, das ihnen versprochene neue Dorf, das besser sein sollte als Nowy Wjassna.

Aber so schnell ging es nicht. In Deutschland war die Perfektion des Beamtentums schon immer das Anschauungsmaterial des Verwunderns aller Völker gewesen. Ehe man die Wolhyniendeutschen weiterreichte in den Warthegau, mußten es erst rechte und wackere Deutsche sein.

Zum aufrechten Deutschen gehören zwei Dinge: Die Kenntnis der Nationalhymne und die Feststellung der Wehrkraft.

Beides war im Lager bei Litzmannstadt schnell erledigt. In Gruppen zu je fünfhundert Mann wurden die Nationalhymnen geübt. Das Deutschlandlied war bekannt ... aber das Horst-Wessel-Lied stieß auf Schwierigkeiten. Wer war Horst Wessel? Warum zwei Hymnen? Und wenn man Fahnen oder diese komischen Standarten in den Saal trug, spielte man immer den gleichen Marsch, den man den Badenweiler Marsch nannte. War das eine dritte Hymne? Aufstehen mußte man ja und die Hand heben.

Die Bauern waren etwas verwirrt.

Die Reihenuntersuchungen vor drei Militärärzten waren auch kurz. Er rasselte k. v. – was da aus Rußland kam, war zwar im Augenblick etwas schlapp und entkräftet, aber sonst von einem blendenden Gesundheitszustand. Wie sagte Hitler: Im Osten liegt Deutschlands Zukunft! – Er schien mal wieder recht zu haben –

In Neuenaue stand die Familie Bergner einen Augenblick verwirrt und verblüfft vor dem Haus, das man ihr zugewiesen hatte.

Daß es umkränzt war mit Tannengirlanden, verwischte nicht den Eindruck, daß dieses Dorf aus Bruchbuden bestand, daß es verwahrlost war, daß der Krieg es halb zerstört hatte und es in diesem Augenblick aussah wie ein einziger großer Friedhof.

Vera Petrowna sah Rudolf an. In ihrem Blick lag die Frage, die sie nicht laut auszusprechen wagte. Bergner nickte und drückte fester die kleine Hand Erna-Svetlanas, die er erfaßt hatte.

»Ein neues Leben heißt soviel wie ein neuer Anfang«, sagte er stockend. »Wenn der Boden gut ist, bauen wir auf!«

»Und wenn er schlecht ist?«

»Beschweren wir uns.«

Dieser Ausspruch bewies, daß Bergner wie alle anderen Bauern noch nicht begriffen hatten, wohin sie gekommen waren.

Es ist für einen anständigen Menschen auch schwer, das zu begreifen, was man Politik nennt.

Vier Tage später kam das Vieh an.

Polnisches Vieh. Den polnischen Bauern weggenommen oder von Polen als Wiedergutmachung erpreßt. Es waren gute Rinder und wundervolle Fleischschweine, gesunde Hühner und widerstandsfähige, kleine, zähe, schnelle und arbeitsame Pferde.

Als die Transporte in Neuenaue ankamen, hatten die Bergners schon den ersten Schock hinter sich.

In dem schmutzigen Haus, das sie betraten, klebte an den Wänden des Schlafzimmers noch Blut. Im Keller, dort, wo man die Kartoffeln für den Eigenverbrauch lagern wollte, hing etwas an der Wand. Rudolf Bergner kratzte es ab und warf es draußen auf den Misthaufen. Es war Gehirnmasse ... Vera Petrowna gegenüber verschwieg er es. Aber er wußte jetzt, was in diesem Hause vorgegangen war und wo die vorherigen Bewohner geblieben waren.

Er ging zu dem nationalsozialistischen Bürgermeister, der gleichzeitig auch Ortsgruppenleiter von Neuenaue war. Er wohnte im Schulhaus, war aus Pirna an der Elbe gebürtig, trug ein dickes Parteiabzeichen auf dem Rockaufschlag und ging nur in Uniform herum.

»Sie wollten sich in die Partei aufnehmen lassen, Volksgenosse Bergner?« fragte Ortsgruppenleiter Paul Ullricht.

Er schob Rudolf ein Formular hin, aber Bergner schob es mit der gleichen Bewegung zurück. Ullricht sah es mit Erstaunen.

»An der Wand meines Kellers klebte Gehirnmasse«, sagte Bergner laut. »Was haben Sie mit den Vorbesitzern gemacht?«

»Umgesiedelt.«

»Das ist nicht wahr! Und im übrigen hat man uns ein neues Dorf versprochen! Das hier ist ja schlimmer als die verlassenen Kolchosen! Dagegen war Nowy Wjassna ein Paradies!«

Der Ortsgruppenleiter faltete das Anmeldeformular zusammen. Er faltete es ganz klein zusammen und warf es dann in den Papierkorb neben sich.

»Lieber Bergner«, sagte er ruhig. »Der Führer hat Sie gerufen, und Sie sind gekommen! Sie haben erkannt, daß Sie Deutscher sind! Deutschland lebt im Krieg! In gar nicht langer Zeit werden wir noch Großes erleben! Die Welt wird sich verändern! Und da kommen Sie und klagen wegen ein bißchen Gehirn an der Kellerwand und meckern über die Häuser. Ich rate Ihnen: gehen Sie zurück, spucken Sie in die Hände und machen Sie aus Neuenaue das, was in Ihren Augen dieses Nowy Wjassna war. Verstanden?«

Das letzte Wort war härter, lauter, widerspruchslos. Bergner verließ nachdenklich die Schule. Aha, dachte er. Irgendwie gleicht sich alles auf der Welt. Ob Moskau oder Berlin ... der Ton ist jedenfalls der gleiche.

Merkwürdig ... er begann, sich heimisch zu fühlen ...

In den folgenden acht Tagen geschah noch einiges.

Mit dem Treck aus Rußland war auch ein Pfarrer gekommen. Er

hatte als junger Mensch in Deutschland sein Examen gemacht, war evangelischer Vikar geworden und hatte dann einer Einladung seiner Tante nachgegeben, sie in Wolhynien zu besuchen. Das war 1924, als in Deutschland ein Ei 10 Millionen kostete und man mit einem Koffer voller Geldscheine auf den Markt gehen mußte, um das Mittagessen einzukaufen.

Der junge Vikar blieb in Wolhynien ... jetzt war er mit zurückgekommen, einer der heimlichen Pfarrer, die in den Dörfern am Bug und Pripjet, genauso wie an der Wolga oder am Jenissei die Botschaft Christi heimlich und von Mund zu Mund weitergaben.

In Neuenaue gab es eine alte, verfallene Kirche. Die Partei hatte sie als Magazin eingerichtet.

Drei Tage lief der Pfarrer von Dienststelle zu Dienststelle, er fuhr sogar nach Warschau, reichte ein Gesuch beim Generalgouverneur ein ... gebt die Kirche frei, schickt uns Bänke, Kerzen, gebt uns Geld für einen Altar, ein Klavier oder Harmonium. Er schrieb an die Synode, an den Superintendenten, an den Rat der evangelischen Kirche ... Er gab keine Ruhe.

Am siebenten Tag wurde der Pfarrer gegen Morgen aus dem Bett geholt. Männer in schwarzen Uniformen mit Totenköpfen auf den Mützen führten ihn ab. Es hieß, es sei SS. Das, was man in Rußland die GPU nennt.

Man sah den Pfarrer nie wieder. Und keiner wagte es, nach ihm zu fragen.

»Es gleicht sich alles«, sagte Rudolf Bergner beim Abendessen. »Veraschka, unser Mischa ist umsonst gestorben –«

Zwei Jahre sind wie zwei Monate, wenn man die Tage nicht zählt, sondern sich wundert, daß es taut, blüht, Frucht trägt, herbstelt und neuer Schnee fällt. Aber was Menschenhände in zwei Jahren schaffen können, das sah man in Neuenaue.

Während das Dorf aufblühte und der mittelmäßige Boden durch intensive Bewirtschaftung gute Ernte trug, marschierten in den polnischen Wäldern und Hügelketten die deutschen Divisionen zum Sturm auf Rußland auf.

Die Bauern merkten es früh. Sie wurden noch einmal gemustert und erhielten die Bescheinigung, daß sie zur Infanterie oder zu den Pionieren, zu den Panzern oder zur Artillerie kommen würden. Ihre Eingliederung in das NS-Deutschland war ein einziger Federstrich. Daß Rudolf Bergner in Rußland geboren war, wie alle seines Jahrgangs, war völlig unwichtig. Sie wurden Soldaten – beurlaubt vorerst für die Ernten, denn die Schlachten werden nicht allein an den Fronten geschlagen, sondern auch im die Truppen versorgenden Hinterland.

Neuenaue bekam eine Kirche. Trotz des verschwundenen Pfarrers und des Hohns der Parteidienststellen kam man nicht daran vorbei, wollte man nicht alle Wolhyniendeutschen verärgern. Wer Gott nur als Untergrundbewegung kennt, hat die tiefe Sehnsucht im Herzen, ihm frei gegenüberzustehen, wenn man selbst frei geworden ist.

So baute man eine Kirche, zwischen Neuenaue und dem anderen Wolhynien-Dorf Kraftfeld. Sie lag in der Mitte auf einem kleinen Hügel, an einem herrlichen Platz, das Land beherrschend, mit dem dicken Glockenturm in den Himmel stoßend, als sei es eine Faust, die Gottes Güte öffnen möchte.

Hier trafen sich an einem Sonntag zum erstenmal zwei Kinder beim Kirchgang.

Erna-Svetlana Bergner und Boris Horn.

Svetlana war jetzt sieben Jahre alt. Sie sah mit Bewunderung zu dem Jungen hinauf, der mit seinen 9 Jahren auf einem Pferd zur Kirche ritt, in einem weißen Hemd, schwarzen engen Hosen und einem Hut, um dessen runden Kopf bunte Bänder geflochten waren.

Für Boris war die Welt herrlich. Er sah nur die Weite des Landes, wie er sie vom Pripjet her kannte, er sah die Sonne, die Wälder, das aufblühende Dorf und den schönen eigenen väterlichen Hof, auf dem der alte Horn herrschte wie ein Wojwode. Sie hatten 30 Stück Vieh auf der Weide, zweihundert Hühner und 70 Morgen unter dem Pflug. Der alte Horn konnte sich das leisten, denn er hatte etwas erkannt und getan, was die anderen Bauern zunächst nicht verstanden: Er war in die NS-Partei eingetreten, stellvertretender Ortsgruppenleiter von Kraftfeld geworden und hatte so seinen Besitz mittels der Organisation ›Blut und Boden‹ um das Doppelte vermehren können. Man gab ihm einfach von einem großen Gut 30 Morgen in Pacht. Mit der Pacht aber amortisierte er auch den Kaufpreis. In 20 Jahren würden dem jetzt 9jährigen Boris über 120 Morgen gehören.

»Wer bist du?« fragte Erna-Svetlana schüchtern, als Boris sein Pferd am Kirchenzaun festband und den Hut von den schwarzen Locken nahm. »Bist du auch aus Rußland?«

»Ich bin Deutscher!« sagte Boris Horn selbstbewußt. »Ich bin sogar Hitlerjunge.«

»Ist das schön?« fragte Svetlana naiv.

»Du bist ein blödes Mädchen!« sagte Boris verächtlich und ging in die Kirche. Erna-Svetlana ging ihm nach ... während er sich wie ein großer Herr vorn in eine der Bänke setzte, blieb sie hinten an einer Säule stehen und sah zu ihm hinüber.

Er ist schön, dachte Erna-Svetlana. Und er ist groß und stark.

Ob er mich einmal auf seinem Pferd reiten läßt? Wir haben zwar auch Pferde in Neuenaue, aber seins ist schöner, größer, besser.

Nach dem Gottesdienst wartete sie draußen vor der Kirche neben dem Pferd, bis Boris herauskam.

»Da bist du ja wieder«, sagte er. »Du bist aus Neuenaue?«

»Ja.«

»Ich heiße Boris.«

»Ich Erna-Svetlana.«

»Ich werde dich Svetla nennen.«

»Und ich dich Bor.«

Er lächelte und reichte ihr die Hand hin. »Komm uns mal besuchen, Svetla. Ich habe hinter dem Haus einen großen Spielplatz mit einer Schaukel, einer Wippe . . .«

»Gern, Bor.« Svetlana strich sich über die blonden, langen Haare. Sie waren wie Seide, fein und leicht. Der leiseste Windzug ließ sie aufflattern. Dann sahen sie aus wie eine goldene Wolke, die über die Sonne zieht.

»Du hast schönes blondes Haar«, sagte Boris und legte seine derbe Jungenhand auf Svetlanas Kopf.

»Und du hast ein schönes Pferd.«

»Willst du einmal reiten?«

»Ja!« rief sie glücklich.

Er hob sie in den Sattel und nahm die Zügel. Er schnalzte mit der Zunge und lief neben dem trabenden Pferd her, den Kirchenhügel hinunter, über die Weiden, nach Neuenaue zu. Erna-Svetlana jauchzte . . . die langen goldenen Haare flatterten hinter ihr her wie eine wundersame Fahne. Ab und zu schielte Boris verstohlen zu ihr hinauf. Er freute sich mit ihr, und er bewunderte mit seinem neunjährigen Herzen das schöne Mädchen.

Atemlos hielt er endlich an und ließ sich in das hohe Gras fallen. »Ich kann nicht mehr, Svetla«, keuchte er. »Ich bin kein Wolf, der stundenlang laufen kann.«

Sie sprang vom Pferd und setzte sich neben ihn. »Aber du bist so stark wie ein Wolf.«

»Vielleicht —« Er ließ ihr Haar durch seine vor Ermattung zitternden Finger gleiten. Sein schönes weißes Hemd zeigte häßliche Schweißflecken. »Kommst du mal zu uns, Svetla?«

»Ja, Bor. Bist du nächsten Sonntag wieder in der Kirche?«

»Ja, Svetla.«

»Dann sehen wir uns bestimmt.«

»Bestimmt.«

Sie gaben sich die Hand. Dann ging Svetlana zurück nach Neuenaue.

Vier Tage später wurde Rudolf Bergner eingezogen. Er wurde

Soldat. Der Krieg mit Rußland stand bevor. Er kam nach Posen, in ein Ersatzbataillon. Zur achtwöchigen Ausbildung.

Erna-Svetlana sah Boris Horn nicht wieder. Sie mußte im Haus helfen. Vera Petrowna war schwanger, zwei polnische Knechte lungerten herum und mußten von ihr beaufsichtigt werden. Für Svetlana blieb alles, was im Haus zu tun war ... fegen, aufwischen, spülen, Wäsche waschen, putzen, staubwischen.

Nach acht Wochen kam Rudolf Bergner in Urlaub. Für zehn Tage. Aber schon am 4. Tag erhielt er den Befehl, sofort zurückzukommen.

»Jetzt geht es los«, sagte er am Abend vor der Abreise. »Alle sprechen davon.«

»Wir greifen Mütterchen Rußland an?« fragte Vera Petrowna.

»Hitler will den Bolschewismus vernichten.«

»Kann er auch den Baikalsee verlegen?«

»Nein«, sagte Bergner verblüfft.

»Wie kann er dann den Bolschewismus vernichten? Er weiß ja nicht, was dort hinten ist.« Sie streckte den Arm weit aus ... es war eine Gebärde, die den russischen Raum umgriff ... vom Eismeer bis zur Mongolei. »Er war ja nie da ... Mütterchen Rußland ist wie ein Schwamm ... und er ist nur ein Tropfen.«

»Wenn wir Moskau haben, ist der Bolschewismus tot!« sagte Bergner.

»Gott sei mit dir«, sagte Vera Petrowna. Dann legte sie die Hände auf den wachsenden Leib. »Möge es das alles nicht kennen.«

»Dafür kämpfen wir ja, Veraschka –«

Wieder gingen zwei Jahre vorüber.

Der kleine Piotr machte an Vera Petrownas Hand die ersten Gehversuche. Die neunjährige Erna-Svetlana fuhr schon mit hinaus aufs Feld und brachte die Ernte mit ein. Man hatte keine Zeit mehr, ein Kind zu sein. Die deutschen Armeen gingen zurück, sie wurden zerschlagen, überfahren von den russischen Panzern, in die Erde gedrückt oder zerrissen von den Raketengeschossen, den Stalinorgeln.

Ab und zu kam ein Brief Rudolf Bergners an. Kurze Schreiben, die Vera Petrowna wie ein Heiligtum auf der nackten Haut zwischen den Brüsten trug und die sie wegschob, wenn der kleine Piotr trank.

Dann hörten diese kleinen Briefe ganz auf. Vier Monate lang fragte Vera Petrowna bei den Dienststellen nach, ließ die Feldpostnummer suchen. Als sie erfuhr, daß die Einheit nicht mehr bestände, wußte sie, daß sie Rudolf nie mehr wiedersehen würde.

Mitte Januar 1945 brach der Russe bei Warschau und Nasielsk

durch ... die Divisionen Marschall Rokossowskis strömten in die Weichsel- und Wartheniederungen, sie überschwemmten das Land wie eine alles zerstörende Sintflut. Was sie hinterließen, waren Grauen, Brand, Mord und Schändung. In einem Siegestaumel ohne Beispiel verloren sie alle menschlichen Maßstäbe.

In Neuenaue, Kraftfeld und den anderen Dörfern wußte man dies nicht. Die noch in den Dörfern lebenden alten Bauern und die Bäuerinnen hatten seit ihrer Geburt unter Russen gelebt, und sie hatten in den wenigen Jahren erkennen gelernt, daß nicht alles, was sich deutsch nennt, auch gut sein mußte.

Sie taten etwas, was seit Jahrhunderten in ihnen verwurzelt war: Sie begrüßten die Sieger als ihre Freunde. Sie bekränzten die Häuser, sie spannten Girlanden über die Dorfstraße, sie kamen den ersten sowjetischen Panzern mit Brot und Salz entgegen, sowie vor Jahrhunderten der Dorfpope dem Zarenbesuch entgegenkam und ihn segnete.

Die Sowjets lachten von ihren Panzern hinab. Dann hoben sie die Maschinengewehre und schossen die alten Bauern und die Bäuerinnen einfach nieder, in dem Augenblick, als sie den Brotteller zu der Panzerluke emporreichten.

Die es sahen, begriffen es nicht. Auch die elfjährige Erna-Svetlana sah mit entsetzensweiten Augen auf das Bild, wie die beiden Bauern und die drei Bäuerinnen mit ihren großen Kopftüchern unter einem wilden Geknatter zusammenbrachen, sich durch den Schnee wälzten, daß er ganz rot wurde. Unter dem Grölen der Russen fuhren dann die Panzer über die fünf Körper hinweg, drückten sie auf den gefrorenen Boden, zermalmten sie mit den Panzerketten, zerquetschten sie zu einer unförmigen Masse.

Vera Petrowna kam aus dem Haus gerannt, den kleinen Piotr auf dem Arm. Sie schrie etwas, sie sprach ihre Muttersprache, das gutturale Russisch des Asowschen Meeres, sie hielt den kleinen Piotr empor, den schreienden Sowjetsoldaten entgegen.

»Millostij!« schrie sie. »Millostij!« (Gnade! Gnade!)

An die Wand der Scheune gedrückt, versteckt hinter einer Mähmaschine, sah Erna-Svetlana, wie sechs Russen ihre Mutter ergriffen und mit sich rissen. Vor der Haustür ergriffen sie ihre Kleider, zerrten an ihr, zerfetzten Kleid und Unterwäsche und rissen ihr alles vom Leib, bis sie nackt, den kleinen, weinenden Piotr auf dem Arm an sich pressend, im Schnee stand.

»Dawai!« grölten die Sowjets. Sie waren betrunken, sie griffen Vera Petrowna, schleppten sie mit zur Scheune und warfen sie auf den Boden in das Heu. Den kleinen Piotr schleuderten sie in den Schnee, wo er liegen blieb, betäubt, stumm, vielleicht schon tot.

Erna-Svetlana rührte sich nicht. Sie starrte auf die Mutter, die nackt auf dem Boden lag. Was dann geschah, begriff sie nicht mit ihren elf Jahren. Sie schlug die Hände vor die Augen, hörte die Mutter schreien und jammern; sie preßte die Lider zusammen und legte die Hände an die Ohren, um dieses gräßliche, schon tierische Brüllen nicht mehr zu hören.

Nach einer Stunde wagte sie sich aus dem Versteck hervor.

Neuenaue brannte. Die Panzerspitzen waren weitergezogen. Die Artillerie, die durch das Dorf jagte, kannte keinen Aufenthalt. Wie ein Spuk rauschten sie durch den beginnenden Abend.

Am Eingang der Scheune lag Vera Petrowna. Ihr nackter Körper mit den hohen Brüsten war blutbeschmiert. Sie hatte kein Gesicht ... schwere Stiefel hatten ihr den Schädel eingetreten.

Einen langen Blick warf Erna-Svetlana auf ihre Mutter. Ein Blick, der alles aufnahm, was an Grauen aufzunehmen war. Nicht vergessen ... das war der Gedanke, der in dem elfjährigen Mädchen emporstieg. Nein, Mamuschka ... das werde ich nie, nie vergessen.

Sie ging in das aufgebrochene Haus zurück, klaubte aus den herausgerissenen, geplünderten und herumgeworfenen Sachen einige Kleidungsstücke zusammen, packte sie in einen Koffer und zog den dicken Mantel mit dem Pelzkragen an.

An der Leiche des kleinen, erfrorenen Piotr vorbei ging sie über die Straße Neuenaues in Richtung Kraftfeld. Das Dorf war ausgestorben ... die Männer lagen erschlagen, erschossen in den Stuben oder im Schnee vor den Häusern, die Frauen hockten verstört, geschändet in irgendeiner Ecke des Hauses oder lagen ohnmächtig irgendwo auf dem Boden. Das Vieh brüllte in den Ställen — die Sowjets hatten einfach in die Ställe geschossen und das verwundete Vieh sich selbst überlassen. Wahnsinnig vor Schmerzen schrie es und füllte die kalte Luft mit seinem Brüllen aus.

Erna-Svetlana ging schnell weiter. Vielleicht treffe ich Boris, dachte sie. Wenn er sich versteckt hat, kann er noch leben. Was soll ich denn tun? Wo soll ich denn hin auf dieser Welt?

Sie kam an der kleinen Kirche auf dem Hügel vorbei. Als sie sie betreten wollte, um ein kurzes Gebet für die Mutter und den kleinen Piotr zu sprechen, prallte sie zurück.

Der Pastor hing an der Kirchentür. Die sowjetischen Soldaten hatten ihn mit ausgebreiteten Armen und Beinen festgenagelt. Sein Gesicht war verzerrt ... er mußte es bei vollem Bewußtsein erlebt haben.

Spät in der Nacht kam sie in Kraftfeld an. Sie sah es schon von weitem ... es brannte. Der Feuerschein erhellte die Nacht und ließ den Schnee auf der Dorfstraße schmelzen. Ein paar alte Männer und Frauen räumten die unversehrt gebliebenen Sachen aus den Häusern.

»Wo wohnt Boris Horn?« rief Erna-Svetlana. Man zuckte die Schultern.

»Da ist keiner mehr. – Wo kommst du denn her?«

»Aus Neuenaue.«

»Und wie sieht es da aus?«

»Wie hier. Meine Mutter und mein Brüderchen –« Plötzlich weinte sie. Der Schmerz überkam sie erst jetzt ... er stürzte über sie her und warf sie nieder. Man trug sie in eine Scheune und legte sie ins Stroh.

Sie war allein auf der großen, aus den Fugen geratenen Welt.

Es kümmerte sich niemand um sie, denn wer selbst nur das nackte Leben rettete, hatte genug damit zu tun es zu behalten.

Von Boris Horn war nichts mehr bekannt geworden.

Den alten Horn fand man mit eingeschlagenem Kopf auf dem Boden seiner Scheune ... seine Mutter hing geschändet an einem Heuwagen ... die beiden Schwestern Boris' hatten sich auf dem Dach des Hauses aufgehängt. Zwei Tage lang waren sie von den durchziehenden Russen mißbraucht worden ... Tag und Nacht, ohne Pause. So war die ganze Familie im Tode vereint ... nur von Boris, dem jetzt 13jährigen Jungen, fehlte jede Spur.

»Vielleicht haben die Sowjets ihn mitgeschleppt«, sagten die überlebenden Bauern. »Wer weiß es?! Es ist besser, er ist tot, als das zu erleben, was ihm bevorstehen würde. Als Sohn eines Nazis, als Hitlerjunge ...«

Vierzehn Tage blieb Erna-Svetlana in Kraftfeld. Sie erlebte, wie die Polen wieder Besitz von dem Dorf ergriffen, wie die Deutschen als Knechte auf ihren eigenen Höfen hausten. Dann kamen Kommissare ins Dorf, schrieben Namen auf und stellten Listen zusammen.

Es wiederholte sich alles, was schon 1939 in Nowy Wjassna geschehen war. Die Methoden waren die gleichen geblieben, nur die Namen der Ausführenden waren andere.

Mitte Februar ging der neue Treck von Kraftfeld ab.

Durch Schnee und Eis, durch Beschimpfungen und Steinwürfe, durch Hunger und Erfrierungen zu Fuß bis Warschau. Schneestürme wehten die schwankenden Menschen zu, Hunger warf sie in die Straßengräben und Schneeverwehungen. Wer schwach war, starb am Straßenrand oder wurde von den begleitenden Milizsoldaten erschossen. Erst in Warschau wurden sie verladen, wieder in stinkende Viehwagen ... ein armseliger Haufen ausgelaugter Menschen, den man in die Waggons stopfte, denen man die Türen vor den Nasen zuschob und sie von außen plombierte.

Erna-Svetlana überlebte alles. Sie wurde als eines der wenigen noch vorhandenen Kinder mit dem Verpflegungswagen der Miliz gefahren ... ab Warschau hockte sie in einem der Viehwaggons und wurde von den vierzig Menschen mit durchgezogen. Sie bekam hartes Brot, heißes Wasser zum Trinken und ab und zu eine Suppe aus Kapusta mit Graupen, den berühmten russischen kasch, die von den sowjetischen Begleitsoldaten dreimal in der Woche ausgegeben wurde. Dann schob man die Türen der Waggons auf, warf die in den beiden Tagen Gestorbenen einfach hinaus, leerte die Abortkübel, goß die Suppe in einen Eimer und warf die Türen wieder zu.

Sechs Wochen lang fuhren sie durch Rußland. Sie hatten es aufgegeben, die Tage zu zählen. Die Zeitbegriffe verschwammen ... man schlief, aß, verrichtete seine Notdurft und schlief weiter. Oder man starb.

In Alma-Ata wurden sie nach sechs Wochen ausgeladen.

Das Ziel, Kasakstan, war erreicht.

Auf dem Güterbahnhof erwartete sie der Distriktsowjet, Stephan Tschetwergow. Er trug eine hohe Fellmütze, hatte über der Oberlippe einen dünnen, langen Tatarenbart, sah aus wie ein Reiter Dschingis-Khans und besaß das Gemüt eines Schakals. Als die ersten Wagen geöffnet wurden, und die halbtoten Deutschen vom Waggon in den Sand fielen, lachte er schallend und bog sich in die Hüften.

»Neue ehemalige Genossen!« schrie er mit einer heiseren Stimme, als die Überlebenden wankend vor ihm standen. »Der größte Mensch aller Zeiten, Josef Stalin, hat euch zurückgeholt in die wahre Heimat! Ich begrüße euch, Genossen! Ihr werdet neue Höfe bekommen und neues Land und werdet ackern und ernten zum Segen unserer glorreichen Sowjetunion!«

Sie bekamen zum erstenmal seit neun Wochen ein richtiges Essen. Rindfleisch und eine Graupensuppe, so dick, daß die Löffel drin standen. Dann wurden sie auf Lastwagen verladen und weggefahren.

Die Steppe nahm sie auf ... die neue Heimat.

Das Dorf hieß Judomskoje. Es lag in der Nähe des riesigen Balchasch-Sees, westlich der Dsungarei, in der Nähe der unendlichen Hungersteppe der Kirgisen.

Sie waren in Asien. Am Ende der Welt.

Der Dorfsowjet Iljitsch Sergejewitsch Konjew sah verblüfft auf die kleine Erna-Svetlana, die nach der Verteilung der Häuser allein auf dem Dorfplatz vor der üblichen stolowaja stand, einen kleinen Pappkarton mit ihren Sachen neben sich im Steppengras. Ihr Gesichtchen war eingefallen und gelbblaß, ihre Arme so dünn, als läge kein Fleisch zwischen Knochen und Haut. Einsam stand sie auf dem leeren Platz, während die Bauern ihre armseligen

Hütten durchgingen und glücklich waren, dem Leben wiedergegeben zu sein.

»Zu wem gehörst du denn?« fragte Iljitsch Sergejewitsch Konjew.

»Ich gehöre zu keinem.«

»Mit wem bist du denn gekommen?«

»Mit den anderen. Aber ich bin allein.«

»Das gibt es doch gar nicht.« Konjew kratzte sich den Kopf. In seinen Verfügungen stand alles, was er zu tun hatte, und er tat es, dem Buchstaben getreu. Von einer Vollwaise stand nichts darin. Es war ein Präzedenzfall, der Eigeninitiative verlangte. »Was mach ich nur mit dir?« fragte er und kratzte sich wieder den Kopf. Dann winkte er Svetlana und wandte sich um. »Komm mit. Wir werden morgen jemanden finden, der dich aufnimmt.«

Bis in den frühen Mittag hinein schlief Erna-Svetlana. So, wie sie sich hingelegt hatte, lag sie auch noch am Morgen. Es war ein bleierner Schlaf, fast einer Lähmung gleich.

Konjew ließ sie schlafen. Er ging schon am frühen Morgen von Haus zu Haus und besichtigte die Neuankömmlinge. Die Höfe, die sie bekommen hatten, waren armselig und verfallen. Es waren Häuser ehemaliger Verbannter, die gestorben oder weitertransportiert worden waren. Seit zwei Jahren standen sie leer, die Felder verunkrauteten, versteppten, versandeten durch den Flugsand, der von West-Turkestan herüberwehte. Man würde Monate brauchen, ehe der Boden wieder trug . . . Monate des Hungers und des Elends, der Einsamkeit und der Trostlosigkeit. Nur der kleine Fluß Kumin würde mit seinen Fischen, den Lachsen und Stören, Nahrung geben.

Iljitsch Sergejewitsch Konjew schüttelte den Kopf und kehrte nach Hause zurück. »Ich kann sie doch nicht verhungern lassen«, sagte er zu Marussja, seiner Frau. »Davon steht nichts in den Verordnungen.«

»Sie ist eine Deutsche. Laß sie verrecken«, sagte Marussja gehässig. »Man zieht sich keine Feinde groß . . . man tilgt sie rechtzeitig aus!«

Am sechsten Tag hatte Konjew eine Idee. Er setzte Erna-Svetlana vor sich auf das Pferd und ritt mit ihr hinaus aus Judomskoje.

Unendlich dehnte sich die Steppe. Der Himmel über ihnen war blau, von einem so schönen, reinen Blau, wie es Svetlana noch nie gesehen hatte. Große Rinder- und Pferdeherden weideten das Gras, dazwischen lagen, wie weiße Watteknäuel, die Schafherden.

Sie ritten eine knappe halbe Stunde, als das Dach einer Datscha zwischen Kiefern und Birken hervorleuchtete. Es war ein langer, flacher Bau aus Holz, mit einer überdachten Veranda, einer gläsernen Ecke und einem kleinen Gewächshaus, durch dessen Scheiben die roten Knollen von Tomaten und die Blüten großer Blumen sichtbar waren.

Das Nahen des Pferdes wurde von drei Hunden in einem Zwinger gemeldet ... wie toll sprangen sie gegen den Draht und bellten, fletschten die Zähne und kratzten mit den großen Tatzen die Erde auf.

Konjew lächelte. »Es sind eigene Züchtungen des Herrn«, erklärte er. »Er hat eine gefangene Wölfin mit einem Jagdhund gepaart. Keiner in Kasakstan hat solche Hunde wie er!«

Auf der überdachten Terrasse erschien eine breite, große Gestalt. Sie trug einen grünen Anzug und hohe Juchtenstiefel; in der Hand hielt sie eine Reitgerte, die mehr einer Peitsche glich.

Konjew winkte ihr zu und hielt sein Pferd an.

»Ein schöner Tag, Iwan Kasiewitsch Borkin!« rief er. »In Alma-Ata soll es die ersten Rosen geben.«

Die Hunde verstummten, als Borkins hohe Gestalt an ihrem Zwinger vorbeikam und die Peitsche leicht gegen die Gitter schlug. Hechelnd lagen sie nahe der Tür und beobachteten Konjew aus rotunterlaufenen, blutdürstigen Augen.

»Wer ist denn das?« Borkin zeigte mit der Peitsche auf Svetlana, die sich an Konjew drückte. »Ich wußte nicht, daß du eine Tochter hast, Iljitsch Sergejewitsch.«

»Sie ist eine Waise.« Konjew sprang vom Pferd und half Erna-Svetlana herunter. Klein und schüchtern, die Sonne in ihren langen goldenen Haaren widerspiegelnd, stand sie neben dem Pferd und sah zu Borkin hinauf.

»Eine Verwandte?« fragte Borkin. Der Dorfsowjet schüttelte den Kopf.

»Eine Deutsche.«

»Ach!« Borkin hob die dünnen Augenbrauen. »Mit dem Transport aus Alma-Ata gekommen? Wolhyniendeutsche?«

»So ist es. Sie ist Vollwaise.«

Iwan Kasiewitsch Borkin schlug mit der Peitsche gegen seine weichen Juchtenstiefel. »Und du reitest mit ihr spazieren?«

»Ich dachte, Iwan Kasiewitsch, daß ...« Konjew stockte.

»Ach, ich verstehe. Du bringst sie mir?!«

»Im Dorf ist keiner, der sie ernähren könnte. Aber Sie, der große Dichter der Sowjetunion, der Freund Stalins, der Preisträger, in dessen Büchern unser unsterbliches Rußland verherrlicht wird« – Konjew schluckte, denn Borkin ließ ihn ungerührt weitersprechen, ohne ihm zu helfen –, »Sie haben eine schöne Datscha, Sie haben Kühe und Pferde und Schweine und Schafe ... Ich dachte, daß Svetlana das Vieh bei Ihnen hüten könnte.«

Borkin sah zu dem Mädchen hinunter. Kleines, schmächtiges

Ding, dachte er. Wenn du in ein paar Jahren so schön bist wie deine Haare, werde ich nicht bereuen, heute ja gesagt zu haben.

»Wenn du willst, kannst du bei mir bleiben«, sagte er.

Svetlana nickte. »Ich will . . . Wo soll ich denn sonst hin?«

»Das klingt nicht begeistert.« Er hockte sich nieder und sah Svetlana in die blauen Augen. »Ich habe mir immer ein Mädchen gewünscht. Es war ein guter Gedanke von Konjew, dich zu mir zu bringen.«

»Iwan Kasiewitsch Borkin ist ein großer Dichter«, sagte Konjew stolz. »Er kennt in Moskau und im Kreml jeden Minister und aß mit dem großen Stalin an einem Tisch. Du bist ein Glückspilz, Svetlana . . .«

»Komm mit«, sagte Borkin und richtete sich wieder auf. Er nahm die schlaffe Hand Svetlanas und nickte Konjew zu. »Melde nach Alma-Ata, daß ich die Kleine nehme.« Er wandte sich ab und ging mit Erna-Svetlana der Terrasse zu.

Konjew nickte. »Ja, Iwan Kasiewitsch«, rief er. Dann schwang er sich auf sein Pferd und ritt zurück nach Judomskoje.

Im Haus, der langgestreckten hölzernen Datscha, führte Borkin das Mädchen durch alle Räume. In dem Zimmer mit der gläsernen Ecke schlug Svetlana die Hände zusammen und jauchzte.

»Ein Papagei!« rief sie. »Ein richtiger Papagei.«

Er saß in einem großen Messingkäfig und schaukelte auf einer rotlackierten Stange.

»Es wird dir hier gefallen, Svetlana«, sagte Borkin. Er streichelte über ihr goldenes langes Haar und über die Schulter, das Kleid hinab.

Dabei spürte er unter seinen Fingern die ersten Anzeichen eines Erwachsenwerdens, und seine Hände begannen leicht zu zittern.

»Wie alt bist du?« fragte er. Er steckte seine Hände in die Taschen seines Jagdanzuges, als habe er Feuer berührt.

»Elf Jahre, Herr.«

»Nenn mich nicht Herr, Svetlana. Sag einfach djadja Iwan zu mir.« (Onkel Iwan)

»Djadja«, sagte Svetlana. Über ihr Gesichtchen zog ein glückliches Leuchten. »Wie schön der Papagei ist!«

»Ich schenke ihn dir.«

»O danke, danke, djadja!« Sie schlug die Hände gegeneinander. Dann haschte sie nach der Hand Borkins, und ehe er sie wegziehen konnte, küßte sie sie. Borkin biß sich auf die Unterlippe.

»Das darfst du nie wieder tun, Svetlana! Du bist kein Sklave! Du gehörst jetzt zu diesem Haus.« Ein Gefühl von Zuneigung, Stolz und Freude und Verantwortung überkam ihn. »Du sollst nie mehr Not leiden«, sagte er. »Und in wenigen Jahren werden sie alle vergessen haben, daß du eine Deutsche bist . . .«

Sein Ruhm als bekannter Schriftsteller verpflichtete Borkin, oft seine Datscha zu verlassen, um sich aus propagandistischen Gründen dem Volke zu zeigen. Er wurde herumgereicht, ausgestellt und bewundert ... er war der sichtbare Beweis von der neuen Kultur des Sowjetstaates, einer Kultur, der der Westen nichts entgegenzusetzen hatte.

In den Tagen, die Borkin auf Reisen war, hütete Erna-Svetlana die Schafe auf den riesigen Weideflächen von Judomskoje. Im Hause blieben dann noch zwei junge Knechte und zwei Köchinnen und Putzfrauen, die alle ohne Ausnahme Sträflinge waren, die hier in Kasakstan, am Rande Asiens, ihre Verbannungsjahre verlebten. Sie waren wegen guter Führung aus den Straflagern beurlaubt worden und arbeiteten auf der Datscha. An Flucht dachten sie nicht ... es wäre Wahnsinn gewesen, aus der Mitte Rußlands in eine andere Welt zu flüchten, die unerreichbar war wie der Mond.

Drei Tage nach einer neuen Reise Borkins nach Balchasch war Erna-Svetlana mit der Schafherde draußen am Rande der Hungersteppe. Sie saß unter einem Zeltdach, das sie sich mit einem kleinen Pony mitgenommen hatte. Es war ein warmer Tag ... von Turkestan wehte ein heißer Wind über die Niederungen und strich über die Sonnenblumenfelder, die am Rande Judomskojes begannen.

Die deutschen Bauern waren auf den Feldern. Sie waren in die große Sowchose ›Roter Oktober‹ eingegliedert worden, einen Riesenbetrieb, der 2500 Hektar groß war und für den in Uspenski 25 Buchhalter arbeiteten, um die jährlichen Einnahmen von über 6 000 000 Rubel gewissenhaft zu verbuchen.

Das Land wurde kolonisiert. Kartoffeln wurden angepflanzt, Mais, Buchweizen, Roggen; riesige Gemüsefelder entstanden ... hinter Judomskoje bis zum Balchasch-See über 230 Hektar! 24 000 Obstbäume mußten gepflegt, beschnitten, gespritzt werden. An über 760 Bienenstöcken arbeiteten die Imker. Eine besondere Traktoren-Brigade fuhr von Feld zu Feld und pflügte, säte, eggte.

Erna-Svetlana hatte sich einen Topf mit Borschtsch, der russischen Gemüsesuppe, mitgenommen. Dazu hatte die Köchin ihr ein Stück kalten Rinderbraten und ein halbes Schwarzbrot gepackt. Wenn es dämmerte, wollte Svetlana ein Feuer entfachen und die Suppe wärmen. Vielleicht blieb sie in der Nacht draußen in der Steppe. Die Dunkelheit war schon warm, und Svetlana fand es herrlich, die Sonne über der Steppe untergehen zu sehen. Dann brannte der Himmel von Kasakstan ... so weit das Auge reichte, war das Land rot und golden ... Erde und Himmel wurden eins, die ganze Welt ging unter in dem Abendmantel der Sonne.

Gegen Mittag erhob sich Svetlana und ging etwas Brennholz suchen, um am Abend den Borschtsch zu wärmen. So sah sie nicht, wie auf drei Panjewagen eine Schar Jungen über die Weiden jagten und sich der Schafherde näherten. Erst, als sie vor dem Zeltdach hielten und es einrissen, hörte Svetlana ihr lautes Lachen.

Sie ließ das gesammelte Holz fallen und rannte mit nackten Füßen über die Steppe.

»Was macht ihr?!« schrie sie mit ihrer hellen Stimme.

»Laßt das doch! Mein Dach! Mein Dach!«

Atemlos kam sie bei den drei Panjewagen an. Fünfzehn Augenpaare musterten sie ... dreißig Augen, groß, braun, schwarz, geschlitzt ... in schmalen oder breiten Gesichtern, zwischen weißer, brauner oder gelber Haut. Sie kannte diese Jungen nicht ... sie mußten aus Judomskoje kommen. Kinder von Verbannten, die in Kasakstan blieben und dort heirateten ... Kalmückenfrauen, Nomadenmädchen, Kirgisen, Turkmeninnen. Ein buntes Völkergemisch, eine menschliche Palette.

»Was wollt ihr?« schrie Erna-Svetlana. Die Augen und die plötzliche Stille um sie herum krampften ihr Herz vor Furcht zusammen.

»Du bist die Deutsche!« sagte einer der Jungen, mit langen schwarzen Haaren und einem asiatischen Gesicht. »Wir wissen es ... du bist es! Dein Vater hat meinen Vater getötet!«

»Das ist nicht wahr.« Svetlana wich zurück. »Mein Vater ist auch tot. Und meine Mutter auch. Eure Soldaten haben sie zertreten!«

»Das tut kein sowjetischer Held!« schrie einer der Jungen vom Wagen herab. »Das ist deutsche Hetze! Ihr habt in Rußland die Kinder lebend ins Feuer geworfen! Mein Vater hat es erzählt!«

»Es ist nicht wahr!«

»Willst du sagen, daß mein Vater lügt?« Der Junge sprang vom Wagen und stellte sich vor Erna-Svetlana hin. »Sag es noch einmal, du deutsches Schwein! Sag, daß mein Vater lügt!« Er ballte die Faust.

Svetlana wich weiter zurück. Aber sie kam nicht weiter ... die Jungen hinter ihr bildeten eine Mauer. Sie hatten das Mädchen eingekreist. Zitternde Angst sprang in Svetlana auf. Sie sah sich um. Kein Mensch außer den Jungen ... nur weit, weit hinten ratterte ein Traktor über das Kartoffelfeld. Es war zu weit, um zu rufen.

»Das ist unsere Weide«, sagte ein anderer Junge. »Geh mit deinen Schafen weg!«

»Die Weide ist Eigentum der Sowchose«, sagte Svetlana schwach.

»Es ist unsere Weide! Du kannst in die Wüste gehen. Alle Deutschen gehören in die Wüste! Man sollte alle Deutschen erschlagen!«

»Ich bin in Rußland geboren«, stammelte Svetlana. »Mein Vater —«

Der große Junge mit den langen schwarzen Haaren lachte. Er ergriff Svetlana an den blonden Haaren und riß sie zu sich heran. Sie schrie auf, aber es ging unter im Lachen der anderen Jungen.

»Dein Vater war ein Lump und Mörder!« schrie der Schwarzhaarige. »Und deine Mutter war eine Hure! Wiederhole es! Los! Wiederhole es!«

»Nein!« rief Svetlana.

Der Junge riß an ihren Haaren. Er schüttelte sie hin und her und schlug ihr mit der anderen flachen Hand in das tränenüberströmte Gesicht.

»Sag es!« brüllte er. »Sag es!« Die anderen Jungen klatschten Beifall wie bei einem Sportfest.

Erna-Svetlana schloß die Augen. Ihre dünne Stimme flatterte durch die plötzliche Stille, die sie umgab, und brach dann zusammen.

»Mein Vater war ein Lump und Mörder —«

»Und meine Mutter —«

»Nein!« schrie sie. »Die Soldaten haben sie zertreten. Ich habe es ja gesehen . . .«

»Sag es!« zischte der Junge und schlug sie wieder.

»Meine Mutter war eine Hure —«

Als sie es gesagt hatte, brach sie zusammen. Sie lag im Steppengras, ein kleines Häuflein voller Zittern und Weinen, zugedeckt mit blonden Haaren, in die die Abendsonne einen blutigen Schein mischte.

Zufrieden stiegen die Jungen wieder auf ihre Panjewagen.

»Ein herrlicher Spaß«, sagte einer von ihnen laut. »Das machen wir jetzt jeden Tag. So lange, bis die Deutsche in die Wüste wegläuft und verdurstet.« Er schnalzte mit der Zunge. »Dawai!«

Die drei Wagen fuhren weg. Aber sie fuhren in die Schafherde hinein, trieben sie auseinander, jagten sie über die Steppe weg und zerstreuten die Tiere in alle Richtungen. Erst, als die Herde völlig auseinandergerissen war und die verängstigten Schafe in wilder Flucht davonrannten, wendeten sie die Wagen und fuhren singend nach Judomskoje zurück.

In der Nacht kehrte Iwan Kasiewitsch Borkin aus Balchasch zurück. Wie jeden Abend ging er auf Zehenspitzen in das Zimmer Svetlanas, um zu sehen, ob sie schlief. Wenn sie im Schlafe lächelte, war auch er glücklich.

Er fand sie im tiefen Schlaf, aber noch immer schüttelte wildes Schluchzen den ermatteten Körper. Entsetzt beugte sich Borkin über die Schlafende . . . auf ihrem Gesicht sah er deutlich die Abdrücke von Schlägen. Dort, wo das goldene Haar begann, war sogar ein Riß in der Haut, über der Stirn. Das Haar war dort leicht von Blut gerötet.

Borkin rannte aus dem Zimmer. Im Haus riß er alle Türen auf und brüllte mit seiner mächtigen Stimme durch die Datscha.

»Alles herkommen! Alles! Sofort!!« Er riß die Fenster auf und schrie über den nächtlichen Hof. »Alles hierherkommen! Ihr Hunde! Ihr Misthaufen! Sofort hierher!«

In seinem großen Arbeitszimmer sah er mit flackernden Augen auf die Landarbeiter, Mädchen, Köchinnen und Melker. Die Peitsche in seiner Hand wippte ... er hatte Lust, sie quer durch alle diese stumpfen Gesichter zu ziehen ... immer und immer wieder, bis sie nur noch blutige Streifen waren.

»Wer hat Svetlana geschlagen?« brüllte er auf. Seine Stimme war wie ein Schlag ... die Köpfe zuckten herunter. »Wer? Wer?!« schrie er weiter. »Wenn er sich nicht meldet, schlage ich euch alle so lange, bis man euch nicht wiedererkennt.«

»Es waren Kinder aus dem Dorf, Towaritsch«, sagte die Köchin weinend. »Sie haben Svetlanaschka in der Steppe überfallen. Sie haben die Schafherde weggetrieben, das Zelt zerrissen und gedroht, sie würden wiederkommen!«

»Welche Jungen?«

»Wir kennen sie nicht.«

Borkin verließ das Haus und schwang sich draußen auf sein Pferd. Wie ein Irrer jagte er über die Steppe durch die Nacht, Judomskoje entgegen, dessen Lichterschein man fahl und dünn am Horizont sah. –

Iljitsch Sergejewitsch Konjew saß gerade in einer Ecke seines Wohnzimmers, las die neueste *Komsolmolza Prawda,* rauchte ein Pfeifchen mit Machorka und trank ein Gläschen Knollenschnaps, als jemand die Tür auftrat und die Klinke gegen die Wand knallte.

Aus der Küche hörte er Marussja schreien. »Er hat mich geschlagen! Er hat mich geschlagen!«

Ehe Konjew begriff, was vorgefallen war, stand Borkin vor ihm, die Peitsche in der Hand.

»Genosse Borkin«, sagte Konjew verblüfft. Er zuckte zusammen, als die Peitschenschnur vor ihm auf den Tisch knallte und das Glas mit dem Knollenschnaps umwarf.

»Was geht in deinem Drecksdorf vor?!« brüllte Borkin. »Du sitzt hier und säufst dir das Gehirn aus dem Wasserkopf, während draußen auf der Steppe meine Svetlana von jugendlichen Räubern mißhandelt wird!«

Konjew wurde blaß. Er zweifelte keinen Augenblick an dem, was Borkin sagte. Er zweifelte nur daran, daß er etwas tun konnte.

»Wissen Sie, wer es war?« fragte er und knöpfte den Rock über dem Hemd zu. »Ich werde ihn fragen . . .«

»Fragen? Erschlagen werde ich ihn!«

»Das kann Komplikationen geben, Genosse Borkin. Auch wenn es im Affekt ist, bleibt es Mord.«

»Ich verlange, daß sich der Kerl bei mir meldet!«

»Sie verlangen mehr Mut, als Sie in Ihren Büchern schreiben.« Konjew nahm seine Mütze vom Kleiderhaken und setzte sie auf. »Sind sie überhaupt aus Judomskoje?«

»Sie?« Borkins Gesicht wurde rot. »Es waren mehrere? Du weißt etwas, du Kröte!« Er faßte Konjew am Jackenaufschlag und riß ihn zu sich heran. »Morgen früh stehen die Sauhunde vor meiner Datscha! Um 9 Uhr! Wenn sie nicht dastehen, werde ich nach Moskau melden, daß in Judomskoje ein Idiot auf dem Posten eines Dorfsowjets sitzt. Du kannst dir dann einen Platz in der Taiga aussuchen, wo du verfaulen willst!«

Er ließ Konjew auf seinen Stuhl fallen und verließ das Haus.

Iljitsch Sergejewitsch Konjew tappte durch das Dorf und warf die Bauern aus den Betten, deren Söhne sich an Svetlana vergriffen hatten. Er trieb sie alle in der stolowaja zusammen und sah sie mit schiefem Kopf an.

»Eine dumme Sache, Genossen. Eure Söhne haben zwar recht . . . sie handeln im Sinn der Partei. Es sind gute Kommunisten, und dieses Mädchen ist eine Deutsche. Aber, Genossen . . . Kommunist sein, heißt nicht, auch ein Idiot sein. Und eure Söhne sind Vollidioten. Sie wissen doch, wer Borkin ist. Wie kann man einen Freund Stalins beleidigen?«

»Genosse Konjew . . .«, setzte einer der Bauern an.

»Halt's Maul!« schrie Konjew. »Morgen um 9 Uhr stehen eure Mißgeburten vor Borkins Datscha! Ich werde auch zugegen sein. Wenn ich einen vermisse, den hole ich selbst herbei!« Er hieb mit der Faust auf den Tisch, hinter dem sonst die Parteiredner standen. »Haut ab! Ich kann eure Visagen nicht mehr sehen!«

Um 9 Uhr morgens stand Borkin auf der überdachten Terrasse. Erna-Svetlana war neben ihm. Sie hatte Angst. Der djadja war so still und ernst. Er hatte kaum ein Wort gesprochen.

Auf dem Platz vor der Terrasse hechelten die drei Wolfshunde. Borkin hatte sie aus dem Zwinger genommen und mit langen Ketten an in die Erde gerammte Holzpfähle festgebunden. Zähnefletschend und mit heißem Atem lagen sie im Sand und sahen mit grünroten Augen auf die Einfahrt der Datscha.

Fünf Minuten nach 9 Uhr fuhren die drei Panjewagen in den Hof ein. Die Wolfshunde heulten auf und rissen an den Ketten. Iljitsch Sergejewitsch Konjew schielte nachdenklich auf die geifernden Bestien. Er wird sie doch nicht loslassen, dachte er erschrocken. Sie werden uns alle zerreißen.

Der Sicherheit halber blieb er auf seinem Pferd sitzen und nickte Borkin auf der Terrasse zu.

»Die Burschen kommen, sich zu entschuldigen.« Die drei Wagen hielten. Die fünfzehn Jungen sprangen in den Sand. Der große, schwarzhaarige Bursche mit dem Mongolengesicht trat vor. Borkin schlug mit der Peitsche auf die Holzbrüstung.

»Du bist der Anführer, du gelber Affe?« schrie er.

Der Junge zuckte zusammen. Borkin traf ihn da, wo er zum Mörder werden konnte, bei der Erwähnung seiner asiatischen Abstammung. Seine Mutter kam aus der Mongolei.

»Ich bin Jungkommunist«, sagte er laut und aufsässig. Borkins Peitsche schnellte vor und wirbelte vor dem zurückweichenden Jungen den Sand auf. Konjew biß sich auf die Unterlippe. Das sind ja großfürstliche Manieren, dachte er. Das Zarenreich ist seit 1919 tot, Genosse Borkin. Das hier bricht selbst dir den Hals.

»Du bist ein stinkender Affe!« brüllte Borkin den Jungen an. »Laß dir einen Spiegel geben und sieh es selbst, du gelbes Schwein!«

Die Wolfshunde sprangen vor, so weit es ihre Ketten erlaubten. Die fünfzehn Jungen blieben an der Mauer neben den Panjewagen stehen. Nur der Schwarzhaarige trat einen Schritt weiter vor.

»Wir sind gekommen, uns zu entschuldigen, aber nicht, uns beleidigen zu lassen«, sagte er stolz. Über Borkins Gesicht zuckte es. Er ergriff Svetlanas Hand und ging mit ihr die Terrasse hinab. Die Peitsche in der Hand stellte er sich neben die geifernden Hunde und winkte.

»Ihr habt mein Kind geschlagen . . .«

»Ihr Kind?« sagte Konjew verblüfft.

»Ihr habt Mut, sie zu schlagen, ihr Zelt zu zerreißen, die Herde wegzutreiben! Habt ihr erbärmlichen Hunde auch Mut, hierherzukommen und Svetlana die Hand zu geben und zu sagen ›Entschuldigung‹!?«

Die Jungen sahen sich an. Wenn sie zu Svetlana wollten, mußten sie in den Bereich der Hunde. Konjew spürte, wie ihm kalter Schweiß auf die Stirn quoll.

»Das können Sie nicht tun, Genosse«, stotterte er.

»Wenn du in die Hosen machen willst, steig erst vom Pferd!« Borkin sah die fünfzehn Burschen an. »Nun? Kein Mut? Gibt es unter den Jungkommunisten nur noch Feiglinge?«

Der schwarzhaarige Mongole trat langsam vor. Die Wolfshunde sprangen ihm entgegen. Ihre Gebisse leuchteten weiß. Zwischen ihnen lagen die Zungen, als bluteten sie vor Gier.

Der Junge zögerte nur einen Augenblick, dann ging er weiter.

Keine zehn Zentimeter trennten ihn von den Hunden, als er vor Erna-Svetlana stand. Diese hatte den Kopf gesenkt und wagte nicht, ihn anzusehen.

»Nun?« sagte Borkin.

»Iswinite!« sagte der Schwarzhaarige. (Verzeihung!)

Er streckte die Hand aus und gab Svetlana eine aus Birkenholz selbst geschnitzte Figur. Ein Pferd, struppig, wie es die Kalmücken reiten.

Dann drehte er sich um, ganz Verachtung, ganz Stolz, und ging an den sich wie irrsinnig gebärdenden Hunden vorbei zu den Wagen zurück.

Noch vierzehnmal hörte Svetlana das »Iswinite« und erhielt von jedem der Jungen eine Kleinigkeit. Ein Bild, das selbst gemalt war, ein Schiffchen, eine aus Weidenruten geflochtene Reitgerte, einen Holzteller, einen Trinkbecher, das Fell eines Hermelins.

»Besten Dank«, sagte Erna-Svetlana. »Danke schön ...«

»Du brauchst nicht zu danken.« Borkin wandte sich ab. »Komm!« Er nahm wieder Svetlanas Hand und zog sie mit sich fort ins Haus.

»Das wäre erledigt«, sagte Iljitsch Sergejewitsch Konjew und wischte sich den Schweiß von der Stirn. »Wir haben unsere Pflicht getan. Und ich werde sie weiter tun! Darauf kannst du dich verlassen, Iwan Borkin!«

Er wandte das Pferd und ritt aus dem Hof hinaus in die Steppe. Hinter ihm klapperten die drei Panjewagen mit den fünfzehn Jungen.

»Das ist wirklich eine böse Sache, Genosse. Wir werden es nachprüfen müssen.«

Stephan Tschetwergow, der Distriktsowjet in Alma-Ata, überlas noch einmal das Protokoll, das er von Konjews Bericht aufgenommen und diktiert hatte.

»Weshalb hast du es nicht verhindert?«

»Er hätte mich erschlagen! Er ist ein gewalttätiger Mensch. Erstaunlich, daß er so zarte Gedichte schreiben kann! Alles in seinem Leben ist Lüge! Auch die Hymnen auf Stalin! Er ist der typische Bourgeois! Ein Reaktionär! Ein Trotzkist!«

»Abwarten«, sagte Tschetwergow. »Er hat mächtige Freunde.«

»Moskau ist weit.«

»Aber es gibt ein Telefon von Alma-Ata bis zum Kreml. Wenn man die Geheimnummern kennt ...« Tschetwergow räusperte sich. »Und Borkin kennt sie! Wir müssen vorsichtig vorgehen. Iwan Kasiewitsch ist nicht einfach zu behandeln.«

Als Konjew zurückreiste nach Judomskoje, nahm er ein Schreiben des Distriktsowjets gleich mit, das Borkin aufforderte, nach

Alma-Ata zu kommen. Allerdings trug er diesen Brief nicht selbst zur Datscha, sondern schickte damit einen Hütejungen.

»Was hat er gesagt?« fragte Konjew, als der Junge zurückkam.

»Er hat den Brief gelesen, gelächelt und mir 10 Rubel gegeben.«

»10 Rubel. Für einen solchen Brief?« Konjew zog sich in sein Zimmer zurück und grübelte. War Borkin wirklich so sicher, oder spielte er es bloß? Es ist für einen Dorfsowjet eine böse Sache, einen Feind zu haben, der mächtiger ist als man selbst.

Am nächsten Tag schon fuhr Borkin nach Alma-Ata. Er nahm Erna-Svetlana mit. Konjew erfuhr es sofort von einem der fünfzehn Jungen.

»Eine böse Sache, Genossen, die wir uns da eingebrockt haben«, stellte er am Abend bei einer internen Versammlung in der stolowaja fest. »Er wird uns anklagen, daß wir dieses deutsche Mädchen schänden wollten!«

»Tschetwergow wird ihn auslachen!«

»Er wird ihn hinauswerfen!«

»Er wird nach Moskau einen Bericht schreiben!«

Die Stimmen schwirrten durcheinander. Konjew schwieg. Mist, dachte er. Ich habe mich auf die falsche Seite gestellt. Was gehen mich diese Holzköpfe von Bauern und ehemaligen Sträflinge an?

»Die Versammlung ist geschlossen!« schrie er.

Zum erstenmal ging Erna-Svetlana durch eine große Stadt.

Sie blieb vor den doppelstöckigen Omnibussen stehen, als seien es Fabelwesen ... sie bestaunte mit offenem Mund die weißen, riesigen Parteibauten, die neue Universität, die Denkmäler von Stalin und Lenin, das Theater, von dem Borkin erzählte, daß darin getanzt würde und man wunderschöne Märchen spiele.

Die Mischung von europäischer Zivilisation und uralter, asiatischer Beschaulichkeit, die der Stadt Alma-Ata etwas unerklärbar Reizvolles und Geheimnisvolles verlieh, verstand Svetlana noch nicht – aber sie spürte das große Erlebnis, diese Stadt zu sehen, die die Sehnsucht von Tausenden von Bauern war und oft die Erfüllung eines harten Steppenlebens.

In den staatlichen Magazinen kaufte Borkin für Svetlana Kleider und einen Mantel, ein Kostüm und drei Puppen, die aus Hongkong kamen und unzerbrechlich waren. Auch einen großen Zottelbären kaufte er ihr, den sie sofort an sich drückte und nicht wieder hergab.

Es war ein kleines Vermögen, das Borkin opferte. Allein das Kostüm, westlich geschnitten, kostete 450 Rubel.

Dann gingen sie in ein mongolisches Restaurant, tranken grünen, starken Tee mit Honig, aßen ein Fettgebäck und ließen sich mit einem Autotaxi zu dem großen Parteihaus fahren.

Für Svetlana war die Welt wie ein aufgeklapptes Märchenbuch, aus dem die Figuren lebendig wurden.

Genosse Stephan Tschetwergow blickte erstaunt von seinen Papieren hoch, als Borkin mit Svetlana in sein Zimmer kam.

»Nanu«, sagte er, »was soll die Deutsche hier?«

»Ich will sie Ihnen vorstellen.«

»Ich kenne sie bereits.« Tschetwergow kramte in seinen Akten herum. »Geboren in Nowy Wjassan! Ausgesiedelt nach dem Warthegau. Wollten alles Deutsche sein, als dieser Hitler sie rief. Jetzt in Judomskoje. Sollen wieder Russen werden. Am besten, man schlägt sie gleich tot! Es ist Ungeziefer, Genosse Borkin. Ich wußte nicht, daß Sie Ungeziefer lieben.«

»Das macht der Umgang mit Ihnen, Tschetwergow.«

Der Distriktsowjet biß die Zähne zusammen. »Sie sind zu sicher, Genosse.« Er lächelte hintergründig. »Auch Stalin lebt nicht ewig. Er ist 20 Jahre älter als ich!«

»Ich bin sicher, daß er Sie überleben wird.«

Tschetwergow zwang sich, das plötzliche Frieren über seinem Rücken nicht zu spüren. Er nahm ein dienstliches Gesicht und läutete der Stenotypistin, einer kleinen, schlanken Kalmückin mit einem ewig lächelnden, winzigen Mund.

»Nehmen wir das Protokoll auf, Genosse Borkin«, sagte er amtlich. »Wo fangen wir an?«

»Dort!« Borkin zeigte auf die Kalmückin. »Schicken Sie Ihren Bettwärmer hinaus! Was ich Ihnen zu sagen habe, paßt in kein Protokoll. Oder wollen Sie hineinschreiben lassen: Iwan Kasiewitsch sagt: ›Der Genosse Tschetwergow ist ein Idiot!‹?«

Die kleine Kalmückin grinste und blinzelte Borkin zu.

»Raus!« schrie Tschetwergow.

Mit einem Knicks verschwand das Mädchen. Borkin sah ihr nach, bis sie die Tür hinter sich geschlossen hatte.

»Sie wird kaum 15 Jahre alt sein«, sagte er nachdenklich. »Und Sie sind verheiratet, Genosse ...«

»Was wollen Sie von mir?« knurrte Tschetwergow.

»Ich dachte, Sie wollten mich sprechen? Fünfzehn Rüpel haben meine Svetlana geprügelt und meine Herde zerstreut. Ich habe sie gezwungen, sich zu entschuldigen. Verbieten Ihre Richtlinien die Höflichkeit, Genosse? Oder kennen Sie die Höflichkeit etwa gar nicht? Man sollte von einem Distriktsowjet annehmen, daß er ...«

»Schon gut! Schon gut!« Tschetwergow winkte ab. »Das Ganze kommt nur daher, daß dieser Konjew zu mir kam und Sie anzeigte.«

»Und es ist Ihre Pflicht, dieser Anzeige nachzugehen.«

»Genau, Genosse Borkin.«

»Dann sind wir uns also einig?«

»Wie immer.«

»Sdrastwujte!« (Guten Tag)

Die Cholera hole dich, dachte Tschetwergow. Er lächelte dabei. Das hatte er von den Asiaten gelernt, die er mißachtete, bis auf eins, das er an ihnen bewunderte: Ihr Lächeln.

Die Fahrt nach Alma-Ata hatte sich gelohnt. Die Jungen von Judomskoje gingen Erna-Svetlana aus dem Weg.

Drei Jahre lebte sie auf der Datscha, hütete die Schafe, lernte melken und buttern, fuhr mit Borkin über die Felder und sah, wie die deutschen Bauern die riesigen Gebiete der Sowchose ›Roter Oktober‹ fruchtbar machten und bebauten. Borkin nannte ihr Zahlen ... sie waren für sie kein Begriff, aber sie waren riesig wie dieses herrliche Land unter dem weiten, blauen Himmel.

24 000 Obstbäume, 600 Kühe, 150 Pferde, 700 Schweine ... allein über ein Gebiet von 450 Hektar war Mais angebaut. Felder, so weit die Augen reichten ... Maiskolben neben Maiskolben. Dazwischen lagen die Kolchosendörfer wie winzige Inseln in einem gelben Meer.

Den Bauern ging es gut. Wenn die Sowchose ›Roter Oktober‹ gute Einnahmen und Ernten hatte, bekamen die Bauern ihren Anteil. Je mehr sie dem Land abrangen, um so stetiger wuchs nach einem genau errechneten Aufteilungsschlüssel ihr Deputat.

»Sie können zufrieden sein, deine Landsleute«, sagte Borkin einmal zu Svetlana, als sie wieder über die Weiden ritten. Sie konnte jetzt selbst reiten. Grigorij, der erste Knecht, hatte es sie gelehrt. »Der Staat sorgt für sie.« Borkin hielt sein Pferd an und zeigte hinüber zu den in der Sonne leuchtenden Kopftüchern der Frauen, die gebückt über die Felder gingen und Kohlpflanzen verzogen. »Sieh sie dir an, Svetlana. Sie bekommen am Tag, wenn sie fleißig sind, 1 Rubel. Dazu pro Tag 4 kg Kartoffeln, 1 kg Gemüse, 1,5 kg Korn zum Selbstmahlen und Brotbacken, 1,5 kg Viehfutter für die Hühner und Gänse. Sie haben jeder ihre Hütte, die 15 000 Rubel kostet, eine Kuh, die ihnen täglich 6 Liter Milch gibt. Für einen Liter Milch bekommen sie von der staatlichen Milchsammelstelle 1 Rubel und 60 Kopeken. Sie haben ein Kalb, 2 oder 3 Schweine, 3 Bienenkörbe, viele Hühner und müssen von all dem nur 50 Rubel monatlich für die Hirten zahlen, die ihre Kühe von Weide zu Weide treiben. Es ist ein Leben, das sie heute in Deutschland nicht haben! In Deutschland hungert man und sterben die alten Menschen in niedrigen Wellblechhütten.«

Svetlana sagte nichts. Aus dem kleinen, schmächtigen Mädchen war in diesen Jahren das Leben hervorgeblüht. Sie war größer und breiter geworden ... die schlanken Beine verdickten sich zu sich rundenden Hüften ... das Kleid spannte sich über einer spitzen Brust, die fest war und keiner Stütze bedurfte.

Oft, wenn Erna-Svetlana in dem Teich nahe der Datscha badete, schlich sich Iwan Kasiewitsch Borkin durch die Büsche und sah ihr zu. Der enge Badeanzug, den er ihr aus Alma-Ata mitgebracht hatte, war wie eine zweite Haut und verbarg nichts von der frischen Schönheit. Die Gutenacht-Küsse, die ihm Svetlana jeden Abend gab, verloren für ihn das Kindliche und regten ihn von Abend zu Abend mehr auf. Er sah ihren weißen Körper durch die dünnen Nachthemden und fühlte die Wärme ihrer Arme, wenn sie sich um seinen Nacken legten, anders, wie man es bei einem Kinde sonst empfindet. Er spürte das beginnende Weibliche in und an ihr, und es durchrieselte ihn wie Krimsekt, wenn er unbeabsichtigt ihre Hüften berührte oder ihre Brust oder auch nur ihr seidiges Haar, das etwas dunkler geworden war, edel und geheimnisvoll leuchtend wie Rotgold im schrägfallenden Strahl der Abendsonne.

Ich bin ein Narr, sagte sich Iwan Kasiewitsch Borkin, wenn er nach solchen Herzattacken allein in seinem Arbeitszimmer saß, durch die große Glasecke hinausblickte auf die in der Nacht sich wiegenden Wälder seiner Datscha und die Liebespaare aus Judomskoje, die in den Maisfeldern verschwanden wie heiße Füchse.

Ich bin ein alter Narr!

Aber er ging doch auf Zehenspitzen durch den Gang bis zu Svetlanas Zimmertür und legte das Ohr gegen das Schlüsselloch. Wenn er ihren ruhigen Atem hörte und ab und zu ein Knarren des Bettes, wenn sie sich im Schlaf herumwälzte, mußte er sich zwingen, wegzugehen und das Zimmer nicht zu betreten.

Meistens nahm er an solchen Abenden eines der liebestollen Mädchen seiner Datscha zu sich, die er beim Morgengrauen hinauswarf, satt, voller Weltschmerz und gepeinigt von einer fremden Reue, Svetlana betrogen zu haben.

An ihrem 15. Geburtstag lud Iwan Kasiewitsch Borkin das halbe Judomskoje zu sich ein. Es gab ein Kalb, über offenem Feuer am Spieß gebraten, roten Tifliswein, Krimsekt, Wodka aus Swerdlowsk, Gemüse und Trauben vom Schwarzen Meer und Kaviar vom Jenissei. Als besondere Überraschung hatte man weißes Brot gebacken, aus dem man Toast herstellte. Den Erlös einer ganzen Buchauflage hatte Borkin in dieses Geburtstagsfest gelegt. Er hatte neue Kleider aus Alma-Ata kommen lassen. Ein staatliches Versandhaus, das Kataloge, dick wie Telefonbücher, in alle Gegenden Rußlands verschickte bis hinauf in die Einsamkeit des Kap Deschnew, hatte pünktlich ein besonders wertvolles Geschenk abgeliefert: Eine goldene Armbanduhr.

Konjew riß die Augen auf, als er sie in dem seideausgeschlagenen Etui auf dem Tisch liegen sah.

Welcher Reichtum, dachte er neidvoll. Welche Verbindungen. Eigentlich ist durch die Revolution nichts verändert worden. Nur die anderen sitzen jetzt oben! Wir sind geblieben, was wir immer waren: Die ärmsten Hunde der Welt.

»Man müßte Bücher schreiben können und Stalin besingen«, sagte er giftig zu Borkin. »Es bringt doch was ein, wenn man den hohen Herrn den Hintern abputzt.«

Borkin lachte darüber. Er war guter Laune und trank den Sekt wie Wasser. Die Kolchosenkapelle, ein Balalaika- und Schalmei-Orchester, spielte einen Tanz. Es saß draußen auf der überdeckten Terrasse. Der ganze Hofraum war zum Tanzplatz geworden. An seiner hinteren Ecke züngelten die Flammen des offenen Feuers und bruzzelte das Kalb an dem dicken, eisernen Spieß.

»Ich habe ein doppeltes Fest, Konjew«, sagte Borkin jovial und schüttete ihm noch ein Glas Wodka ein. »Ich habe in Moskau beantragt, Svetlana adoptieren zu dürfen.«

»Soso«, meinte Konjew gleichgültig.

»Jeden Tag muß der Bescheid eintreffen. Dann stifte ich für Judomskoje 100 Liter Wodka!«

»Schade um den Wodka.« Konjew stellte sein Glas weg. »Der Bescheid ist schon da. Über den Dienstweg ist er gekommen. Zum Genossen Tschetwergow und jetzt zu mir.« Konjew hob die Schultern. »Moskau sagt ›Nein‹.«

Borkin warf sein Sektglas in eine Ecke des Zimmers. Das Zersplittern des Glases ging in der Musik und dem Gelächter der Burschen und Mädchen unter. Konjew wich zurück.

»Das muß ein Irrtum sein«, sagte Borkin ruhig. Seine Ruhe war gefährlicher, als wenn er gebrüllt hätte. Ein Kessel, dessen Ventil verstopft ist, platzt.

»Moskau irrt sich nie!«

»Was steht in dem Schreiben?!«

»Ich werde es Ihnen morgen zustellen lassen, Genosse Borkin. Ich darf nicht vorher ...«

»Was steht darin, du Hund?!« schrie Borkin. Er ergriff Konjew und drückte ihn mit der Faust gegen die Wand. Konjew rang nach Luft.

»Es ist eines Bolschewisten unwürdig, an Kindes Statt den Abkömmling eines reaktionären und feindlichen Staates anzunehmen ...«, keuchte er.

Borkin ließ ihn los. Konjew sackte zusammen. Er ließ sich in einen der alten Sessel fallen und rieb sich über die Stirn.

»Ich werde sofort an Stalin schreiben«, sagte Borkin.

»Stalin ist seit Tagen schwer erkrankt. Wir wissen es aus einem

Geheimschreiben.« Konjews Augen glommen. »Er soll im Sterben liegen. Malenkow und Chruschtschow sitzen an seinem Bett. Es wird sich vielleicht vieles ändern, Genosse ...«

Borkin ließ Konjew sitzen und ging hinaus zu den Gästen.

Stalin schwer erkrankt ... und die Geier sitzen an seinem Bett und warten auf das Aas.

Er sah Svetlana tanzen. Ihre goldenen Haare flatterten durch den Schein der Öllampen und des großen offenen Feuers. Sie lachte, sie war glücklich, sie bog den schlanken Leib, und ihre Füße traten im Rhythmus das Gras, als ein Bursche vor ihr einen Krakowiak tanzte.

»Schafft allen Wein aus dem Keller herauf!« schrie er zwei entlassene Sträflinge an, die bei ihm als Knechte arbeiteten. »Verteilt ihn! Sauft euch voll!«

Auch Borkin betrank sich. Es war grauenhaft, wieviel er in sich hineinschüttete.

Um ein Uhr morgens jagte er alle Gäste von der Datscha. Es war ein Wunder, daß er sie nicht hinausprügelte. Schwankend, mit glasigen Augen stand er dann vor Svetlana, die müde vom Tanzen und Lachen ihm den Gutenachtkuß geben wollte.

»Schlaf deinen Rausch aus, djadja«, sagte sie fröhlich. »Es war ein schöner Abend ...«

»Svetlanaschka ...«

Borkins Stimme riß sie herum. Es war das erstemal in 4 Jahren, daß er diesen Kosenamen aussprach.

»Ja, djadja?«

»Ich liebe dich ...« Seine Stimme war heiser.

»Ich weiß es, djadja.« Sie lächelte. »Nun leg dich hin.«

Borkin kam auf sie zu, langsam, gleitend, mit hängenden Armen, aber sich bewegenden Fingern.

»Man hat es in Moskau abgelehnt, daß du meine Tochter wirst«, sagte er. »Aber ich gebe dich nicht her. Ich vergehe wie eine Blüte ohne Sonne, wenn ich dich nicht mehr sehe.« Er stand vor ihr. In seinen Augen flimmerte es auf, als kristallisierten sie. »Du kannst nicht meine Tochter sein ... aber du wirst meine Geliebte werden ...«

»Djadja ...«, Svetlanas Mund zitterte. Aber sie konnte nicht weitersprechen. Borkins Hände schnellten zu ihr hin, ergriffen das leichte Kleid und zerfetzten es über der Brust. Mit gierigen Fingern griff er zu, riß ihr den Stoff vom Körper ... »Djadja!« schrie sie noch einmal.

Dann stieß sie ihren Kopf gegen sein Gesicht, sie schnellte von ihm weg, tauchte unter seinen Armen durch und rannte aus dem Zimmer. Beim Laufen raffte sie das zerrissene Kleid zusammen und flüchtete über eine Stiege am Ende des langen Hauses auf den

Oberboden, dessen Falltür sie zuschlug und eine Kiste darüberschob. Zitternd kroch sie in die fernste Ecke und hockte sich auf ein Bündel Lumpen.

Unter sich hörte sie Borkin schreien.

Er brüllte ihren Namen und tappte wie ein angeschossener Bär durch das Haus.

Svetlana drückte sich gegen das schräge Holzdach und verhielt den Atem. Das Schreien Borkins trieb ihr ein Frieren über den Körper.

»Svetlana!« brüllte er. »Komm her, du Hündin! Komm sofort her, du Aasgeburt! Wo hast du dich verkrochen?! Ich stecke das Haus an und räuchere dich aus! Ich ... ich ... Svetlana! Svetlanaschka!«

Sein Gebrüll entfernte sich. Sie hörte Türen schlagen, irgendwo kreischte eine Frauenstimme laut auf und ging in ein Wimmern über. Es war, als habe Borkin seine Lederpeitsche in der Hand und schlüge mit ihr auf sein Gesinde ein. Dann war es still im Haus.

Zusammengekauert saß Svetlana in den Lumpen unter der Dachschräge und wartete auf das Prasseln der Flammen. Sie kannte Borkin so gut, daß sie ihm zutraute, das Haus anzustecken, auch wenn er dafür wegen Sabotage nach Sibirien verschickt werden würde. Sie kannte seine Wildheit und seinen Jähzorn, und sie betrachtete ihn manchmal wie ein großes, unlösbares Rätsel, wenn dieser gleiche Borkin von einer Weichheit und Zärtlichkeit war, von einer geradezu grandiosen Güte, wie sie ein Vater nicht reicher ausgeben konnte.

Sie wartete fast zwei Stunden auf die Flammen und auf die Hitze, die durch den Holzboden zu ihr nach oben dringen mußte. Dann schlief sie ein. Übermüdet von der Geburtstagsfeier, zerschlagen von dem grausamen Erlebnis und erschüttert von der Erkenntnis, daß sie für Iwan Kasiewitsch Borkin nicht mehr ein Kind, sondern eine Frau geworden war, die er begehrte.

Erschöpft schlief sie bis zum späten Morgen. Als sie vorsichtig die Kiste von dem Falltürdeckel wegschob und die Klappe hochhob, war es noch immer, als schlafe das Haus. Sie ließ sich hinuntergleiten und schlich sich auf ihr Zimmer. Dort wusch sie sich, zog das Festkleid aus und schlüpfte in die plumpen Stiefel, den Leinenrock und die Wollbluse, die sie beim Herdenhüten auf der Steppe trug, band sich den alten Wollschal um die goldgelben Locken und ging, die Reitpeitsche in der Hand, hinüber zu dem Zimmer mit der großen Glasecke.

Ich werde ihn mit der Peitsche schlagen, wenn er mich anfaßt, dachte sie. Ich werde schlagen ... schlagen ... Aber sie zitterte doch vor Angst, als sie schon von weitem den Rumgeruch spürte, der ihr entgegenwehte.

Borkin saß im Zimmer. Er trank Tee mit Rum und aß ein Stück Schwarzbrot mit frischem Quark.

Als Svetlana eintrat, sah er auf und lächelte. Sein Gesicht war blaß, zerfurcht, älter geworden in dieser Nacht. Aber er lächelte, zeigte auf den freien Korbsessel am Tisch und nickte ihr zu.

»Ich wartete auf dich mit dem Frühstück, Svetlanja. Du hast lange geschlafen.«

Svetlana nickte. Ein Würgen im Hals drosselte die Worte ab, die sie sagen wollte.

»Ja, djadja«, brachte sie stockend hervor.

»Komm, setz dich.«

»Ja, djadja.«

Sie setzte sich wie ein gehorsames Kind und faltete die Hände im Schoß. Aber zwischen den gefalteten Händen hielt sie den Knauf der Reitpeitsche.

Iwan Kasiewitsch Borkin ergriff die Teekanne. Er hatte sie vom Samowar aus mit Tee gefüllt. Honig, Weißbrot, frische Butter, sogar alter, fast schwarzer, im Rauch getrockneter Schinken lagen auf dem Tisch.

»Willst du Tee, Svetlanja? Oder soll ich dir einen Fruchtsaft bringen lassen?!« Er beugte sich über den Tisch vor. »Du bist blaß, moj ljubimez.« (Mein Liebling) Er ergriff ein Messer und nahm Weißbrot, Butter und Honig. »Ich mache dir ein Brot. Mit Honig, ja?«

»Ja, djadja . . .«

»Wir wollen nachher in den Wald reiten. Fedja meldete, er habe einen Bären gesehen! Das wäre etwas Schönes, Svetlanja. Bären sind selten in Judomskoje.«

Svetlana schwieg. Sie aß nicht, sie trank nicht . . . sie sah mit ihren großen blauen Augen Borkin stumm an und begriff nicht, was sie hörte und sah.

»Ich möchte lieber auf die Weiden zu der Herde, djadja.«

»Wie du willst, moj ljubimez.«

»Ich werde mit ihnen draußen bleiben. Die Nächte sind jetzt warm.«

»Fedja wird dir ein Zelt mitgeben.«

Borkin erhob sich. Er bezwang sich, nicht die Hand auszustrecken und die goldenen Haare Svetlanas zu streicheln. Er sah unter der dünnen Wollbluse die Umrisse ihrer Brust. Brüsk wandte er sich ab und stampfte aus dem Zimmer.

Svetlana sah durch das Fenster, wie er über die Veranda ging, hinunter zu den blutgierigen Hunden. Unter seinen Händen duckten sie sich . . . er streichelte sie, band sie an langen Ketten an und schrie über den Platz nach Fedja und seinem Pferd.

Er schämt sich, dachte Svetlana. Er war betrunken . . . vielleicht weiß er gar nicht, was er gestern getan hat? Sie empfand plötzliches Mitleid mit ihm, lief hinaus auf die Veranda und beugte sich über das hölzerne Geländer.

»Djadja!« rief sie laut. Borkin, der gerade die Fußspitze in den Steigbügel steckte, drehte sich herum.

»Ja?«

»Wo reitest du hin? Vielleicht komme ich nach.«

Ein Leuchten zog über sein fahles Gesicht. »Das wäre schön, Svetlanja. Ich warte auf dich. Ich bin im Wald bei Undutowa! Vielleicht lege ich dir den Bären zu Füßen!«

Er winkte ihr zu, übermütig wie ein Junge, und gab dem Pferd die Sporen. Es bäumte sich auf und galoppierte durch das breite Tor der Datscha. Bellend, fast heulend, folgten die Bluthunde ... ihre langen Ketten, mit denen sie an den Sattel gefesselt waren, klirrten dazu.

Svetlana sah ihm nach, bis er hinter den Bäumen verschwand. Ein Wort nur, und er ist glücklich ...

Zwei Stunden später war Svetlana bei der Herde.

Sie weidete südlich von Judomskoje am Rande der Hungersteppe. Kerek, ein kalmückischer Bauer, der nach 10 Jahren Zwangsarbeit zum Knechtsdienst bei Borkin begnadigt worden war, sah Svetlana verwundert entgegen, als sie mit Borkins Lieblingspferd ›Sokoll‹ (Falke) über die Steppe zu ihm hingeritten kam.

»Die Herde ist in Ordnung«, meldete er. »Wir wollen noch eine Woche draußen bleiben, bis das Gras verbrennt. Nur die Milchabholer, diese Lumpen, sollen früher kommen. Die Kühe schreien, weil sie nicht pünktlich gemolken werden.«

»Ich weiß. Ich werde bei der Herde bleiben.« Svetlana sprang vom Pferd. »Du kannst nach Hause reiten, Kerek.«

»Ist das Befehl von Genosse Borkin?«

»Selbstverständlich ist es ein Befehl!«

Kerek hob die schmalen Schultern und strich sich über seinen dünnen Mongolenbart. Ihm war die Freiheit in der Steppe lieber als der Dienst auf der Datscha, unter den Augen Borkins, der wie zu den Zeiten des Zaren nicht lange sprach, sondern mit der Peitsche regierte. Aber er nahm seine Sachen auf, band sie am Sattel fest, zögerte und legte dann ein großes Schaffell wieder zurück ins Gras.

»Manchmal ist es kalt in der Nacht«, sagte er. »Die Winde vom Gebirge sind noch voll Schnee.«

»Danke, Kerek.«

»Mit Gott, Svetlana!« Er winkte und ritt davon.

»Mit Gott«, sagte sie leise. Es war, als spreche sie ein fremdes

Wort aus. Gott. Fast fünf Jahre hatte sie es nicht mehr gehört. Borkin kannte keinen Gott.

Sie setzte sich ins Gras und sah hinauf in die ziehenden Wolken. Dann baute sie ihr Zelt auf, beschwerte die Seiten des Windes wegen mit Steinen und Baumkloben und legte gegen die Windseite den schweren Sattel.

Sie war mit ihrer Arbeit kaum fertig, als sie einen Reiter auf sich zukommen sah. Er war allein ... keine Tiere folgten ihm, kein Hund, kein Lastpferd. Ein einzelner Reiter in der Steppe ist verwunderlich ... Svetlana trat aus dem Zelt heraus und blickte dem Näherkommenden kritisch entgegen.

Kurz vor Svetlana hielt der Reiter an und drückte dem Pferd mit den Zügeln den Kopf herunter. Es war ein herrliches Pferd mit einem Fell wie aus goldschimmernder Bronze, bernsteinfarbigen Augen und Muskeln, die unter dem straffen Fell hervorquollen wie dicke Stränge.

»Hast du zehn Hammel gesehen?« rief der Reiter zu Svetlana herab.

»Nein ...«

»Sie müssen hier vorbeigekommen sein! Sie sind ausgebrochen! Sicherlich hast du geschlafen!«

Das Pferd, dachte Svetlana. Dieses Pferd ... Aus dem Dunkel der Erinnerungen, aus dem Nebel vergangener Fernen stieg ein Bild vor ihr auf ... Ein großer, starker Mann auf einem fast goldenen Pferd, der seine Herde heimtreibt in ein kleines Dorf, in dem jedes Haus seinen Garten hat, seinen Brunnen, seine sauberen Fenster und Türen und eine stolowaja, in deren hinteren Doppelwand ein Christus mit ausgebreiteten Armen versteckt war.

»Was starrst du mich so an?« rief der Reiter. Er gab dem Pferd den Kopf frei ... es schnellte ihn empor und wieherte laut. Es klang wie ein Kampfruf; es durchzuckte Svetlana wie ein heißer Schlag.

»Dieses Pferd ...« Sie sah zu dem Reiter auf, der sie musterte und in dessen Augen sie Spott und Mitleid las, wie man es mit einer geistig Kranken haben mochte. »Dieses Pferd kenne ich ...«

»Das ist unmöglich! Es ist vier Jahre alt! Es war nie aus Undutowa fort.«

»Ich kenne den Vater.«

»Unmöglich ...«

Svetlana schloß die Augen. Nowy Wjassna, dachte sie. So hieß das Dorf. Und der Vater ritt dieses Pferd ... der Vater ... der Vater ... Ihr Kopf zuckte empor, das Kopftuch fiel auf ihre Schultern und gab ihre langen, goldgelben Locken frei.

»Er hieß ›Moj druk‹! Mein Vater rief ihn immer so!«

»Verdammt!« Der Reiter sprang von dem bronzenen Pferd und musterte das Mädchen. Er hatte krauses, schwarzes, kurzes Haar, fast wie ein Neger. Als er auf der Steppe stand, war er zwei Köpfe größer als die zierliche Svetlana, breit und kräftig. »Wer bist du?« fragte er. »Es stimmt, was du sagst. Ich habe dich nie in Undutowa gesehen!«

»Ich bin Erna-Svetlana Bergner . . .«

»Ich heiße Boris Horn . . .«

Über Svetlanas Antlitz zog ein seliges Lächeln.

»Bor . . .«, sagte sie leise. »Du bist Bor aus Kraftfeld.«

»Und du bist Svetla aus Neuenaue . . .« Er ergriff ihre Hand und drückte sie. Dann besann er sich, nahm ihre Hand noch einmal und küßte sie.

»Was machst du, Bor?« Aber sie ließ ihm die Hände und tastete mit dem Blick über seine krausen Haare, über seine Stirn, seine dunklen Augen, seine starke Nase und seinen schmalen Mund. »Du bist wirklich Bor . . .«, sagte sie leise. »Es ist kein Märchen . . . es ist wirklich wahr . . .«

Er legte den Arm um ihre Schulter. Es war wie damals, vor der kleinen Kirche auf dem Hügel zwischen Neuenaue und Kraftfeld, als sie sich zum erstenmal sahen und Svetlana auf Boris' Pferd reiten durfte.

»Wo lebst du jetzt?«

»Bei Judomskoje. Auf der Datscha von Iwan Kasiewitsch Borkin.«

»Ist das der Stalindichter?«

»Ja.«

»Und deine Eltern?«

»Mein Vater ist verschollen. Meine Mutter . . .« Sie sah Boris aus weit aufgerissenen Augen an und schüttelte dann den Kopf. »Nicht mehr darüber sprechen, Bor. Ich will es vergessen. Ich will es nie mehr sagen . . .«

»Ich werde es nie vergessen! Nie!« Boris setzte sich vor das Zelt. »Sie haben meinen Vater mit der Mistgabel aufgespießt und meine Mutter nackt durch das Dorf gejagt. Und dann . . . es waren Tataren . . . dann . . .« Er biß die Zähne auf die Unterlippe und starrte hinauf in den Himmel. »Ich will es nie vergessen, Svetla! Hat man dir nichts getan?«

»Ich war zu jung.« Sie sah auf ihn herunter, auf die schmutzigen Stiefel und auf die staubüberzogene Kleidung. »Willst du einen Becher saurer Milch, Bor? Oder soll ich dir einen Tee kochen? Ich habe auch Fleisch hier . . . kalten Braten. Du bist lange geritten?«

»Einen Tee. Ich helfe dir.«

Er sprang auf und suchte nach Stücken trockenen Holzes. Einen

Armvoll brachte er dann heran, entfachte das Feuer und hängte den Kessel in das eiserne Kochgestell, das Svetlana von der Datscha mitgebracht hatte. Dann beobachtete er Svetlana, wie sie den gepreßten Tee, den man in den staatlichen Läden kaufen konnte, auseinanderbrach und die Krümel in das siedende Wasser streute. Mit einem Holzlöffel rührte sie den Tee um und raffte ihre Kleider auf, benutzte den Rock als Schutz für die Hände und hob den Kessel vom Feuer. Boris sah ihre Knie und ihre Schenkel, eine glatte, braune Haut, gesund und glänzend. Aber er spürte nicht das heiße, wilde Gefühl, das Borkin durchrann, wenn er Svetlana nach dem Bade im See abrieb, sondern er dachte nur, mit einer Verblüffung fast: Wie schön ist sie geworden.

Damals, an der Kirche auf dem Hügel bei Neuenaue im Warthebogen, an deren Tür die Rotarmisten den Pfarrer lebendigen Leibes festnagelten, war das Schönste an ihr das Haar gewesen. Er hatte an jenem Sonntag, als er nach Hause kam, seinem Vater von Svetlana erzählt. »Sie hat Haare wie reifes Korn!« hatte er geschwärmt. Und der Vater hatte gelacht und geantwortet: »Um das festzustellen, mußt du erst noch 10 Jahre älter werden.«

Erschrocken hielt er mit seinen Erinnerungen inne. Zehn Jahre ... es mutete ihn jetzt wie eine Prophezeiung an. Er sah zu Svetlana hinüber, die ein Tuch auf das Gras breitete, das sie erst mit ihren Stiefeln niedergetreten hatte. Auf dieses Tuch legte sie die Speisen ... Fleisch, Brot, ein Fäßchen mit Salz, zwei Messer, eine Blutwurst und zwei Tonbecher für den Tee. Ihr Haar ist dunkler geworden, dachte Boris dabei. Goldener. Reifer noch als reifes Korn.

»Komm! Es ist alles fertig, Bor.«

»Du bist schön, Svetla«, sagte er leise.

Sie sah ihn an und lachte laut. »Du sagst es, als seist du traurig darüber.«

»Du wirst viele Freunde haben.«

Sie dachte an Borkin und die vergangene Nacht und schüttelte den Kopf. »Nein! Niemanden! Ich lebe auf der Datscha, und djadja paßt auf.«

»Wer ist djadja?«

»Iwan Kasiewitsch Borkin!«

»Man erzählt nichts Gutes von ihm!«

»Es sind Lügen!« rief sie leidenschaftlich. »Ohne Borkin wäre ich vielleicht verhungert! Niemand wollte mich haben! Ich wurde behandelt wie eine Ratte!«

Sie tranken den Tee und aßen etwas Fleisch. Dabei sprachen sie nicht, sondern sahen sich an. Nicht offen, sondern versteckt, mit kurzen Blicken, die unter der gesenkten Stirn hervorschossen oder beim Anreichen des Tees oder des Fleisches sich streiften.

Nach ein paar Bissen erhob sich Boris. Das bronzene Pferd schüttelte den Kopf und sah zu ihm hinüber.

»Ich muß weiter, Svetla. Ich habe keine Ruhe. Die Schafe müssen da sein, sonst schickt mich der Natschalnik nach Alma-Ata, wegen Sabotage.« Er schwang sich in den Sattel und reichte Svetlana die Hand. »Es ist schön, daß wir uns wiedergesehen haben.«

»Wirst du wiederkommen?«

»Bestimmt, Svetla.«

»Ich bleibe eine Woche in der Steppe.«

»Ich komme morgen wieder.«

»Ich warte auf dich.«

Er beugte sich vom Pferd zu ihr hinab und strich ihr über das Haar, so wie er es an der Kirche getan hatte, als sie müde vom Laufen im Grase lagen. Svetlana ergriff seine Hand und hielt sie fest. Es war ihr, als hielte sie einen brennenden Dornbusch zwischen den Fingern.

»Komm wieder, Bor!« sagte sie stockend. Dann drehte sie sich herum, stieß die Hand weg und rannte in ihr Zelt.

»Heij!« schrie Boris. »Heij!« Er stieß die Absätze in die Weichen des bronzenen Pferdes und raste über die Steppe davon.

Durch einen Schlitz des Zeltes sah ihm Svetlana nach.

»Er kommt wieder«, sagte sie leise und strich sich die blonden Haare über das Gesicht. »Er kommt wieder, Svetla . . .«

Und sie vergaß, daß sie Borkin versprochen hatte, gegen Abend zum Wald von Undutowa zu kommen.

Bis in die späte Nacht hinein wartete Borkin am Waldrand auf Svetlana, vor sich den mächtigen Leib des erlegten Bären, den er ihr zu Füßen legen wollte.

»Das ist alles sehr dumm, Genosse«, sagte Stephan Tschetwergow, der Distriktsowjet aus Alma-Ata. Er saß bei Borkin in dem großen Zimmer mit der Glasecke und rauchte eine gute chinesische Papyrossi.

»Bedenken Sie, daß seit Ihrem letzten Buch fast zwei Jahre vergangen sind. Die Partei will etwas sehen! Jeder Ruhm setzt Rost an, wenn er nicht ab und zu geputzt wird.«

»Wollen Sie mir das Putzmittel liefern, Genosse Tschetwergow?«

»Ich bin nur bei Ihnen, um Ihnen zu sagen, daß in Moskau nicht alles mehr so ist, wie vor zwei Jahren.« Tschetwergows Asiatenaugen blinzelten. Sie beobachteten Borkin aus den Winkeln heraus. Borkin nickte und steckte sich eine Pfeife mit starkem, gelbem Tabak an, den ihm ein Freund aus der Mongolei schickte.

»Sie sind ein Menschenfreund, Genosse.«

»Sie spotten, Genosse Iwan Kasiewitsch.«

»Ich bewundere Sie, Tschetwergow. Sie sind wie ein Wetterhahn auf den altmodischen europäischen Kirchen: Sie drehen sich mit dem Wind.«

»Der Wind in Rußland kommt immer von Moskau«, sagte Tschetwergow verschlossen.

»Nur die Windmacher sind andere, das wollten Sie doch sagen?«

»Sie sprechen etwas aus, was ich nicht zu denken wagte. Sie denken reaktionär, Genosse Borkin.«

»Oho!« Borkin ließ die Pfeife sinken und legte sie auf den Tisch. Er sah Tschetwergow voll an. »Nach Ihren Reden muß Stalin bereits tot sein.«

»Er ist ein alter Mann, der lächelt, wenn die Kamera auf ihn schaut, und der glücklich ist, wenn er allein gelassen wird. Auch Helden lösen sich auf, Genosse Borkin. Wir alle sind aus dem Stoff gemacht, der einmal verfault.«

Borkin erhob sich und trat an das Fenster. Er sah hinaus auf den Hof seiner Datscha. Kerek schor einige Schafe, Fedja beschnitt die Rosen vor der Eingangstreppe, die zu wild und üppig über die Stufen wucherten. Vom Wald her, vom See, kam Svetlana. Sie hatte wieder gebadet. Ihr nasses, blondes Haar lag um ihren schmalen Kopf wie ein goldener Schal. Borkin lächelte vor sich hin.

»Was wollen Sie eigentlich von mir, Tschetwergow? Soll ich Angst vor der Zukunft bekommen? Dazu sind Sie ein viel zu idiotischer Bursche, um die Intelligenz zu haben, mir Angst einzujagen.«

Stephan Tschetwergow kniff die dünnen Lippen zusammen. Sein breites Mongolengesicht verlor das ewige Lächeln. Er wirkte wie ein Affe, den man mit einem Stock geärgert hatte.

»Sie haben Iljitsch Sergejewitsch Konjew beleidigt! Sie haben gute Sowjetbürger und Jungkomsomolzen gezwungen, sich bei diesem deutschen Mädchen zu entschuldigen für etwas, was sie aus vaterländischer Begeisterung getan haben!«

»Liegt Ihnen diese Sache immer noch im Magen?«

»Konjew kann nicht mehr schlafen!«

»Ich weiß ein gutes Mittel dagegen: Arbeiten!«

»Sie sollten das auch mit diesem deutschen Mädchen machen.«

»Was wollen Sie von Svetlana?!« Borkin fuhr herum. Aha, dachte Tschetwergow. Darin treffe ich ihn! So ist das, lieber Freund. Aus Kindern werden Erwachsene. Sein breites Grinsen überzog wieder das Gesicht. Er lehnte sich mit dem Rücken gegen die Wand und rieb die Fingerspitzen seiner Hände aneinander.

»Es geht das Gerücht, Genosse Borkin, daß Sie diese Svetlana besser behandeln als Ihre Landsleute.«

»Es ist kein Gerücht!«

»Ach.«

»Ich betrachte sie als meine Tochter.«

»Die Adoptierung ist Ihnen verboten worden. Dieses Mädchen ist Angehörige eines Volkes, das namenloses Unglück über unser Mütterchen Rußland gebracht hat ...«

»Werden Sie nicht lyrisch, Tschetwergow. Das steht Ihnen nicht«, unterbrach ihn Borkin.

»Sie haben sie zu behandeln wie einen katorshnik!« (Sträfling)

»Ich behandle in meinem Haus jeden so, wie es mir paßt. Merken Sie sich das, Tschetwergow. Und wenn ich jetzt Lust verspüre, rufe ich meine Hunde herein und lasse Sie einen Weltrekord im Langstreckenlauf rennen!«

Tschetwergow ballte die Fäuste. Seine geschlitzten Augen blitzten vor Wut. »Wenn Stalin stirbt, können Sie sich einen festen Strick nehmen.«

»Ich schicke Ihnen auch einen 'rüber«, sagte Borkin freundlich.

Der Distriksowjet wandte sich ab. Er nahm seine Fellmütze und verließ grußlos das Zimmer. Als die Tür hinter ihm zuschlug, wurde das Gesicht Borkins ernst. Die Sicherheit, die er vor Tschetwergow getragen hatte, fiel ab wie ein nasser Mantel, den man von der Schulter gleiten läßt.

Wenn Tschetwergow so spricht und so sicher ist, muß sich in Moskau etwas Umwälzendes vorbereiten. War Stalin wirklich nur noch ein Wrack, das man als Aushängeschild benutzte? Waren die neuen, jungen, gefährlicheren Männer schon am Werk?

Borkin trat vom Fenster weg und setzte sich an seinen Tisch. Er nahm sich vor, mit Moskau zu telefonieren, auf die Gefahr hin, daß man in Alma-Ata sein Gespräch mithörte und auf ein Tonband aufnahm. Wenn auch durch Alma-Ata noch die Ochsengespanne der Bauern knarrten und die Karawanen mit Kamelen durch die neuen Straßen zogen, wenn die Zeit in vielen Winkeln der Stadt seit Jahrhunderten stillgestanden hatte und weiter stillstand ... das Parteihaus war modern und mit den neuesten Mitteln eingerichtet, um Völker zu beherrschen und zu überwachen, die vom Kommunismus nichts weiter kannten als die rote Fahne, eine Hymne und einen Satz, der ihnen so phantastisch war wie die alten Sagen ihrer Ahnen: ›Einmal wird die ganze Welt euch gehören!‹ Daran glaubten sie, das hielt sie zusammen.

Erstaunlich war nur, was die heimgekehrten Soldaten erzählten, die Berlin kannten oder Dresden, Leipzig, Halle und Magdeburg. Dagegen verblaßten die Erzählungen von Dschingis-Khan oder Tamerlan, von Kublai oder den großen Mongolenkaisern. In jedem Haus ein Diwan ... überall Bäder ... überall Radios ... Es gab Geräte, die den Staub wegsaugten ... Es gab Häuser, wo man nur an einem Rad drehte, und im Winter war die ganze Wohnung warm ... Wunder über Wunder!

Borkin stopfte eine neue Pfeife mit dem hellen Tabak. Ich werde mit Svetlana nach Persien gehen, dachte er. In Ispahan wohnt ein Freund. Dort werden wir wohnen, er wird uns aufnehmen. Und dann wird eines Tages vielleicht die Stunde kommen, in der Svetlana in Borkin etwas anderes sieht als nur den Onkel ... ein Tag, für den allein es sich lohnte, gelebt zu haben.

Auf dem Hof traf Tschetwergow auf Svetlana. Er blieb stehen, als das Mädchen ihm in den Weg trat, und hob die dünnen Brauen seiner Schlitzaugen. Plötzlich verstand er Iwan Kasiewitsch Borkin. Er musterte Svetlana ... sein Blick glitt über ihr Haar, ihre hellblauen Augen, ihre feine Nase und die Brüste, die unter der seidenen Bluse sich hervordrückten. Ein Körper wie ein edles Pferd, dachte Tschetwergow. Es ist erstaunlich, daß es bei den verdammten Deutschen soviel Schönheit gibt.

»Was willst du?« fragte er. Er gab dabei seiner Stimme einen schmeichelnden Klang und strich mit der rechten Hand über seinen dünnen Mongolenbart.

»Ich wollte Sie sprechen, Genosse Tschetwergow.«

»Um was handelt es sich?«

»Ich möchte weg aus Judomskoje.«

Tschetwergow pfiff durch die Zähne. Sieh, sieh, mein Täubchen, dachte er. Der gute Borkin! Der liebe djadja! Habe ich es nicht geahnt?! Er faßte Erna-Svetlana am Arm und zog sie mit sich fort in eine Ecke des Hofes, dort, wo sonst die Mähmaschinen stehen. Hier konnte Borkin sie von seinem Fenster aus nicht sehen.

»Es wird nicht gehen«, sagte Tschetwergow. »Der Befehl aus Moskau.«

Erna-Svetlana nickte. Sie strich sich das nasse Haar aus der Stirn und sah hinüber zu der Datscha. Sie hatte Angst, Borkin könnte auf der Terrasse erscheinen und sie hier sehen.

»Ich möchte in die Stadt. Gibt es keinen Weg, Genosse? Ich kann alle Arbeiten. Ich könnte auch in einer Fabrik arbeiten.«

»In Fabriken arbeiten nur freie Menschen.«

Der Kopf Erna-Svetlanas fuhr herum. »Bin ich nicht frei?«

»Du bist ein halber Bürger der Sowjetunion. Halbheiten aber sind das, was die Partei am meisten haßt! Du bist Deutsche.«

»Ich bin in Rußland geboren.«

»Geboren! Das ist ein biologischer Akt. Wenn eine Kuh im Pferdestall kalbt, ist das Kalb noch lange kein Pferd!«

»Meine Mutter war keine Kuh!« sagte Svetlana laut.

Tschetwergow winkte ab. »Wir wollen darüber nicht streiten.« Er betrachtete die Hüften Svetlanas und schnalzte mit der Zunge.

»Ich kann nur etwas für dich tun, mein Täubchen, wenn du einen wirklichen Grund hast, von hier wegzukommen.«

»Einen Grund?«

»Einen richtigen Grund.« Der Distriktsowjet sah in den Himmel. »Wenn zum Beispiel Borkin sich unanständig gegen dich benimmt. Dann könntest du ihn anzeigen! Dann kämest du auch weg.«

Erna-Svetlana schüttelte den Kopf. »Wie könnte ich den djadja anzeigen?«

»Wenn er sich an dir vergreift.«

»Das tut er nicht.«

»Er wird es tun.«

Der Kopf Svetlanas schnellte wieder herum. Sie sah in die kleinen, glänzenden, gierigen Mongolenaugen Tschetwergows. Ekel kam in ihr hoch, aber sie zwang sich, diesen Blicken standzuhalten und nicht wegzulaufen.

»Wenn Sie das wissen, Genosse, warum nehmen Sie mich dann nicht mit nach Alma-Ata?«

»Weil keine Anzeige vorliegt. Wir sind ein Rechtsstaat, mein Vögelchen. Wir beginnen die Maschine der Gerechtigkeit nur dann in Gang zu setzen, wenn vor uns auf dem Schreibtisch ein Brief liegt: ›Iwan Kasiewitsch Borkin ist ein Schwein. Er versuchte, mich zu schänden. Erna-Svetlana Bergner.‹ — Wenn du das schreibst, mein Röschen, ist Borkin innerhalb von 6 Stunden nicht mehr dein Djadja. Du aber kommst nach Alma-Ata.« Tschetwergow beugte sich zu ihr hinab. Sein Atem, nach Knoblauch und Tabak riechend, strich wie eine heiße Wolke über ihr Gesicht und trieb ihr die Galle bis in die Mundhöhle. »Ich werde dafür sorgen, daß du es gut hast. Ich verspreche dir, mich selbst einzusetzen.«

»Für eine Deutsche?«

Tschetwergow hob den Kopf. »Kröte«, dachte er, plötzlich ernüchtert.

»Überleg es dir«, sagte er hart. »Mich interessiert nicht, ob du in Alma-Ata eine Hure wirst, oder hier bei Borkin zuschanden kommst. Was kümmert es mich?«

Er wandte sich ab, ging zu seinem Wagen und fuhr frohen Mutes nach Judomskoje zu Iljitsch Sergejewitsch Konjew. Er hatte Mißtrauen gesät, denn er wußte, daß Mißtrauen der größte Feind des Friedens ist.

Die ganze Nacht über dachte Borkin über Svetlana nach.

Er saß in seinem Zimmer mit der großen Fensterecke und grübelte, rauchte, trank Tee und verjagte Sussja, die als einzige von dem Gesinde aufgeblieben war, ihm den Tee kochte und hoffte, bei Borkin auch diese Nacht bleiben zu können.

Er hatte von Erna-Svetlana nicht erfahren können, was sie mit Tschetwergow gesprochen hatte. Daß sie mit ihm gesprochen hatte, wußte er von Kerek, der sie beobachtet hatte und den Borkin am Abend mit der Peitsche in der Hand zu sich rief.

»Du hast gehört, was sie gesagt hat«, schrie er ihn an. »Du willst es nicht verraten! Alle liebt ihr Svetlana, ihr geilen Wölfe! Heraus mit der Sprache! Sie hat mit dem Mongolenhund gesprochen!«

»Ja, Genosse Borkin. Aber ich konnte nicht verstehen —«

»Du willst nicht verstehen.«

»Sie sprachen leise. Ich sah nur, wie Genosse Kommissar sie streichelte.«

»Was hat er?!« brüllte Borkin. Der Gedanke, Tschetwergow habe Svetlana berührt, war für ihn wie das Abhacken eines Gliedes. Er spürte, wie es in seinen Händen nach Mord zuckte, wie seine Wut zum Irrsinn wurde und alles andere überdeckte ... Vernunft, Verstand, Vorsicht und Sicherheit.

Er warf Kerek aus dem Zimmer und ließ sich Fedja holen. Ihn schickte er mit dem schnellsten Pferd nach Judomskoje. Nach einer knappen Stunde galoppierte Fedja staubüberzogen wieder in die Datscha ein. Die Nachricht, die er mitbrachte, ließ Borkin versteinern.

Stephan Tschetwergow blieb, entgegen aller Pläne, noch für zwei Tage in Judomskoje. Er gab keinen Grund an ... er überraschte Konjew damit und stürzte das Dorf in eine bisher unbekannte Betriebsamkeit. Man plante sogar in der stolowaja für übermorgen einen Kulturabend mit einer Rede des Genossen Konjew über die bessere Saatverwertung im Rahmen des Siebenjahresplanes des Genossen Stalin.

Borkin redete sich ein, daß dies alles nur ein Vorwand sei, um Svetlana zu treffen ... draußen, in der Steppe, während sie die Herde bewachte und in ihrem kleinen Zelt wohnte.

In Borkins Brust brannte es. Er sprach mit Svetlana nicht darüber, als sie beim Abendessen in einem engen Seidenkleid aus Astrachan, das ihr Borkin schicken ließ, ihm gegenübersaß. Sie aßen stumm, nur unterbrochen durch die notwendigen Redewendungen ... »Soll ich Tee nachschütten?« — »Willst du noch etwas Butter?« — »Nein, danke, djadja.« — »Gute Nacht, Svetlanja.«

Der Gutenachtkuß brannte auf seiner Wange, als sei sie durch Schwefelsäure versengt. Dann kam die Nacht, diese schreckliche, schlaflose Nacht, die Borkin grübelnd durchwachte, ohne zu wissen und zu ergründen, was Svetlana von Tschetwergow gewollt haben könnte.

Am Morgen ritt Erna-Svetlana wieder hinaus zu den Herden.

Borkin beobachtete hinter den Gardinen, wie sie Fedja die Hand gab. »In vier Tagen komme ich wieder!« hörte er sie rufen.

Vier Tage! Sie wollte draußen bleiben in der Steppe! Wegen Tschetwergow, wegen dieses asiatischen Hundes?! Borkin ballte die Fäuste und hieb in sinnloser Wut und Verzweiflung auf den Tisch. Sussja, die hereinkam, um den Morgentee aufzutragen, flüchtete, als sie seine Augen sah.

Eine halbe Stunde später ritt Borkin weg. Er hatte sein Gewehr mitgenommen, einen Dolch und zwei Pistolen. Hinter seinen Sattel hatte er einen kleinen Spaten geschnallt.

Man wird die Waffe nie finden, die Tschetwergow tötete. Und man wird auch ihn nicht finden ... es hieße denn, die ganze Hungersteppe und die Wälder zwischen Judomskoje und Undutowa umzugraben.

In der Nähe der Herden ließ er sein Pferd zurück. Er schnallte den Spaten an seinen Gürtel, nahm das Gewehr und die zwei Pistolen und ging zu Fuß durch das hohe Gras weiter. Als er von weitem das Zelt Svetlanas stehen sah, tauchte er im hohen Gras unter und kroch auf Händen und Knien weiter. Dann legte er sich wie ein Raubtier wartend in das Gras und beobachtete Svetlana, die vor dem Zelt saß und an einer Wollbluse stickte.

Er lag über eine Stunde, als sich von weitem ein Reiter näherte. Borkin schob den Lauf des Gewehres durch die Achselhöhle nach vorn. Tschetwergow, durchrann es ihn heiß. Es ist sein letzter Ritt. Mitten hinein in das breite lächelnde Gesicht würde er zielen, daß die Augen auseinanderspritzten. Was dann mit Svetlana geschehen sollte, wußte er noch nicht.

Der Reiter kam näher. Er ritt gut ... fast zu gut für einen Mann wie Tschetwergow. Borkin hob den Kopf. Langsam spannte er das Schloß und drückte mit dem Daumen den Sicherungsflügel herum.

Langsam hob Borkin das Gewehr und legte an. Er visierte den Kopf an und wartete, bis Tschetwergow vom Pferd sprang. Als er den Finger am Abzugshebel durchdrücken wollte, drehte sich der Reiter herum. Der Finger Borkins schnellte zurück.

Er sah nicht die Mongolenfratze Tschetwergows, sondern starrte in das Gesicht Boris'.

Ein Zittern durchrann Borkin. Er ließ sich zurück in das Gras gleiten und legte das Gewehr auf den Boden.

Als er wieder aufblickte und hinübersah zu Erna-Svetlana, hatte Boris sie umarmt und küßte sie.

Iwan Kasiewitsch Borkin seufzte. Aber es war kein trauriges Seufzen, sondern mehr ein Stöhnen. Dabei hatte er das Gefühl, als friere er in der aufsteigenden Mittagssonne, als läge er statt im warmen Steppengras auf einer Eisscholle und würde selbst zu Eis.

Aber er hob nicht wieder das Gewehr, um zu schießen, wie er

es bei Tschetwergow getan hätte. Er drückte sich in das hohe Gras und beobachtete den Mann, der es wagte, seine Svetlanaschka zu küssen.

Daß er ihn umbringen würde, wußte Borkin so sicher, wie der Tschu durch die Hungersteppe fließt. Aber nicht sofort ... nein, nicht so einfach! Er wollte es auskosten ... er wollte sehen, wie Svetlana in den Armen dieses Burschen lag, und aus der Qual seines Herzens, aus dem Einstürzen seines Himmels wollte er die Grausamkeit gebären, diesem Menschen dort vorn den Tod zu geben, der wert war des Betruges, den er an Borkin beging.

Er sollte langsam sterben. Ganz langsam. Was ist eine Kugel für eine solche Qual, wie sie Borkin erlitt?! Nein – wer Rußland kennt, weiß auch, welch herrliche qualvolle Tode dieses Land zu bescheren weiß. Da gibt es die Wölfe in der Taiga ... da gibt es die Bären in den Schluchten des Ala-taus ... da gibt es den Hunger und den zum Wahnsinn treibenden Durst in den Wüsten von Mujun-kum am Rande von Kirgisistan.

Borkin lag im Gras und lächelte. Es war ein grausames Lächeln. Ein verzerrtes Lächeln. Er schwelgte in Rache.

»Ich habe immer an das Pferd denken müssen, Bor.«

Erna-Svetlana lag im Gras, die Arme unter dem Kopf gekreuzt. Das goldene Pferd stand hinter ihr und zupfte an den Gräsern. Sie sah in den blauen Himmel und die ziehenden weißen Wolken und lächelte, als sich der Himmel verdunkelte und vor das Blau sich das Gesicht Boris' schob.

»Nur an das Pferd, Svetla?«

»Nur –«

»Wie schlecht du lügen kannst.« Er beugte sich tiefer über sie und tippte mit der Fingerspitze auf ihre Nase. »Man sieht es dir an. Zum Lügen muß man geboren sein.«

»Und woran hast du gedacht?«

»An die verschwundenen Schafe.«

Svetlana richtete sich auf. »Dir sieht man nicht an, daß du lügst. Du bist also der geborene Lügner ...«

Sie lachten miteinander wie fröhliche Kinder. Es war alles ganz anders zwischen ihnen als sonst bei jungen Menschen, die in sich die erste Liebe entdecken. Sie sahen sich nicht verklärt an, sie philosophierten nicht, sie sprachen nicht von Liebe oder Sehnsucht oder Glück ... sie lagen auf dem Rücken, sahen in den Himmel und schwiegen lange. Ihre linke Hand lag in seiner rechten Hand; sie lauschten auf das leise Schnauben des goldenen Pferdes, auf das Brummen der Rinder und das Blöken der Schafe im Steppengras, auf das jubelnde Hochsteigen der Lerchen und den Flügelschlag des Bussards, der vom nahen Wald über die Steppe strich und nach Mäusen suchte.

Nicht weit von ihnen lag Borkin und verging vor Qual. Jedes Lachen war wie ein Faustschlag, jedes Wort, das er halblaut vernahm, das zu ihm herüberwehte und das er nicht verstand, war ein Stich in seiner Brust und nahm ihm den Atem weg, als versage das Herz.

»Was hast du für Pläne?« fragte Erna-Svetlana. Sie drehte den Kopf zur Seite und sah Boris an.

»Pläne? Gar keine.«

»Ein jeder Mensch muß doch Pläne haben.«

»Unser Leben ist vorgezeichnet ... es läuft wie der Zug auf den Schienen. Und wir sitzen in diesem Zug, sehen hinaus auf die vorbeigleitende Landschaft und kommen einmal an eine Station, wo es heißt: Aussteigen! Ende! Warum Pläne machen, Svetla?«

»Willst du denn ewig in Undutowa bleiben?«

Boris nickte. Er richtete sich auf und setzte sich.

»Wenn es Moskau befiehlt —«

»Ich möchte weg von hier!« Sie sagte es so fest und hart, daß Boris verwundert auf sie hinunterblickte. »Ich möchte in die Stadt.«

Er schüttelte den Kopf. »Vergiß nicht, daß wir Ungeziefer sind. Deutsche! Deutsche mitten in Rußland, an der Grenze zur Dsungarei. Rechtloser als die Rechtlosesten, verachteter als die Ausgestoßenen.«

Svetlana setzte sich auf und tastete nach seiner Hand. »Manchmal habe ich Angst, Bor, vor diesem Leben. Manchmal glaube ich, daß das alles gar keinen Sinn hat.«

»Es hat auch keinen Sinn, Svetla.«

»Und doch leben wir.«

»In Rußland leben Millionen ohne Sinn. Sie werden geboren, und sie sterben, früher oder später, geduldig oder gewaltsam, und sie alle wissen nicht, warum sie auf der Welt waren.« Boris Horn erhob sich. Das goldene Pferd kam näher und rieb die schwarzen Nüstern an seiner Lederjacke. »Damals, als Vater und Mutter noch lebten —«

»Nicht davon sprechen, Bor.« Erna-Svetlana streckte bittend die Arme aus. »Nicht mehr von früher sprechen.«

»Damals hatte das Leben noch einen Sinn, Svetla.«

»Weißt du das so genau?«

»Vater sagte es immer: Jetzt arbeite ich und weiß, wofür. Das ist das Schönste, was ein Mann sagen kann!«

»Und was ist übriggeblieben?«

Boris Horn sah über die Steppe. Er schwieg, aber seine

Backenknochen drückten sich durch die Haut. Er sah trotzig aus, wild, ungebändigt ... schön, empfand Svetlana.

»Nichts!« sagte er nach einer Weile. »Nichts.«

»Doch!«

»Was denn?« Er fuhr herum.

»Ein goldenes Pferd, und Boris und Svetlana ... Das sollte genug sein für ein Leben.«

Er legte den Arm um ihre Schulter. Über sein Gesicht glitt ein Schein innerer Freude. Wie reif sie ist mit ihren fünfzehn Jahren, dachte er. Viel reifer als ich. Macht es, weil sie so viel gesehen hat vom Leben ... so viel, wie andere Menschen nicht in einem ganzen langen Leben sehen?

»Das ist genug«, sagte er. »Ein Pferd und zwei Menschen ... Eigentlich sollte man wirklich an die Zukunft glauben.«

»Tue es, Bor.«

»Und woran soll ich glauben?«

»An uns! Ist das nicht eines Glaubens wert? An uns, Bor! An unsere Liebe —«

Sie verstummte, erschrocken, das gesagt zu haben. Sie wich zurück, aber er hielt sie fest und zog sie wieder zu sich heran. Mit großen, leuchtenden Augen sahen sie sich an.

»Du hast Liebe gesagt, Svetla«, sagte er leise.

Sie nickte. »Ja, Bor —«

»Weißt du, was das ist?«

»Nein —« Sie lächelte ihn fast hilflos an. »Weißt du es, Bor?«

»Nein. Aber es muß das sein, was wir jetzt empfinden ...«

»Dann ist es etwas Herrliches, Einmaliges, Bor. Dann ist es das, wofür es sich lohnt, zu leben.«

»Oder zu sterben.«

Sie schüttelte den Kopf. »Wir wollen leben, Bor!«

»Wenn wir es dürfen, Svetla —«

»Wir werden uns das Recht dazu nehmen, Bor!« Ihre Stimme wurde laut, leidenschaftlich und hell. »Wir werden es uns einfach nehmen! Einfach nehmen!« Sie warf sich an seine Brust und umklammerte ihn, als ertrinke sie an ihren Worten und an der Flut ihrer plötzlichen Leidenschaft.

Es war der Augenblick, in dem der im Grase liegende Iwan Kasiewitsch Borkin weinend vor Wut sich entschloß, Boris Horn von den Bluthunden seiner Datscha zerreißen zu lassen.

In Undutowa traute der Dorfsowjet Serge Sirkow seinen Augen nicht, als Borkin sein Haus betrat und, ohne ein Wort zu sagen, einen Tausendrubelschein auf den dreckigen Tisch legte.

»Was soll das, Brüderchen?« fragte er dumm. Er betrachtete den Tausendrubelschein, als läge er unter Glas in einem Museum.

»Interessiert dich das Geld, Sirkow?« Borkins Stimme war rauh und laut. Sirkow hob die schmalen Schultern in der geflickten Wolljacke.

»Dafür arbeitet unsereiner eine lange Zeit, Genosse.«

»Du kannst es von heute auf morgen haben.«

Serge Sirkow schielte zu dem Geldschein hin und dann zu Iwan Kasiewitsch Borkin. Irgend etwas stimmt hier nicht, dachte er richtig.

»Was soll's, Iwan Kasiewitsch?« fragte er leichthin.

»Ich benötige einen Dienst von dir ... einen Liebesdienst gewissermaßen.« Bei dem Wort Liebe verzog Borkin das Gesicht. Es war ihm, als habe er die Galle aufgestoßen.

»In Undutowa? Wohnen Sie nicht im Revier von Konjew, Genosse Borkin?«

»Iljitsch Sergejewitsch ist ein Rindvieh!«

Über Sirkows Gesicht zog ein Lächeln, breit wie die Wolga.

»Ein wahres Wort, Genosse. Wie so etwas Dorfsowjet werden kann. Er hat die tausend Rubelchen abgelehnt?«

»Er weiß nichts davon! Keiner weiß etwas ... außer dir und mir.«

»Das ist auch genug, Brüderchen.« Sirkow lächelte breit. »Wollen Sie ein Schweinchen schwarz kaufen?«

Borkin setzte sich auf die hölzerne Bank des hohen Lehmofens.

»Ich will ein Schwein schlachten lassen!« sagte er heiser.

»Das ist das gleiche, Genosse.«

»Du kennst einen jungen Mann, der ein fast gelbes Pferd reitet? Er muß in Undutowa wohnen. Ich bin ihm nachgeritten. Er stieg draußen bei der Sowchose ab.«

»Ein gelbes Pferd?« Sirkow kratzte sich den Kopf. »Es kann Boris gewesen sein.«

»Wie alt?«

»Neunzehn Jahre.«

»Das muß er sein!« Borkin sprang von der Bank auf und schlug mit der Reitpeitsche gegen seine Stiefel. »Das ist er, Sirkow!«

»Wer, Genosse?«

»Das Schwein!«

Serge Sirkow riß den Mund auf. Er hatte nur noch wenige Zähne. Die meisten waren ihm abgefault. Es sah nicht sehr schön aus.

»Boris Horn ist ein Deutscher«, sagte er nach einer Weile.

»Ach!« Borkin setzte sich wieder auf die Ofenbank. Ein Deutscher, dachte er. Sieh an! Ratten paaren sich nur mit Ratten. Sicherlich kennen sie sich von früher her, als sie noch im Warthegau lebten als Propagandabauern Hitlers. Damals waren sie Kinder, aber heute sehen sie sich mit anderen Augen an.

Es war ihm ein leichtes, Boris zu töten. Er brauchte ihm nur aufzulauern, und keiner erfuhr es. Auf dem Rückweg aber, als er Boris nach Undutowa nachritt, waren Borkin andere Gedanken gekommen. Nicht daß er feig war oder vor einem Mord zurückscheute — wer kümmert sich schon in der Weite Rußlands um einen einzelnen Menschen, vor allem, wenn er noch ein Deutscher ist? Man würde ihn als vermißt nach Alma-Ata melden, und Tschetwergow, dieser Hund, würde es weitermelden: Boris Horn verschwunden. Und nach einem Monat dachte keiner mehr an ihn ... bis auf Svetlana!

Das war der Drehpunkt in Borkins Überlegungen. Erna-Svetlana würde ihn nicht vergessen, und sie würde, falls sie jemals den Täter ergründen könnte, sich nicht scheuen, den Mann, den sie heute noch djadja nannte, den NKWD-Kommissaren auszuliefern.

Etwas anderes war es, wenn Boris Horn auf legalem Wege verschwand. Wenn Moskau oder der Distriktsowjet ihn wegholten, wenn er untertauchte in der Weite Sibiriens, der Taiga und Tundra oder in den Stollen der Bleibergwerke, wo er zugrunde ging und in einer Ecke verscharrt wurde, um als Mumie die Jahrhunderte zu überleben.

»Dieser Boris ist ein ›Reaktionär‹«, sagte Borkin laut. Serge Sirkow zuckte zusammen.

»Unmöglich, Genosse.«

»Wenn ich es sage!«

»Er hat gar nicht die Möglichkeiten, Reaktionär zu sein. Er arbeitet auf der Sowchose als Viehhüter. Er arbeitet gut.«

Borkin sah den Dorfsowjet verächtlich an. »Du bist doch ein riesengroßes Rindvieh, Serge Sirkow. Ich werde es melden müssen.«

Melden müssen ist in Rußland soviel wie ein halbes Todesurteil. Ehe es sich aufklärt, daß die Meldung falsch war, kann man in einem Massengrab liegen oder Steine für den Bau des Eismeerkanals brechen. Serge Sirkow setzte sich schwer auf einen wackeligen Schemel.

»Wenn es so ist, Genosse Borkin ...« Er hob die Schultern. »Wenn Sie Beweise haben —«

»Dieser Boris steht mit den anderen Deutschen in Verbindung. Sie planen eine Konterrevolution! Sie wollen die Landwirtschaft unterhöhlen!«

Sirkow lächelte schwach. »Das ist doch Dummheit, Genosse. Eine Handvoll Deutscher! Sie leben doch von dem, was sie säen und ernten. Sie sind froh, daß man sie in Ruhe läßt.«

Borkin sprang auf. Er schlug mit der Peitsche auf den Tisch.

»Ob man es glaubt oder nicht ... das ist unwichtig! Es genügt, wenn du Boris Horn anzeigst!« Er tippte mit der Peitsche auf den Tausendrubelschein. »Er gehört dir, wenn Boris wegkommt.«

Sirkow betrachtete den Geldschein. Die Welt ist schlecht, dachte er. Warum soll ich der einzige anständige Mensch sein? Es lohnt sich nicht und zahlt sich nicht aus.

»Er muß wegkommen?«

»Ja.«

»Für immer?«

»Wenn möglich —«

»Aber wenn die Anzeige falsch ist —«

»Sie ist nicht falsch! Man glaubt einem Dorfsowjet doch mehr als einem dreckigen Deutschen.«

»Und warum soll er weg, Brüderchen?«

»Weil ich dir 1000 Rubel schenken will, du Idiot.«

Sirkow nickte. »Das ist einleuchtend, Genosse. Das ist sogar überzeugend.« Er sah Borkin verschmitzt lächelnd an. »Ich habe einen Gedanken, Genosse Borkin. Ich schicke diesen Boris mit einem Briefchen zu Genosse Tschetwergow. Ich werde sagen: ›Guter Boris, reite nach Alma-Ata und bring dem Genossen Distriktskommissar dieses Briefchen. Es kann nicht mit der Post gehen . . . es ist geheim. Kurierdienst, mein Lieber. Und gib es ihm persönlich ab!‹ — In dem Briefchen aber wird stehen: ›Behaltet diesen Lümmel dort! Er ist ein Trotzkist! Er schimpft auf Stalin! Er wiegelt die Deutschen auf!‹« Sirkow rieb sich die Hände. »Wie wird Genosse Tschetwergow sich freuen! — Ist das nicht ein guter Gedanke, Genosse?«

»Ein sehr guter, Serge Sirkow.« Borkin klemmte die Peitsche unter die Achsel. »Wenn Boris in Alma-Ata ist, kommst du zu mir hinüber. Wir werden eine gute Flasche trinken.«

»Es wird mir eine Ehre sein, Genosse Borkin.«

»Schicke ihn schon morgen weg!«

»Schon morgen, Genosse.«

Mit langen Schritten verließ Borkin die Hütte. Sirkow sah ihm nach, wie er auf das Pferd stieg und in den Abend hineingaloppierte.

»Schon morgen«, wiederholte Sirkow leise und schloß die Tür. »Es ist verdammt nicht leicht, ein guter Kommunist zu sein —«

Auf seiner Datscha rief Borkin Sussja und Fedja herbei.

»Packt Braten, Wein, Kuchen, Wurst, Wodka und Schokolade in einen Korb, ihr Kröten!« schrie er sie an. »Und tragt sie zum Pferd! Aber schnell! Schnell!«

Fedja rannte aus dem Zimmer. Verwundert sah Iwan Kasiewitsch Borkin auf Sussja, die zurückblieb. Ihre Augen glühten.

»Dawai«, brüllte er.

»Wo willst du hin, Iwanowitsch?«

»Das geht dich einen Dreck an!«

»Du willst Svetlana besuchen! Du willst mit ihr ein Fest in der Steppe feiern!«

»Was geht's dich an?«

»Du willst sie betrunken machen ...«

»'raus!«

»Du willst sie betrunken machen wie mich, als ich zum erstenmal zu dir kam. Ich war fünfzehn Jahre alt, so alt wie Svetlana jetzt ist! Und du hast mich mit Wodka und Kuchen und kaltem Braten betrunken gemacht, mit himmlischen Worten und Kostbarkeiten, die ich nie gesehen habe in meiner Hütte bei den Eltern. Und am Morgen hast du mich aus dem Bett geprügelt und am nächsten Abend wieder in dieses Bett gezogen ... Vier Jahre lang ... Und jetzt ist Svetlana an der Reihe ...«

Über Borkins Stirn schwollen die Adern an. Er ballte die Fäuste und trat auf Sussja zu.

»Hinaus!« schrie er.

Sussja hielt den Kopf hin. Sie wölbte die starke Brust hervor und schloß die Augen. Ihr wildes, etwas tatarisches Gesicht zuckte. »Schlag«, sagte sie heiser. »Schlag mich doch! Ich bin an diese Schläge gewöhnt. In der Nacht kommst du zu mir geschlichen und küßt die blauen Flecken auf meinem Körper! Du bist ein geiles Tier ...«

Die Faust Borkins traf sie mitten auf die Stirn. Lautlos sank Sussja auf die Holzdielen und streckte sich.

Borkin biß sich auf die Unterlippe. Wenn ihre Schädeldecke so hart ist wie ihr weißes Fleisch, dann lebt sie noch, dachte er. Ich brauche alles andere, nur keine Tote in meinem Haus. Er kniete neben Sussja nieder und legte das Ohr an ihre verkrampften Lippen. Schwach, kaum merklich spürte er ihren Atem. Er schob seine Hand zwischen ihren Blusenausschnitt und legte sie auf die linke Brust.

Das Herz schlug.

Zufrieden erhob sich Borkin und ging aus dem Zimmer. Sussja ließ er auf den Dielen liegen.

Auf dem Hof traf er Fedja, der einen Korb voll herrlicher Eßsachen hinter dem Sattel festband. Seine Augen waren voll Haß, aber auch voll Hilflosigkeit und hündischer Angst.

»Sie bleiben heute draußen?« fragte er. Borkin schwang sich auf sein Pferd. Es war diesmal ein Rappe ... sein Grauschimmel stand keuchend und schweißüberströmt im Stall und wurde von einem Knecht mit Strohbündeln abgerieben. Die Hetze zwischen der Steppe und Undutowa und zurück zur Datscha hatte ihn ausgepumpt.

»Vielleicht«, antwortete Borkin. Er sah nach rückwärts auf den zugedeckten Korb. »Nichts vergessen, Fedja?«

»Nein. Auch eine silberne Halskette ist dabei.«

Borkins Gesicht wurde starr. »Du weißt zuviel, Fedja. Man müßte dafür sorgen, daß du nach Sibirien kommst.«

»Da war ich schon, Genosse Borkin.«

»Leider bist du zurückgekommen.«

Borkin gab seinem Pferd die Sporen. Es hob sich steil empor, wieherte vor Schmerz und raste dann wie der Teufel in die Nacht hinaus.

Das Zelt war aufgeschlagen, über einem Feuer hing der Kessel mit dem brodelnden Teewasser, und Erna-Svetlana saß auf einer geflochtenen Matte aus Maisstroh, als Iwan Kasiewitsch Borkin, einem Geisterreiter gleich, aus der Dunkelheit hervorbrach und auf das kleine Lager zugaloppierte.

»Djadja!« rief sie, als er vom Pferd sprang. Sie rannte auf ihn zu und umarmte ihn. »Du kommst in der Nacht hierher? Ist etwas geschehen auf der Datscha?!«

»Was soll geschehen sein, moj ljubimez?!« Er legte den Arm um ihre Schulter und roch ihr langes, goldenes Haar. Wie Heu und getrocknete Rosenblätter, dachte er lyrisch.

»Ich wollte sehen, ob dir nichts fehlt«, log er. »Fedja ist unzuverlässig. Er wird alt und störrisch wie ein Esel.«

»Vielleicht hat man ihn zuviel geprügelt.«

Borkin lachte. Er trat an das Feuer heran und sah in den Kessel. »Tee?« fragte er.

»Ja.«

Er trat mit der Fußspitze gegen den Kessel. Das sprudelnde Wasser verrann zwischen den Steinen, mit denen das Feuer gegen den Steppenwind geschützt war. Es zischte. Erna-Svetlana wollte etwas sagen, aber Borkin pfiff grell und kurz. Das Pferd kam langsam auf sie zu.

»Ich habe etwas Besseres mitgebracht, moj kasulja.« (Mein Reh) Er band den Korb vom Sattel und stellte ihn vor das Feuer. »Kalten Braten, Wein von der Krim, Wurst und Süßigkeiten. Du sollst nicht leben wie Kerek, der sich Schnecken am Spieß röstet.«

»Ich habe keinen Hunger«, sagte Erna-Svetlana. Sie sah, wie Borkin den Korb auspackte und alles vor ihr ausbreitete. Als er die silberne Kette auf dem Boden des Korbes fühlte, zögerte er, aber dann griff er zu und schob die Kette in seine Hand.

»Ich habe dir auch noch etwas anderes mitgebracht. Mach einmal die Augen zu.«

»Djadja —«

»Hast du Angst?«

Sie schüttelte den Kopf. Ja, wollte sie schreien. Ja, ich habe Angst. Du bist anders geworden, du bist nicht mehr der Iwan Borkin, auf dessen Schoß ich saß und der mich wie eine Mutter fütterte, wenn ich den süßen Brei aus Hirse und Honig nicht essen wollte.

Er trat hinter Svetlana, öffnete den Verschluß der Kette und legte sie ihr um den weißen Hals. Als sie die Kälte des Metalls auf ihrer Haut spürte, zuckte sie zusammen, aber sie blieb stehen und hielt die Augen geschlossen. Borkin nestelte hinter ihr den Verschluß zu. Sein Blick glitt über ihre Schulter den Hals hinab zu dem Ausschnitt der Bluse. Er sah den Ansatz ihrer Brust, und wieder erfaßte ihn eine fast wilde Lust, zuzugreifen und alles abzureißen, was diesen Körper vor ihm verbarg.

»Kann ich die Augen wieder aufmachen?« fragte Svetlana. Borkin nickte.

»Ja«, sagte er rauh.

Sie sah hinunter auf ihren Hals und steckte die Hand durch die silberne Kette. Sie war breit, ziseliert und zeigte in den einzelnen Gliedern das Muster von Rosen und Phantasievögeln.

»Wie schön«, sagte Svetlana und sah dann zu Borkin auf. »Warum schenkst du mir das, djadja?«

»Weil heute ein Feiertag ist.«

»Du hast Geburtstag?«

»Nein. Heute vor fünf Jahren bist du zu mir gekommen.«

»Das stimmt nicht.« Svetlana lachte. »Es war Winter. Iljitsch Sergejewitsch Konjew wickelte mich noch in seinen Pelz, als er mich von der stolowaja mit nach Hause nahm.«

»Im Winter war es?« Borkin setzte sich neben das Feuer. Er schüttelte den Kopf. »Ich hätte geschworen, es war im Frühjahr. So schnell vergeht die Zeit, und so schnell verliert sich die Erinnerung. Aber nun bin ich hier ... und wenn es auch im Winter war — für uns war es im Frühjahr! Wir wollen einen Grund zum Feiern haben!«

Sein Blick glitt von ihren plumpen Schuhen die schlanken Beine hinauf bis zu ihren Schenkeln und der Wölbung ihres Leibes. Er spürte, wie sich sein Mund mit Speichel füllte, wie sein Herz unregelmäßiger schlug, aussetzte, ein paar Schläge raste und dann wieder stockte.

»Setz dich auch, Svetlana«, sagte er heiser. »Trink ein Glas Wein.«

Sie hockte sich gehorsam neben ihn und schlug den Rock über die bloßen Knie. Ihr langes Haar war offen und umgab sie wie ein Schleier aus goldenen Seidenfäden. Borkin schüttete in die mitgebrachten Gläser den dunklen, schweren Krimwein.

»Er ist ganz leicht«, sagte er. »Man kann Kannen davon trinken und merkt es nicht. Er macht nur lustig.« Er wandte den Kopf zu Svetlana. »Hast du schon Wein getrunken?«

»Dreimal. Bei dir! Zu meinem Geburtstag. Aber keinen roten Wein. Auch hast du ihn damals mit Wasser verdünnt.«

»Er war stärker als dieser hier.« Borkin reichte ihr das Glas hin. »Auf die vergangenen fünf Jahre, Svetlanja.«

»Auf deine Güte, djadja ...«

Borkins Hand zitterte, als er das Glas zum Mund führte. Über den Rand des Glases hinweg sah er zu Svetlana. Sie trank den Wein in großen Zügen. Ihr Gesicht leuchtete.

»Er schmeckt herrlich«, sagte sie, als sie absetzte. »Er schmeckt wie Sonne —«

Borkin legte sich zurück und stützte den Kopf auf die Hand. »Wie Sonne — du kannst einen Dichter beschämen mit so viel Phantasie. Die Sonne schmecken ... das wäre selbst Puschkin nicht eingefallen. Du solltest Gedichte schreiben, Svetlanja.«

»Du würdest mich nur auslachen.«

Er zog an ihren Haaren. Verwundert und wieder erschreckt fuhr Svetlana herum.

»Komm etwas näher.« Borkin wickelte seine Finger in ihre Haare. »Ich will dir etwas erzählen. Noch keiner weiß es. Wir werden fortreisen in ein anderes Land —«

»Wir werden —« Svetlanas Augen wurden groß. Fortreisen, dachte sie. Und Bor? Was wird aus Bor und unserer Liebe? »Wann werden wir reisen?«

»Bald.« Er zog wieder an ihren Haaren. Sie spürte es nicht. Sie dachte an Boris. »Es wird ein schönes Land sein. Wir werden ein Haus mieten, nahe am Meer, und ich werde ein neues Buch schreiben. Weißt du, wie es heißt?«

»Nein«, sagte sie, mit den Gedanken abwesend.

»Es wird heißen: Svetlana, der Schwan ... Ein schöner Titel, nicht?«

»Ja, djadja«, nickte sie.

Sie nahm das neue Glas Wein, das ihr Borkin reichte, und trank es aus. Ihr Kopf wurde schwer ... das Feuer brannte flackernder als sonst, und der Nachthimmel wiegte sich, als läge er in einer Schaukel.

»Wird es bald sein?« fragte sie.

»Bald —«, sagte Borkin doppelsinnig. Er beobachtete Svetlana. Ihr Kopf pendelte hin und her, ihre Zunge wurde schwerer. Als sie ihn sah, flatterten ihre Augen. »Trink noch ein Glas, ljubimez«, sagte er.

»Er ist so leicht, der Wein.« Svetlana strich sich über die Augen. »Er macht so leicht, djadja ...«

»Ich höre Musik, djadja ...«

»Svetlanja . . .«, sagte Borkin heiser.

Sie gab keine Antwort mehr. Sie lag an seiner Brust, halb schlafend, halb von dem schweren Wein betäubt . . . Ihr Mund lächelte, und ihre Lippen waren leicht geöffnet.

»Svetlanja!« sagte Borkin noch einmal.

Dann griff er zu, zerriß, was Stoff in seinen Fingern war und wurde ein Tier . . . nein, mehr noch . . . er wurde ein Mensch . . .

Zwei Stunden später ritt Borkin zurück zur Datscha.

Im Wald begegnete er Boris. Sie ritten aneinander in der Dunkelheit vorbei, ohne sich zu erkennen.

Borkin ritt schnell. Es war, als sei er auf der Flucht. Über seine linke Wange zog sich eine breite, blutige Kratzspur. Sie brannte, und sie erinnerte ihn an einen Triumph, der eine Niederlage geworden war.

Sie wird nie mehr zu mir zurückkehren, dachte er wütend. Ich habe sie eingetauscht für zwei Stunden Besinnungslosigkeit. Ich Narr! Ich unheilbarer Narr!

Auf der Datscha erwarteten ihn noch Fedja und Sussja. Sie hatte einen roten Fleck auf der gelblichen Stirnhaut. Das war alles, was an den vergangenen Abend erinnerte.

»Ihr seid noch auf?« sagte Borkin. Müde kletterte er vom Pferd.

»Wir wußten, daß Sie wiederkommen.« Fedja nahm die zugeworfenen Zügel.

»So?« Er sah Sussja an. In ihren Augen stand Haß und eine lauernde Frage. »Bringt mir zu trinken. Wodka! Ins Blumenzimmer! Und dann laßt mich allein!«

Er wandte sich ab und ging.

In seinem Arbeitszimmer zog er die dichten Vorhänge vor die Fensterecke und warf sich in einen der Sessel. Mit der Hand tastete er über die Kratzwunde und merkte, daß sie hinunterging bis zur Oberlippe.

Sussja kam mit dem Wodka. Sie stellte die Flasche auf den Tisch.

»Wie geht es deiner blonden Hure?« fragte sie giftig.

»Geh — oder ich peitsche dich hinaus!« schrie Borkin.

»Sie hat scharfe Krallen, das Kätzchen.« Sussja lachte höhnisch. »Ich habe noch nie einen so zugerichteten Kater gesehen.«

»Ich bringe dich um«, sagte Borkin leise.

»Versuch es.« Sussja wölbte die Brust vor. »Du kommst mit den Händen nicht weiter als bis hierher. Und dann beginnen sie zu streicheln . . .«

Borkin erhob sich. Er trat vor Sussja hin und schlug sie mit der flachen Hand in das schöne, tatarische Gesicht. Immer und immer wieder. Sussja hielt still. Sie rührte sich nicht. Hoch aufgerichtet nahm sie die Schläge hin, als sei sie eine leblose Puppe. Keuchend hielt Borkin ein.

»Nun?« fragte sie. Ihre Stimme schwankte. »Und jetzt?«

Iwan Kasiewitsch Borkin hob die Schultern. Er war leergebrannt und einsam. Angst vor dem grauenden Tag stieg in ihm hoch.

»Komm!« sagte er heiser.

Er ging voraus in das Nebenzimmer. Als er die Tür verriegelte, lächelte Sussja. Es ist nicht das Brot allein, das einen Menschen satt macht –

Schon von weitem rief Boris den Namen Svetlanas, als er aus dem Wald hervorritt und in der Ferne den Feuerschein ihrer Lagerstätte sah.

»Heij!« schrie er. »Svetla! Ich habe eine gute Nachricht für dich!«

Vor dem Zelt rührte sich nichts. Das Feuer flackerte, als habe es keine Nahrung mehr. Als Boris näher kam, sah er, daß der große Wasserkessel neben den Steinen lag. Umgeworfen, leer.

»Svetla!« rief er. Eine wilde Angst schnürte ihm die Kehle zu. Er trieb sein goldenes Pferd an, schlug es sogar, daß es beim Galopp verwundert den Kopf drehte und die Ohren anlegte. »Svetla?! Wo bist du?!«

Der Platz vor dem Zelt war leer. Auf der Erde lagen eine leere Weinflasche ... kalter Braten, eine Schüssel mit Konfekt, eine Holzschale mit Weißbrot und Wurst ...

Wein! Svetlana und Wein!

Boris Horn ließ sich vom Pferd fallen, noch bevor es stand. Er rannte zu dem Zelt und riß den gummierten Eingangsvorhang auf.

Erna-Svetlana lag auf der Erde, zusammengekrümmt und ohnmächtig. Sie lag da in schrecklicher, mißhandelter Nacktheit, auf der weißen Haut noch Spuren kräftiger Hände.

Die Taschenlampe in der Hand Boris' zitterte. Er ließ den Lichtkegel durch das kleine Zelt gleiten. In einer Ecke lag die zerfetzte Kleidung. Er kniete neben Svetlana nieder und drehte sie vorsichtig auf den Rücken.

Ihr Gesicht war verzerrt, schrecklich entmenscht. Blut war auf den Lippen geronnen ... als er ihre Hand nahm, um den Puls zu fühlen, sah er, daß unter ihren Nägeln Blut und Hautfetzen klebten.

»Svetla«, stammelte er. »O Gott ... Svetla. Was hat man dir getan?!« Er ließ die Hand sinken. Vor seine Augen trat die Stunde wieder, in der man seine Mutter durch das Dorf Kraftfeld jagte, ehe sieben Mongolen sich über sie warfen. Er sah seine Mutter um sich schlagen und hörte ihre Schreie wieder. Hilfe! schrie sie.

Hilfe! Aber wer konnte helfen, wo alles, was sich auf der Straße zeigte, im Feuer der Maschinenpistolen zusammenbrach.

Und nun lag Svetlana vor ihm ... zerbrochen und ohne Besinnung. Unter den Nägeln die Haut und das Blut ihres Peinigers.

Boris biß sich auf die Lippen. Er streichelte über Svetlanas Gesicht und sah nicht ihre Blöße und empfand nichts anderes als Trauer und eine wilde Lust, zu morden.

Ihr Herz schlug schwach ... wenn sie atmete, stieß sie den Dunst von Alkohol mit heraus. »Hunde!« sagte Boris. »Wenn ich jemals vergessen hatte, dieses Land zu hassen ... jetzt wird es ewiger Haß bleiben!«

Er rannte aus dem Zelt und suchte nach Wasser. Als er nichts fand, nahm er eine Flasche Wodka, die neben dem Essen lag, schlug den Hals ab und rieb die Stirn und die Brust Svetlanas mit dem starken Schnaps ab. Er massierte die Herzgegend, er drückte den Zeigefinger quer zwischen die zusammengepreßten Lippen, öffnete gewaltsam den Mund und träufelte Wodka in die Mundhöhle. Wenn sie bloß nicht erstickt, zitterte Boris. Gott, mein Gott ... laß sie nicht daran ersticken.

Der Hals zuckte. Sie schluckte. Unbewußt, aus dem Reflex heraus, um das, was im Mund sich ansammelte, wegzubringen. Aber sie blieb ohne Besinnung.

Mit bebenden Händen streifte Boris die zerfetzten Kleider über den mißhandelten Körper. Dann trug er sie auf sein Pferd und legte sie quer vor sich auf den Sattel. Svetlanas lange, goldene Haare hingen an der Seite herab, fast bis auf den Boden. Als er anritt, wehten sie vom Pferd weg wie ein feiner, dünner, schwereloser Schleier.

Boris ritt langsam. Er hielt den Körper umklammert und lenkte das Pferd nur mit den Schenkeln und den Absätzen seiner Stiefel. Hinter ihm verglomm das Feuer und versank die Steppe in der Nacht.

Zehn Werst sind es bis zu Natascha Trimofa, dachte Boris. Zehn Werst ... eine Unendlichkeit! Aber Natascha Trimofa würde helfen. Nur sie konnte helfen! Sie war die Ärztin des Bezirkes. Sie war eine Frau, die verstand, was man Svetlana angetan hatte.

Er ritt über eine Stunde, über Steppe und durch Wald, quer durch die wogenden Kornfelder, vorbei an Sonnenblumenkulturen und den schlafenden Gärten der Bauern von Undutowa. Mit beiden Händen hielt er Erna-Svetlana umklammert. Sie war noch immer ohnmächtig ... der Weindunst, der sie beim Atmen umgab, war schrecklich und steigerte den Rachegedanken Boris' bis ins Unermeßliche.

Es war, als kenne das goldene Pferd den Weg ... fast ohne

Schenkeldruck trabte es um Undutowa herum, schwenkte wieder hinaus zu den Weiden und Steppen und jagte dann auf dem Feldweg entlang, der bis zum großen Balchasch-See führte.

Wenige Werst vom See entfernt, allein in einem kleinen Kiefernwald, lag das Haus von Natascha Trimofa, der Distriktärztin von Undutowa. Als Boris Horn vor der Tür vom Pferd sprang, sah er kein Licht zwischen den Holzläden hervorschimmern.

»Natascha Trimofa!« schrie Boris. Er hob die wie tot auf dem Pferd liegende Svetlana vom Sattel herab und trug sie auf den Armen zum Hause hin. »Natascha Trimofa!«

Es rührte sich nichts. Boris trat an die Tür heran und stieß mit dem Fuß dagegen. Dumpf dröhnte der Schlag in dem hölzernen, aus dicken Balken gebauten Haus wider. Immer und immer wieder trat er gegen die Tür ... verzweifelt, sich auflehnend gegen die Erkenntnis, daß er die zehn Werst geritten war, um ein leeres Haus anzutreffen.

»Natascha!« brüllte er durch die Nacht. »Natascha! Öffnen Sie doch! Öffnen Sie! Es geht um ein Leben!«

Hinter der Tür schimmerte plötzlich ein Licht auf. Es war so plötzlich, so unerwartet, daß es Boris den Atem verschlug.

Natascha Trimofa war zu Hause! Natascha ...

»Wer ist da?« hörte er eine Stimme. »Scher dich weg, du besoffener Lump!«

»Ich bringe eine Kranke!« würgte Boris hervor. Er wußte nicht, ob seine Stimme überhaupt einen Klang hatte, ob man ihn verstand ... er zitterte und drückte den schwach atmenden Körper Svetlanas an sich.

»Öffnen Sie doch, Natascha Trimofa ...«

Die Tür ging einen Spalt breit auf ... ein schmales, blasses, schönes Gesicht, umzittert vom Schein einer Petroleumlampe, spähte durch den Spalt in die Nacht. Eine kleine Hand schob die Lampe durch den Schlitz nach draußen und beleuchtete schnell Boris und Svetlana. Dann flog die Tür auf.

Boris trat an Natascha Trimofa vorbei in den großen Raum mit dem Lehmofen und legte Svetlana auf den Holztisch, über den — welch ein Luxus — eine buntbedruckte Decke gedeckt war. Hinter ihm fiel die Tür ins Schloß. Er hörte, wie die Ärztin den Riegel wieder vorschob.

Schnuppernd wie ein Reh trat Natascha Trimofa an den Tisch heran und beugte sich über Svetlana. Dann fuhr ihr kleiner, von schwarzen Haaren wie eine glatte, zweite Haut umgebener Kopf zu Boris herum. Ihre dunklen Augen sprühten.

»Sie ist doch besoffen!«

Das harte Wort paßte nicht zu den schmalen Lippen und dem

schönen Mund, dem feinen Gesicht und dem zartgliedrigen Körper. Natascha hatte über ihr Nachthemd nur einen großen Schal geworfen.

Boris nickte. »Jetzt ja!« Er wischte sich den Schweiß, der ihm ausbrach, von der Stirn. Natascha sah ihn verächtlich an.

»Was wollt ihr also hier? Ich bin keine Trinkerheilanstalt.« Sie betrachtete Svetlana und bemerkte erst jetzt die zerfetzten Kleider des Mädchens. Ihre schmalen Lippen wölbten sich vor. »Ach so«, sagte sie gedehnt. »Besoffen und dann das?! Und nun soll ich eine nette Abtreibung machen, was?« Sie fuhr zu Boris herum, der zitternd neben dem Tisch stand. »Raus mit euch Lumpenpack!« schrie Natascha Trimofa. »Raus! Legt euch in den Schweinestall, wohin ihr gehört!«

»Ich habe sie so gefunden, Natascha Trimofa.«

»Du hast —« Die Ärztin sah wieder kurz auf Svetlana.

»Sie lag in der Steppe bei Judomskoje, in ihrem Zelt. Die ganzen Kleider hatte man ihr vom Leib gerissen. Betrunken hat man sie gemacht!« Die Stimme Boris' schwoll an ... sie schrie und überschlug sich grell. »Nackt lag sie da ... auf dem Körper die Griffe dieses Satans ... und ...« Er schlug die Hände vor die Augen und warf sich auf einen Stuhl neben dem Tisch. »Ich bringe ihn um, Natascha Trimofa. Ich bringe ihn um, wenn ich weiß, wer es war ...«

Natascha Trimofa beugte sich über das verzerrte Gesicht Svetlanas. Sie strich mit einer fast zärtlichen Bewegung das lange blonde Haar aus ihrer Stirn und betrachtete sie.

»Du liebst sie?« fragte sie plötzlich. Boris nickte.

»Ja.«

»Du kennst sie länger?«

»Wir kennen uns als Kinder. Wir sind Wolhyniendeutsche.«

»Ihr seid Deutsche —« Natascha Trimofa zog die zerfetzten Kleider vom Körper Svetlanas. Ihre kleine Hand glitt über den nackten Leib, blieb unter der linken Brust liegen und nahm den schwachen Herzschlag auf. »Sieh einmal weg ...«, sagte sie zu Boris.

»Warum?«

»Sieh weg, sag ich!« schrie ihn die Ärztin an. Boris gehorchte. Er sah zur Seite und schloß die Augen. Was macht sie mit Svetlana, dachte er. Er lauschte, aber er hörte nichts ... kein Stöhnen, keinen Aufschrei ... nichts.

»Du kannst wieder hersehen.«

Boris' Kopf flog herum. Svetlana lag noch immer auf dem Rücken. Natascha Trimofa stand an einer Waschschüssel aus lackiertem Blech und wusch sich die Hände. Ihr schmales Gesicht war bleicher geworden, ernster, verbissen fast. Nur in ihren

Augen lag weiter die Wildheit, die schon bei Boris' Eintritt in das Haus aus ihnen geschrien hatte.

»Du hast recht«, sagte sie. Ihre Stimme war leiser und etwas rauher als vorhin. »Man hat sie geschändet.«

»Ich bringe ihn um!« schrie Boris auf. Natascha hob die Hand.

»Psst! Weck sie nicht auf, du Bär! Wer wird denn gleich morden, nur weil ein Mädchen zur Frau wird.«

»Ich liebe sie, Natascha Trimofa! Irgend jemand hat mir einen Teil meines Lebens genommen . . . den schönsten Teil!«

»Red nicht so geschwollen!« Natascha Trimofa trocknete sich die Hände an einem alten Handtuch ab. »Irgend jemand war schneller als du. Das ist alles. Er ist dir zuvorgekommen. Er hat genommen, was du gern nehmen wolltest.«

»Wie können Sie so etwas sagen, Natascha Trimofa?« stammelte Boris.

»Es gibt Furchtbareres. Wie heißt du?«

»Boris Horn.«

»Sei froh, daß sie lebt.« Natascha Trimofa sah Boris auffordernd an. »Na, worauf wartest du noch? Geh zurück nach Undutowa. Ich werde morgen früh das Mädchen schon abliefern. Wer ist's?«

»Erna-Svetlana Bergner. Sie wohnt bei Iwan Kasiewitsch Borkin.«

Der schlanke Körper Nataschas fuhr herum, als habe er einen Schlag erhalten. Sie riß ihre schwarzen Augen auf.

»Wo?!«

»Bei dem Dichter Borkin!«

»Dort wohnt sie?«

»Sie nennt ihn djadja. Er will sie sogar adoptieren. Aber Moskau erlaubt es nicht, weil sie eine Deutsche ist. Außerdem wollte Svetlana weg, nach Alma-Ata.«

»Weg von Borkin? Warum?«

»Ich weiß nicht.«

»Sie hat nie darüber mit dir gesprochen?«

»Nein.«

»Ach.« Natascha Trimofa beugte sich über Svetlana. Ihre Hand glitt streichelnd über ihr Gesicht und die bloßen Schultern. »Der gute djadja . . .«, sagt sie bitter. »Und was willst du nun tun, Boris?«

»Ich will warten, bis sie aufwacht. Ich will wissen, wer es war! Und dann –« Boris ballte die Fäuste. Das Gesicht Nataschas wurde glatt, ausdruckslos –

»Es wäre dein Recht, Boris.«

»Und wenn er ans Ende der Welt flüchtet, ich bekomme ihn, Natascha Trimofa.«

»So weit wirst du nicht zu suchen brauchen.« Sie zeigte auf eine Tür neben dem Ofen. »Geh ins Nebenzimmer und leg dich hin.«

»Ich kann jetzt nicht schlafen.«

»Geh! Ich bleibe bei Svetlana. Ich werde dafür sorgen, daß sie nicht ihr ganzes Leben an diese Stunde denken muß. Dafür brauche ich dich nicht. Geh jetzt – oder ich werfe dich hinaus!«

Gehorsam erhob sich Boris. Er blickte noch einmal auf Erna-Svetlana. Über ihr Gesicht glitt der Schein der Petroleumlampe. Sie sah aus wie eine Leiche. Nur das leise Zittern der Brüste verriet, daß sie lebte. Boris schluckte. Tränen quollen aus seinen Augenwinkeln.

»Svetlana –«, stammelte er. Natascha Trimofa faßte seinen Rockarm und zog ihn vom Tisch weg.

»Vom Jammern wird es nicht besser! Schlaf und stärke dich, Boris. Rache braucht Kraft. Ich weiß das, weil ich sie nie gehabt habe.«

Als sich die Tür hinter Boris geschlossen hatte, schob Natascha Trimofa auch hier den Riegel vor. Boris, der sich auf das aufgeschlagene Bett setzte, hörte es und senkte den Kopf. Er faltete die Hände, schloß die Augen und betete.

Durch die Ritzen der Tür hörte er das Klirren der Instrumente. Da drückte er die Hände gegen die Ohren und ließ sich in die Decken des Bettes fallen.

So schlief er ein, überwältigt von der Erschöpfung.

Er hörte nicht, wie Svetlana aus ihrer Ohnmacht erwachte und aufschrie, als sie Natascha Trimofa sah, eine übergroße Spritze mit einem Gummiball in der Hand.

»Ruhig«, sagte Natascha. Ihre Stimme war streichelnd und fast mütterlich. »Es tut nicht weh, Svetlana. Nur ruhig . . . wir löschen die Vergangenheit aus –«

Nach zwei Stunden wachte Boris auf.

Im Nebenraum hörte er die Stimmen von Natascha und Svetlana. Mit einem Satz sprang er an die Tür und rüttelte an ihr wie ein Irrer.

»Svetla!« rief er. »Svetla! Machen Sie auf, Natascha Trimofa! Lassen Sie mich zu meiner Svetla! Ich trete die Tür ein. Machen Sie auf, Natascha!«

»Gebärde dich nicht wie ein Idiot!« sagte Natascha, als sie den Riegel wegschob und die Tür aufsprang. Boris prallte gegen sie. Über ihren schmalen Kopf hinweg sah er Svetlana am Tisch sitzen. Sie hatte ein Kleid der Ärztin an und aß einen Teller Kasch.

»Svetla«, stammelte er. »Sie lebt –«

»Zum Sterben gehört mehr als das«, sagte Natascha grob. »Meistens beginnt damit erst das Leben.«

»Wie können Sie so roh sein, Natascha Trimofa?«

»Komm 'rein und setz dich.«

Erna-Svetlana hatte sich erhoben, als Boris ins Zimmer trat. Sie lächelte ihn an, aber es war nur ein wehmütiges, weggleitendes Lächeln, ein Lächeln zwischen Hoffnung und Angst, zwischen Trauer und Aufgeben. Es war das Lächeln einer Puppe, denn die Augen waren leer, ausgebrannt, weggeschmolzen mit der verglühten Seele. Boris schauderte zusammen, als er diese Augen sah.

»Meine Svetla —«, stotterte er.

Er streckte die Hände nach ihr aus, aber Natascha Trimofa schlug auf sie und schlug sie nieder.

»Wenn sie Männerhände sieht, muß sie schreien. Begreifst du das nicht, du Bär?!«

»Es sind doch meine Hände —« Boris schluckte. Wut und Schmerz drückten gegen seinen Hals. Svetlana senkte den Kopf. Dann ging ein Zittern durch ihren Körper, sie warf die Arme empor, und mit einem Aufschrei rannte sie auf Boris zu, stürzte an seine Brust, umklammerte ihn, grub die Nägel ihrer Finger in seinen Rücken und preßte sich an ihn, als wollte sie in seinen Körper hineinkriechen.

»Halt mich fest, Bor!« schrie sie weinend. »Halt mich ganz fest, Bor! Ganz, ganz fest! Ich will nicht weiterleben! Ich will nicht. Ich will – Bor, Bor, bleib bei mir!«

Das Gesicht Boris Horns verzerrte sich. Es sah schrecklich aus. Er legte seine Arme um den bebenden Körper Svetlanas, so dicht und fest, daß sie fast verschwand.

»Wer war es?«

Sein Blick, der Natascha Trimofa traf, war unmenschlich. Die Ärztin hob die schmalen Schultern.

»Sie sagt es nicht.« Sie hob die Hand, als Boris etwas sagen wollte. »Frage sie auch nicht. Sie sagt es von selbst. Quäle sie nicht.«

»Ich bringe sie zurück zu Iwan Kasiewitsch Borkin. Er wird mithelfen, diesen Schuft zu suchen.«

»Bestimmt wird er das.« Sie sagte es, als wenn man ausspuckt.

Bei dem Namen Borkins ging ein Zittern durch den Körper Svetlanas. Natascha Trimofa sah es. Ein grausames Lächeln überzog ihre schmalen Lippen.

»Leg sie nebenan aufs Bett, Boris. Du kannst auf der Ofenbank schlafen.«

»Und Sie, Natascha?«

»Ich setze mich zu Svetlana.«

Der Kopf Erna-Svetlanas fuhr empor. Ihre leeren Augen starrten Boris an.

»Ich habe Angst, Bor.«

»Angst wovor?«
»Vor dem Weiterleben.«
»Ich bin doch bei dir. Ich halte dich, Svetla.« Er preßte sie wieder an sich. »Immer, immer werde ich bei dir sein.«
Natascha Trimofa schüttelte den Kopf. »Ihr Kinder!« sagte sie. »Borkin wird Svetlana suchen.«
»Ich werde mit ihm sprechen.«
»Nein!« rief Svetlana.
»Man wird mich verhaften, wenn ich morgen nicht auf der Sowchose bin. Außerdem hat mich Serge Sirkow bestellt. Ich soll einen Kurierbrief nach Alma-Ata bringen. Zu dem Genossen Tschetwergow.« Boris streichelte über das Haar Svetlanas. »Ich werde dort gleich bitten, daß wir heiraten dürfen.«
Natascha Trimofa schüttelte wieder den Kopf. Sie drehte den Docht der Petroleumlampe niedriger. »Es wird sich alles bis zum Morgen regeln«, sagte sie. Mit der einen Hand nahm sie die Lampe, mit der anderen winkte sie Svetlana. »Komm. Oder hast du auch Angst vor mir?«
»Ich habe vor allen Menschen Angst.«
»Komm, schlaf. Die Welt sieht anders aus, wenn die Sonne scheint.« Natascha drückte Svetlana die Petroleumlampe in die Hand und nickte zur Tür der Nebenkammer hin. »Geh schon voraus. Ich schließe erst die Außentür.«
Boris schwieg. Er wußte, daß Natascha Trimofa schon nach seinem Eintritt die Tür verriegelt hatte. Mit aufeinandergepreßten Zähnen sah er, wie Svetlana, die Lampe von sich weghaltend, in den Nebenraum ging. Ein ausgebrannter Körper, zerstört und in eine Welt gerissen, die sie nicht begriff und die ihr eine unheimliche Angst einflößte in ihrer Grausamkeit und Härte. Vielleicht aber auch war es ein Erwachen der Erinnerung, das Wiederkehren der schrecklichen Bilder, als die Rote Armee in Neuenaue einmarschierte und alles, was Röcke trug, bis zu Verzweiflung, Mord und Selbstmord schändete. Erinnerungen, die an ihr selbst jetzt zur Wahrheit und Gegenwart geworden waren.
Als Erna-Svetlana die Tür hinter sich geschlossen hatte, sah er Natascha Trimofa an. Sie hatte eine zweite Lampe angezündet. Ihr Gesicht war bleich und hart.
»Du willst wissen, wer es war?«
»Ja«, stöhnte Boris. Er grub die Nägel in seine Handballen.
»Ich sage es dir, wenn du mir versprichst, ihn zu töten.« In Nataschas Augen trat eine fanatische Glut. »Du mußt ihn töten, Boris.«
»Ich schwöre es Ihnen!« Boris reckte den Arm empor zur Balkendecke. »Ich schwöre beim Andenken an meine Mutter!«
»Noch heute tötest du ihn?«

»Noch heute! Sofort!«

Natascha Trimofa ging zum Ofen. Sie öffnete einen Schrank und holte eine Flasche Wodka und ein Wasserglas hervor. Mit langem, gluckerndem Strahl ließ sie den Schnaps in das Glas laufen ... das ganze Glas voll. Dann trat sie vor Boris und hielt es ihm hin. Schweigen stand zwischen ihnen ... sie sahen sich an und wußten, was es zu bedeuten hatte.

»Trink, Boris.«

»Wer war es?«

»Iwan Kasiewitsch Borkin ...«

Die Hand, die nach dem Glas griff, zitterte wie im Fieber.

»Nein!« sagte Boris dumpf. »Nein ... das kann nicht sein.«

»Er war es. Frage ihn. Und töte ihn!«

Boris stürzte den Wodka in einem Zuge herunter. Er brannte wie heißes Pech, aber er machte den Kopf freier. Boris atmete tief durch und stellte das Glas auf den Tisch zurück. Dabei sah er, daß Svetlanas zerfetzte Kleider noch immer neben dem Tisch auf den Dielenbrettern lagen. Auf einer Ecke des Tisches lag die große Spülspritze mit dem Gummiball, gefüllt mit einer Desinfektionslösung.

»Ich bin in einer Stunde wieder da. Was dann, Natascha Trimofa?«

»Ich werde für euch sorgen, wenn du Borkin tötest.«

»Sie werden Ihre Stellung verlieren! Man wird Sie nach Karaganda ins Straflager schleppen, wenn Sie uns helfen.«

»Der Tod Borkins ist mit keiner irdischen Strafe aufzuwiegen.« Nataschas Augen glühten. Boris schauderte innerlich zusammen. Welch eine Frau, durchrann es ihn. Die Urgewalt der Natur ist in ihr ... sie ist wilder als der Steppensturm, als der Eiswinter und ein Rudel hungernder Wölfe in der Nacht.

»In einer Stunde, Natascha Trimofa.«

»Ich warte auf dich. Aber wage nicht, zurückzukommen, wenn er noch lebt!«

Mit schnellen Schritten verließ Boris das Haus der Ärztin. Das goldene Pferd kam aus der Dunkelheit der Nacht auf ihn zu, als es den Lichtschein bemerkte, der aus der Tür fiel. Es wieherte und stellte sich so, daß Boris den Fuß in den Steigbügel heben konnte. Mit bebender Hand tätschelte er den Hals des Pferdes. Dann schwang er sich in den Sattel und galoppierte hinaus in die Nacht.

Von der Tür aus, die Petroleumlampe in der Hand, sah ihm Natascha Trimofa nach. Über ihr schmales Gesicht zog ein feines Lächeln.

»Mach es gut, mein Junge«, sagte sie leise. »Gott wird uns nicht verzeihen ... aber der Himmel wird weiter, wenn es keinen Borkin mehr gibt!«

Sussja erhob sich träge. Sie war satt, müde und ausgebrannt. Neben ihr lag Borkin auf dem Rücken und schnarchte leise mit offenem Mund.

Wie er so dalag, mit zerzausten Haaren, unrasiert, offenem Mund und behaarter, bloßer Brust, sah er nicht schön aus. Sussja fand das auch. Sie stand auf, raffte ihre Sachen, die verstreut auf dem Boden lagen, zusammen und zog sich leise an. Dann schlich sie auf nackten Füßen zur Tür, öffnete sie einen Spalt, daß sie hinausschlüpfen konnte, zog sie hinter sich leise wieder zu, jedes Knarren vermeidend, und rannte auf bloßen Füßen durch das Haus.

Die Tür zum Herrenhaus ließ sie offen, als sie über den Hof zum Gesindehaus hinüberlief. Wer sollte schon bei Iwan Kasiewitsch einbrechen? Der Dieb würde schlimmer bestraft werden, als habe er einen Mord begangen. Bei dem Hymnendichter Stalins bricht man nicht ein. Das wußte jeder.

Im Gesindehaus weckte sie Fedja durch das Geräusch der knarrenden Tür. Fedja schlief gleich neben der Eingangstür. Er sah aus seinem Zimmer und rief Sussja zurück, die weitereilen wollte.

»Na, mein Täubchen?« sagte er. »Schläft der große Genosse noch?«

»Ja.«

»Dann wird es ein ruhiger Morgen werden.« Fedja grinste und winkte Sussja zu. »Ab und zu sollte man dir dankbar sein, daß du uns einen guten Vormittag verschaffst.«

Sussja warf den Kopf in den Nacken und rannte bis ans Ende des Ganges, wo ihre Kammer lag.

Auch Fedja ging wieder zurück in sein Zimmer, löschte das Licht und rollte sich auf seinen alten Strohsack. »Katze!« murmelte er dabei. »Läufige Hündin . . .«

Vor dem Eingangstor der Datscha stand Boris und beobachtete das Verlöschen des Lichtes hinter dem Fenster Fedjas. Er hatte sein goldenes Pferd vor dem Tor an einen alten Maulbeerbaum gebunden.

Die Hunde in dem Zwinger neben der überdachten Terrasse wurden unruhig. Sussja hatten sie vorbeirennen lassen . . . sie kannten ihren Geruch, sie kannten das Geräusch der klatschenden nackten Füße. Aber sie witterten das Fremde bereits, das draußen vor dem Tor stand. Unruhig rannten sie am Gitter hin und her, mit hängenden Zungen, gespitzten Ohren, starren Augen und halboffenen Fängen. Als Boris näher kam und den Hof der Datscha betrat, begannen sie leise zu knurren. Es hörte sich an wie das Grollen eines fernen Gewitters.

Von Boris war jegliche Angst abgefallen. Aber auch das klare Denken fehlte ihm. Die Vermischung von Wodka und Rache, von

Alkohol und seelischer Qual bildete in ihm einen Stoff, der furchtlos machte, aber auch bedenkenlos. Er hielt ein langes Messer in der rechten Faust, als er weiter in den Hof hineinschritt und in die Witterung der Hunde kam.

Sie heulten auf, bellten und sprangen gegen die Gitter.

Fedja, wieder in den ersten Schlaf gefallen, richtete sich auf und stieß das Fenster auf.

»Titsche!« rief er. (Ruhe!) »Wollt ihr ruhig sein, ihr Saubande?!«

Boris drückte sich gegen die Hauswand. Im Schatten eines großen Fliederbusches schlich er weiter, erreichte die von Sussja unverschlossen gelassene Tür und schlüpfte ins Haus.

Völlige Dunkelheit umgab ihn. Draußen warfen sich die Bluthunde gegen die Gitter und kreischten vor Wut. Dazwischen dröhnte die Stimme des alten Fedja, der sie Aasgeburten und Teufelsmist nannte, stinkenden Auswurf und verwesten Eselsdreck.

Irgendwo im Haus wurde Licht gemacht. Boris sah einen schwachen Schimmer auf dem langen Flur. Ein Fenster knarrte und eine Stimme schrie.

»Stoij!«

Nur ein Wort. Und die Hunde schwiegen. Sie krochen in die hintere Ecke des Zwingers und blieben mit starren Augen und hechelndem Atem liegen.

Das war Iwan Kasiewitsch Borkin ... es gab für Boris keinen Zweifel mehr. Er rannte den Flur entlang, bis er die Tür erreicht hatte, unter der er den Lichtschein sah.

Noch einmal sah er auf das lange Messer in seiner Hand, dann ergriff er die abgewetzte Klinke, drückte sie herunter und betrat das Zimmer.

Borkin erwachte durch das merkwürdige Gefühl, nicht allein zu sein.

Er war bei dem Hundegebell aufgesprungen, hatte sein ›stoij‹ aus dem Fenster gebrüllt, war dann zurückgesunken auf sein Bett und sofort wieder eingeschlafen, ohne zu merken, daß das Licht noch brannte.

Jetzt wachte er auf und schnellte empor.

Eine Gestalt stand an seinem Bett. Groß, breit, dunkel gegen das Licht der Lampe, das Borkin ins Gesicht schien.

Es war nie die Art Borkins gewesen, Angst zu haben. Aber in diesen Sekunden des Zurückfindens in die Wirklichkeit, vor allem in den wenigen Augenblicken des Erkennens, daß die Gestalt vor seinem Bett Boris Horn war, ergriff ihn eine fast panische Angst.

Er blieb im Bett sitzen. Die Beine wurden ihm so schwach, daß er sie nicht mehr aus dem Bett herausheben konnte.

»Was willst du?« fragte er laut.

Sein Blick glitt an der hohen Gestalt Boris' herunter und blieb an der scharfen Schneide des Messers hängen. Er fühlte, wie seine Lippen und sein Gaumen trocken wurden. Wie kann ich Fedja rufen? dachte er. Wie kann ich ans Fenster kommen und um Hilfe rufen?

Die Stimme Boris' riß ihn von seinen jagenden Gedanken weg. Eine ruhige, gefährlich ruhige und gleichgültige Stimme.

»Ich soll dich von Svetlana grüßen, Iwan Kasiewitsch.«

Borkins Atem stockte. Er hat sie bereits gefunden. Oder sie ist zu ihm gelaufen. Er versuchte, Zeit zu gewinnen. Draußen begannen die Hunde wieder zu heulen. Wenn Fedja sie hörte, mußte er endlich aufstehen und nachsehen, was los war. Dieser verdammte Fedja!

»Danke«, sagte Borkin stockend. »Wie geht es ihr?«

In Boris zersprang der letzte Widerstand vor seiner Tat. Er trat näher an das Bett heran. Borkin erbleichte. Fedja, betete er im Inneren. O Fedja ... warum kommst du Hund nicht?!

»Sie ist bei Natascha Trimofa ...«

»Wo?!« Borkin zuckte hoch. Der Name Natascha Trimofa gab ihm plötzlich seine Glieder wieder. Er sprang aus dem Bett, aber ein Fausthieb Boris' warf ihn zurück an die Wand des Zimmers. Eingeklemmt zwischen einem Schrank und dem geschlossenen Fenster lehnte er gegen die abblätternde Tapete.

»Bei der Ärztin von Undutowa. Du kennst sie, Iwan Kasiewitsch?«

»Du hast sie gefunden, Boris?«

»Ach! Du kennst mich?«

»Ich habe dich gestern bei Svetlana gesehen. Du hast sie geküßt.«

Es schrie aus Borkin heraus mit der ganzen Wut, die er bei dem Anblick aufgespeichert hatte. Selbst die kreatürliche Angst fiel von ihm ab. Er wollte sich von der Wand abstemmen, aber das lange Messer war vor ihm.

Boris starrte Borkin ausdruckslos an.

»Du hast Svetlana zur Hure machen wollen?!«

Borkin schüttelte den Kopf.

»Ich wollte sie adoptieren. Aber Moskau verbot es. Da wollte ich sie heiraten. Später ... in einem anderen Land.«

»Du wolltest weg aus Rußland?«

»Ich wollte nach dem Iran. Dort, am Ufer des Persischen Golfes, wollte ich ein Haus kaufen. Svetlana sollte glücklich werden, glücklicher als jede andere junge Frau. Aber dann kamst du, du Vieh, und hast sie geküßt!«

Im Zwinger tobten noch immer die Hunde. Fedja kam nicht heraus. Er hatte sich auf die andere Seite gedreht, die Decke über den struppigen Kopf gezogen und schlief weiter. Nur Sussja war wach ... sie lag auf dem Strohsack, sah an die Decke und dachte an ihre Liebe zu Borkin. Das Lärmen der Hunde störte sie nicht ... Hunde sind immer laut, wenn der Frühling gekommen ist.

Boris ließ das Messer sinken. »Svetlana ist bei Natascha Trimofa. Sie ist fast irr vor Leid.« Die Stimme Boris' sank herab, aber Borkin verstand jedes Wort. »Du kennst das Gesetz der Steppenhirten, Iwan Kasiewitsch?«

Ein kalter Schauer lief Borkin über den Rücken. Zeit gewinnen, dachte er. Nur Zeit gewinnen. Vielleicht kommt sogar Sussja. Er wird es nicht tun, wenn er Zeugen hat.

»Du kennst Svetlana von früher her?«

»Warum fragst du, Iwan Kasiewitsch? Würdest du an Gott glauben, könnte ich sagen: Bete noch einmal. So aber – denke an Stalin und stirb!«

In diesem Augenblick schnellte Borkin vor und warf sich auf Boris. Von dem Aufprall stürzten beide zu Boden. Boris umklammerte Borkin. »Du hinterlistiger Hund!« zischte er. »Du Schwein! Du erbärmliches Schwein!«

Sie wälzten sich auf dem Boden durch das Zimmer und hieben aufeinander ein. Sie fühlten Blut an ihren Händen und auf ihren keuchenden Gesichtern und wurden wahnsinnig vor Wut und Mordgier.

Die Hunde im Zwinger wurden stiller und krochen in die Ecken zurück. Sussja schlief ein. Fedja schnarchte unter der Decke.

Es war still und dunkel auf der Datscha. Nur im Zimmer Borkins brannte noch ein schwaches Licht –

Unterdessen packte Natascha Trimofa drei Säcke voll Sachen zusammen.

Es waren Lebensmittel, Kleidung, zwei Gewehre, zwei Pistolen und ein Säckchen mit Munition, die sie seit der Zeit unter den Dielen ihres Schlafraumes versteckt hatte, als sie aus den Sümpfen bei Saporoshje zurückkam nach Kasakstan und hier als Partisanen-Ärztin gefeiert und ›Heldin der Nation‹ genannt wurde.

Mit zwei Gewehren kommt man weit, dachte sie. Es muß möglich sein, daß drei Menschen in einem Land verschwinden können, das so groß ist wie ein ganzer Kontinent. Wenn es auch das Leben gejagter Wölfe sein wird ... es wird aber ein Leben sein, frei und glücklich in dem Gedanken, daß Borkin nicht mehr lebt.

Nebenan schlief noch immer Erna-Svetlana. Sie hatte sich in den

Schlaf geschluchzt ... lange noch, nachdem Boris weggeritten war, hörte Natascha ihr leises Weinen. Aber sie ging nicht hinüber und tröstete sie. Sie packte die drei Säcke und sah ab und zu auf die Weckeruhr, ein altes Modell mit einer riesigen Schelle auf dem Gehäuse, wie sie in den staatlichen Konsumläden von Alma-Ata verkauft wurden.

Wenn Boris den Mut gehabt hatte, Borkin zu töten, so mußte er bald wiederkommen. Eine Stunde verfliegt schnell ... und doch ist sie grenzenlos und unheimlich ewig, wenn man die Sekunden zählt und das Gehirn mit jedem Ticken sagt: Jetzt – jetzt – jetzt – geschieht es! Jetzt – jetzt – jetzt hat er es getan! Jetzt –

Natasche Trimofa verstaute die Säcke in einen kleinen Panjewagen, mit dem sie sonst zu den alten Bauernhütten fuhr, um die Kranken zu besuchen und zu versorgen. Als sie zurückkam in das Blockhaus, stand Svetlana in der Tür zum Schlafraum. Mit der Lampe in der Hand, in einem langen Hemd und den aufgelösten goldenen Haaren sah sie wie eine Erscheinung jenseits unserer Welt aus.

»Sie packen, Natascha Trimofa?« fragte sie.

»Ja, mein Kleines.«

»Wo ist Bor?«

»Er kommt gleich wieder. Er hat etwas Wichtiges für die Reise zu besorgen.«

»Und wohin sollen wir gehen?«

»An einen sicheren Ort, mein Mädchen. Dort wird euch keiner suchen oder finden. Dort hausen die Bären und heulen die Wölfe und haben die Wälder keinen Pfad, der in ihr Inneres führt. Dort ist die Einsamkeit des Paradieses.«

»Sie kommen mit?«

»Ich werde mich um euch kümmern. Ich kann hier nicht so einfach weg. Ich habe über dreihundert Kranke, die mich brauchen.«

Erna-Svetlana kam in den großen Raum. Sie stellte die blakende Petroleumlampe auf den Tisch. »Sie werden Sie nach Karaganda schaffen, wenn sie erfahren, daß Sie uns geholfen haben.«

Natascha schüttelte den Kopf. »Und wer soll sich um die Kranken und Verletzten kümmern? Das tun sie nicht.«

»Was kümmern Tschetwergow die Kranken!«

»Tschetwergow ist nicht Moskau. Ich bin von Moskau hier eingesetzt. Ich bin eine ›Heldin der Nation‹! Glaubst du, sie könnten mich einfach wegschaffen? Das ganze Gebiet zwischen Judomskoje und Undutowa würde aufstehen und die Leute von der NKWD erschlagen! Ich habe nur Freunde hier, Svetlana.«

»Es gibt keine Freunde, wenn das Wort Karaganda fällt.«

Natascha Trimofa winkte ab. »Mach dir keine Gedanken darüber. Ich helfe euch, weil ich euch helfen muß. Warum ... das geht dich nichts an!« Sie wandte sich ab und räumte die Instrumente wieder in den Schrank. Dann setzte sie Wasser auf die Feuerstelle, entfachte die Glut neu, indem sie hineinblies und trockenes Reisig auflegte, und hängte einen Kessel mit Wasser an einem eisernen Haken über das Feuer.

»Wenn Boris zurückkommt, werden wir einen Tee trinken und dann sofort aufbrechen. Wir müssen am Balchasch-See sein, wenn die Sonne aufsteigt. Am See sind wir sicher.«

Svetlana setzte sich an den Tisch. »Weiß Bor, wer es war?« fragte sie ängstlich.

»Nein«, log Natascha Trimofa.

»Das ist gut so.« Svetlana blickte auf ihren Schoß. »Bis auf dies war er immer gut zu mir. Ich verdanke ihm mein Leben.«

Natascha Trimofa schwieg. Es war ein verbissenes, feindliches Schweigen. Nur ihre Augen leuchteten voll Triumph.

»Steh auf, du Hund!« sagte Boris.

Er stand vor Borkin, der neben dem Bett auf der Erde lag und keuchte. Blut rann ihm über die Augen ... die Stirn war aufgeschlagen. Ich bin so müde, dachte Borkin. So unendlich müde. Sussja hat mich zugrunde gerichtet. An Sussjas Liebe sterbe ich. Ich habe keine Kraft mehr, diesem Bären dort zu trotzen.

Taumelnd erhob er sich und hielt sich an der Fußwand des Bettes fest. Durch einen Schleier von Blut und Schweiß, der vor seinen Augen lag, sah er Boris fast riesenhaft vor sich stehen. Er hatte die Nagaika in der Hand, mit der Borkin sonst die Hunde schlug oder Fedja oder Sussja oder die anderen Knechte, ganz wie er Laune hatte. Die Peitsche mit den eingeflochtenen Stahlsaiten.

»Ich kann keinen Liegenden töten«, sagte Boris mit ruhiger Stimme. Sie war für Borkin weit, weit weg. »Wehr dich, Iwan Kasiewitsch. Ich will dich nicht erschlagen wie einen angeschossenen Fuchs.«

Borkin hob die Hand und schlug zu. Es war ein matter Schlag. Gleichzeitig damit traf ihn der erste Hieb der Nagaika.

Stumm fiel Borkin auf die Knie und hielt die Arme über seinen Kopf. Wenn ich schreie, wird doch niemand kommen, dachte er traurig. Fedja wird es mutwillig überhören, und Sussja schläft fest. Niemand liebt mich ... ich bin schon ein armes Luder. Und wenn ich jetzt schreie, ohne Sinn und ohne Zweck, wird man sagen: Er starb wie ein echter Feigling. Aber ich bin nicht feig ... ich bin nie feig gewesen.

Er spürte, wie die aufgesprungene Strieme über seiner Stirn brannte. Mit geschlossenen Augen wartete er auf die nächsten Schläge.

»Steh auf!« sagte die ruhige Stimme Boris'. »Wenn jemand kniet, dann nur vor Gott!«

»Gott?« Borkin hob den Kopf und sah Boris aus blutverschmierten Augen an. »Du redest von Gott, während du mordest?!«

»Auch hierbei sieht Gott zu!«

»Er wird dich strafen, wenn es ihn gibt!«

»Er soll es!« Boris' Stimme war hell und hart.

»So sehr haßt du mich?«

»Denk an Svetlana, du Hundesohn.«

»Ich habe sie geliebt wie du! Aber ich habe sie nicht freiwillig bekommen! Sie sollte an meiner Seite ein Leben haben, wie es sonst in Märchen zu lesen ist. Glaub es mir, Boris. Ich wollte ihren Widerstand brechen und sie hinterher belohnen, wie nie ein Mädchen belohnt worden ist.«

Ein neuer Schlag der mit Stahlsaiten durchflochtenen Nagaika traf Borkin quer durch das Gesicht. Sein Mund riß auf, als sei das Gesicht gespalten worden.

»Oh!« stöhnte er. »Oh!«

»So erschlägt man einen tollen Hund«, sagte Boris. Seine leidenschaftslose, fast schon gleichmütige Stimme jagte Borkin einen neuen Schauer über den Körper. Er hat nichts Menschliches mehr, dachte er. Er schlägt wie ein aufgezogener Roboter. Ich könnte flehen und winseln, seine Stiefelspitzen küssen und um ihn herumkriechen wie ein Lurch ... er würde es gar nicht sehen oder innerlich aufnehmen. Er schlägt zu wie eine Maschine.

»Mach ein Ende, Brüderchen«, stöhnte Borkin und umklammerte das Fußende des Bettes. »Noch drei, vier Schläge – und es ist ja vorbei. Quäl mich nicht so! Schlag gegen die Schläfe ... mit dem Knauf! Hab' Erbarmen, Genosse ...«

»Wehr dich! Dein ruhiges Sterben ekelt mich an!«

Iwan Kasiewitsch Borkin nickte. Er sprang vor und wurde von einem neuen Schlag der Nagaika zurückgeworfen. Die Schnüre hatten sich um seinen Hals geschlungen ... er rang nach Atem und taumelte gegen die Wand, während sich die Stahlsaiten von ihm abwickelten.

»Ich habe Svetlana ehrlich geliebt«, röchelte er.

»Nenn diesen Namen nicht!« Boris schlug wieder zu. Über den Kopf, über das Gesicht, einmal auch gegen die Schläfe.

»Oh!« schrie Borkin auf. »Oh! Verflucht seid ihr alle! Verflucht!«

Dann fiel er hin, rollte vor sein Bett, mit dem Gesicht nach oben und rührte sich nicht mehr, während Boris ihn, wirklich wie eine Maschine, totschlug.

Dann legte er die Peitsche neben den Toten, deckte das Kissen über das blutige, aller menschlichen Züge beraubte Gesicht und verließ leise das Zimmer. Er löschte das Licht, ging den langen Flur entlang und schlüpfte aus der Tür ins Freie.

Die Bluthunde warfen sich wieder gegen die Gitter des Zwingers. Sie heulten und bellten, sie gebärdeten sich rasend und bissen mit ihren spitzen Fängen nach Boris, als er an ihnen vorbeiglitt.

Sussja richtete sich im Bett auf und öffnete das Fenster. Sie blickte nach draußen, hinüber zum Hause Borkins. Es war ihr, als glitte ein Schatten durch die dunklen Fliederbüsche. Mit einem Satz war sie aus dem Bett, rannte auf nackten Füßen und mit aufgelösten Haaren, nur angetan mit einem dünnen, viel zu kurzen, ehemals weißen Nachthemd durch das Haus und rüttelte den unter seinen Decken vergrabenen Fedja wach.

»Es ist jemand im Haus«, rief sie. »Wach auf, du Affe! Wach doch auf, du besoffener Hund! Es ist jemand beim Herrn!«

»Vielleicht ein Dirnchen aus dem Dorf?« Fedja lächelte meckernd. »Unser Herrchen hat gut gegessen. Da kommt er mit Sussja nicht mehr aus. Du läßt merklich nach, mein Kätzchen.«

»Steh auf!« schrie Sussja wild. Fedja musterte sie ... ihre langen, etwas dicklichen Beine, die prallen Schenkel, die Brüste, die sich unter dem dünnen Nachthemd abzeichneten. Ein hübsches Täubchen, dachte Fedja. Verdammt, wenn man doch zwanzig Jahre jünger wäre. Dann liefe so etwas nicht ungestraft in mein Zimmer, und schon gar nicht in einer Frühlingsnacht.

Er kletterte aus dem Bett, schob die Läden weg und sah hinaus. Die Nacht war dunkel, sternenlos, warm und roch nach Flieder, Jasmin und japanischen Quitten. Ein Geruch, der einen Hengst toll macht.

»Nichts«, sagte Fedja. »Gar nichts. Du hast geträumt, mein Täubchen. In einer solchen Nacht sieht eine solche wie du in jedem Busch eine Männerhose!«

Er lachte wieder meckernd und rieb sich den Bart. Plötzlich stutzte er. Von ferne vernahm er Hufgeklapper.

»Da!« sagte Sussja atemlos. Sie umklammerte Fedjas Arm. »Ein Pferd!«

»Ein Bär wird nicht klappern, Eselin!« Fedja beugte sich aus dem Fenster. »Aber es ist weit weg! Auf der Straße zum Dorf. Es kommt nicht von hier! Die Hunde werden es auch gehört haben. Sie haben feine Ohren, bessere als wir, Sussjanka. Es sind kluge Viecherchen. Komm, leg dich hin und schlaf.« Er schnalzte mit der Zunge. »Kannst dich auch in mein Bett legen, Schwesterchen. So alt ist Fedja noch nicht ...«

»Eher vertrockne ich!« sagte Sussja und rannte aus dem Zimmer. Seufzend schloß Fedja wieder das Fenster und rollte sich in sein Bett.

So konnte Boris unerkannt die Datscha verlassen und zurück zu Natascha Trimofa reiten.

Niemand sah ihn.

Aber je weiter er sich von der Datscha Borkins entfernte, um so mehr schauderte es ihn vor dem, was er getan hatte.

Natascha Trimofa stand schon in der Tür und sah nach ihm aus, als Boris wie ein Geist durch das Wäldchen sprengte und sein goldenes Pferd auf den Hinterbeinen hochriß.

Sie hielt eine Lampe hoch, als könnte sie damit das Gesicht Boris' bescheinen und darin lesen, was geschehen war.

»Nun?« fragte sie, noch ehe er absprang. »Was ist?«

»Es ist alles gut, Natascha Trimofa.«

Boris ging an ihr vorbei in das Haus. Natascha folgte ihm, sie klebte fast an ihm.

»Was heißt gut, Boris?«

»Wo ist Svetla?«

»Sie wartet nebenan auf dich. Es ist alles gepackt. Wir können sofort weg! Der Wagen wartet.« Sie packte Boris am Ärmel der schweißdurchtränkten Jacke. Als sie die Hände zurückzog, weil er weiterging, sah sie im Schein der Lampe, daß ihre Finger rot waren.

Blut! Natascha Trimofas Augen leuchteten auf. Sie wurden groß, weit, unendlich wie die Steppe am Tschu.

»Du hast es getan?«

»Laß uns sofort fahren!«

»Du Held! O du Held!« Natascha Trimofa stellte sich Boris in den Weg. »Du weißt nicht, was du heute nacht getan hast! Ich werde dir ergeben sein wie eine Sklavin. Du Held!«

»Ich bin ein Mörder. Ein billiger, einfacher, feiger, erbärmlicher Mörder – weiter nichts.«

»Tut es dir leid?«

»Nein! Aber es bleibt ein Mord!«

Die Augen Nataschas zogen sich wieder zusammen. Ihre Stimme sank zusammen wie ein erfrorenes Vögelchen.

»Wie starb er?«

»Laß mich in Ruhe! Hole Svetla und laß uns fahren.«

»Hat er geschrien? Hat er um sein Leben gewinselt? War er ein Feigling? Sag es, sag es ... wie starb er?« Ihre Lippen waren naß ... es war, als tropfe Speichel über sie. Ihre Stimme zerbrach.

»Er starb unter der Nagaika. Er war tapfer! Ich habe mich geschämt vor ihm, so tapfer war er.«

»Unter der Nagaika ...« Natascha Trimofa schloß die Augen

und warf den Kopf weit in den Nacken. »Das war gut, Boris, mein Held. Das war gut. Unter der Nagaika ... Wie liebte er seine Nagaika! Wie liebte er sie. Hahaha!« Sie lachte plötzlich grell, aufreizend, irrsinnig.

Dann wandte sie sich schroff ab und ging nebenan in die Schlafkammer. Boris setzte sich an den Tisch und stützte den Kopf in die Hände.

Sie lacht, dachte er schaudernd. Würde sie auch lachen, wenn sie seinen letzten Blick gesehen hätte, ehe er sich ausstreckte und klaglos unter der Peitsche starb?

Svetlana betrat das Zimmer. Sie war angekleidet mit Kleidern Natascha Trimofas. Ein dicker Schal aus schwarz eingefärbter Schafwolle umhüllte den Kopf und die Schultern.

»Wo warst du, Boris?« fragte sie.

»Ich habe noch ein paar Sachen geholt. Ich bin in meine Unterkunft geschlichen und habe sie herausgeholt.«

»Du warst nicht bei Borkin?«

»Nein!« log er. Er sagte es so fest und unwiderruflich, daß Erna-Svetlana nicht weiter fragte.

In der Tür erschien Natascha Trimofa. Sie trug eine große, aus Wachstuch gefertigte Reisetasche. Speck und Fleisch waren darin, Eier, Hirse und getrockneter Tee, hartes Brot und Graupen und einige Medikamente gegen Typhus und Ruhr, Verbandpäckchen und ein blutstillendes Mittel. Und Salbe gegen die Mücken und Schnaken des Balchasch-Sees.

»Seid ihr fertig?« fragte sie. Sie war wieder die umsichtige, organisierende Ärztin. Das Fanatische war abgefallen wie eine alte Haut.

»Ja«, sagte Boris.

Sie gingen aus dem Haus. Natascha Trimofa schloß die Tür mit einem dicken Vorhängeschloß ab. In der völligen Dunkelheit tappten sie hinter das Haus, wo der Stall lag. Dort stand unbeweglich das kleine Panjepferd vor dem Wägelchen. Boris' goldenes Pferd trottete ihnen nach, ohne daß es gerufen worden war. Natascha Trimofa sah sich nach ihm um.

»Das mußt du hier lassen!«

»Warum?«

»Es fällt zu sehr auf. Es verrät eure Spuren mit seiner goldenen Farbe. Ihr dürft nichts haben, was aufmerksam macht. Ihr müßt grau sein wie die Nachtmäuse.«

»Ich gebe das Pferd nicht her«, sagte Boris hart.

»Ich werde es mit einer starken Spritze töten und vergraben.«

Boris' Gesicht wurde zu Stein. »Es bleibt, wo ich bleibe! Ich gebe es nicht her!«

»Narr!« Natascha Trimofa kletterte auf den Kutschersitz.

Der Panjewagen ruckte an und fuhr in die Nacht hinaus. Boris schwang sich auf sein Pferd. Als er im Sattel saß, beugte er sich vor zum Kopf und streichelte mit beiden Händen über die Stirn und die Nüstern.

»Bin ich ein Narr?« fragte er leise.

Das Pferd blähte die Nüstern und schnaubte.

»Bor! Wo bleibst du?« hörte er die Stimme Svetlanas durch die Dunkelheit geistern.

»Komm schon endlich, du Held!« rief Natascha Trimofa.

Es war Boris, als klänge das ›Held‹ ein wenig spöttisch. Er gab seinem Pferd einen leichten Hackentritt in die Weichen und trabte durch die Nacht davon.

Der erste, der den toten Iwan Kasiewitsch Borkin entdeckte, war Fedja.

Er wunderte sich, daß Borkin um 9 Uhr morgens noch nicht am Hundezwinger stand und mit den Bestien spielte, wie er es jeden Morgen vor dem Frühstück tat.

»Es muß eine tolle Nacht gewesen sein«, sagte Fedja sinnend, als er vor der Terrasse der Datscha stand. »Immerhin ist Iwan Kasiewitsch nicht mehr der jüngste. Sogar die Läden sind noch geschlossen.«

Er ging zur Tür, fand sie nur angelehnt, was bei dem nächtlichen Hinausschlüpfen von Sussja für ihn selbstverständlich war, und betrat das stille Haus.

Im Arbeitszimmer, das Fedja nach einem kurzen Anklopfen betrat, war alles so, wie es Borkin am Abend verlassen hatte. Die Jacke Borkins hing noch über der Lehne des Korbsessels. Daneben lag das Kopftuch Sussjas, das sie vergessen hatte mitzunehmen.

»Er schläft noch. Tatsächlich.« Fedja blieb vor der Schlafzimmertür stehen und überlegte.

Es gab zweierlei: Entweder brüllte Borkin und warf ihn hinaus, wenn er ihn jetzt weckte, oder er sagte nichts, stand auf und spendierte einen Wodka für den pflichttreuen Fedja. Das war alles ganz ungewiß bei Iwan Kasiewitsch ... seine Launen kamen und gingen und wechselten wie die Winde im Ala-tau-Gebirge.

Fedja entschloß sich, Borkin doch zu wecken. Svetlana war nicht nach Hause gekommen. Sie wollte zwar draußen bleiben auf der Steppe, aber nach dem, was nach Fedjas Wissen vorgefallen war, hätte Svetlana zur Datscha kommen müssen. Es stimmte heute einfach alles nicht. Kopfschüttelnd klopfte er an die Schlafzimmertür.

So fand er Iwan Kasiewitsch Borkin.

Zuerst blieb Fedja verblüfft stehen, als er die Tür aufdrückte und Borkin vor dem Bett liegen sah, umschwemmt von getrocknetem Blut, ein Kissen auf dem Gesicht, die blutige Nagaika neben sich, als habe er sich in einem Anfall von Flagellantismus selbst zu Tode gezüchtigt.

Dann, nach der ersten Verblüffung, zog Fedja schnell die Tür hinter sich zu und setzte sich auf einen Stuhl neben der Leiche. Mit der Stiefelspitze schob er das Kissen vom Gesicht weg und betrachtete ohne ein Gefühl des Entsetzens oder der Trauer den unförmigen Fleischklumpen.

Gut, gut, dachte Fedja. Da liegt er, der große Borkin! Der Stalindichter! Der Mann, der zu Josef Wissarionowitsch Dschugaschwili, der sich Stalin nennt, ›du‹ sagte und im Kreml sibirischen Kaviar aß und Krimsekt trank. Sieh an, da liegt er nun! Sein Gesicht, das die Weiber verrückt machte, ist zerschlagen, und seine Hände, die streicheln und geißeln konnten, sind verkrampft. Und er lebt nicht mehr. Er kann keine Bluthunde mehr auf Fedja hetzen, und Sussja wird allein in ihr Bett kriechen müssen.

Verdammt! Verdammt!

Fedja wollte aufstehen und weggehen, als die Tür aufgerissen wurde. Sussja kam herein, sah die Gestalt am Boden und schrie unmenschlich auf.

»Halt's Maul«, schrie Fedja. Er wollte nach Sussja greifen, aber sie riß sich los und stürzte zu Borkin auf den Boden. Sie warf sich auf ihn, umfaßte seinen lang ausgestreckten Körper, drückte den Kopf an seine blutbesudelte Brust und kreischte.

»Mörder! Mörder! Mörder! Oh! Oh! Mein Iwanja! Mein Iwanischka! Oh!«

Fedja setzte sich wieder auf den Stuhl und rieb sich die grauen Haare und den struppigen Bart.

»Nun ist er dahin, Täubchen.«

Sussjas Kopf zuckte hoch. »Ich habe den Mörder gesehen! Ich habe ihn gesehen. Aber du warst zu faul, aufzustehen. Du hast mich weggeschickt! Du bist mit schuld! Du räudiger Hund! Du Mistklumpen! Du —«

Sie suchte nach Worten. Fedja winkte ab.

»Da war er schon tot.«

»Wir hätten den Mörder gefangen!«

»Als wenn die Mörder herumlaufen, um sich fangen zu lassen. Er hätte dich und mich auch totgeschlagen. Es ist schon besser so, daß ich lebe und er ist weg!«

»Du hast ihn immer gehaßt!« schrie Sussja wild. Sie streichelte den Hals Borkins, seine Brust und die schlaffen, geöffneten Hände. »Wir müssen Konjew holen, Fedja.«

»Einen Dreck müssen wir.«

Sussja schnellte vom Boden auf. Wie eine Raubkatze stand sie vor Fedja. Ihre Augen waren riesengroß.

»Du gehst zu Konjew! Der Mörder muß hängen!«

»Es gibt in der Sowjetunion keine Todesstrafe mehr, mein Täubchen!«

»Dann soll er in einem Straflager am Eismeer verfaulen!« schrie Sussja. »Geh jetzt!«

Fedja wiegte den Kopf hin und her und blieb sitzen.

»Es wäre besser, wir heben ihn auf, waschen ihn schön, ziehen ihm seine Sonntagskleider an, legen ihm den Stalinorden um und begraben ihn hinten im Kiefernwald«, sagte er. »Und zu den Leuten sagen wir: Genosse Iwan Kasiewitsch! Nitschewo! Ging in den Wald, um Bären zu jagen oder Enten oder ... was weiß ich? Und ist noch nicht zurückgekommen. – Man wird ihn dann suchen ... aber wer findet ihn? Und die Datscha übernehmen wir.«

»Schuft! Lump!«

»Warum so böse Worte, Sussjanka? Es wird Schwierigkeiten geben, wenn Konjew oder gar Genosse Tschetwergow kommen. Man wird entdecken, daß die liebe Sussja eine Hure war und mehr bekam, als ihr an Deputat zusteht! Das sind bestimmt drei Jahre Karaganda, mein Süßes.«

»Geh zu Konjew!« schrie Sussja. »Und wenn ich Sümpfe trocken legen müßte ... ich will den Mörder sehen und ihm die Augen aus dem Gesicht kratzen!«

Fedja schüttelte den Kopf. »Ich geh nicht«, sagte er laut. »Ich werde dem Unbekannten ein Denkmal bauen – das ist alles, was ich tue!«

Sussjas Augen wurden wieder klein. Sie verschwanden fast in den Hautfalten, so preßte sie die Augen zusammen. Sie bückte sich, nahm die blutbeschmierte Nagaika vom Boden und drehte sich zu Fedja um.

»Geh! Oder ich erschlage dich, wie man Iwanja erschlug!«

Fedja erhob sich von seinem Stuhl und wich zur Tür zurück. Sussja folgte ihm, die erhobene Nagaika schlagbereit in der Faust.

»Es wird Schwierigkeiten geben –«

Da schlug sie zu, aber sie traf nur die Schulter Fedjas, da dieser schnell zur Seite sprang und hinaus in den langen Gang flüchtete.

Sie folgte ihm, aber sie schlug nicht mehr, sondern rannte an ihm vorbei, hinaus auf den Hof ... sie rannte schreiend und mit den Armen um sich fuchtelnd aus der Datscha hinaus auf die Straße nach Judomskoje.

Fedja sah ihr von der überdeckten Terrasse aus nach, wie sie im Staub weiterlief und die Morgensonne, die sich über die Steppe mit einem orangeroten Mantel erhob, sie umgab wie mit einem blutigen Nebel.

Aus dem Pferdestall kam Kerek, der Hirte. Er rieb sich Häcksel aus dem Haar und klopfte Heu von seiner Hose. Er hatte bei den

Pferden geschlafen, weil er sich betrunken hatte und das Heu zum Schlafen am nächsten lag.

»Was hat Sussja?« rief er zu Fedja hinüber. »Was schreit und rennt sie so?!«

»Man hat ihren Lieblingshahn geköpft, Brüderchen.«

Meckernd lachte Kerek. Er ging zum Brunnen, zog einen Eimer Wasser am Seil empor und steckte den Kopf hinein.

Die Hütte lag völlig im Schilf versteckt am Ufer des Balchasch-Sees. Es führte kein Weg zu ihr ... dort, wo der dichte Wald aufhörte, begann plötzlich der Sumpf. Ein schmaler Steg, nicht breiter als drei normale Männerschuhe, zog sich unter dem Sumpfboden in Windungen zu der Hütte. Man watete bis zu den Knöcheln in quietschendem, braungelbem Wasser und verfaultem Gras und Schilfstengeln. Nur wer den unter der Oberfläche liegenden Steg genau kannte, kam zu der kleinen Hütte. Jeder andere versank im Sumpf ... sein Schreien hörte niemand.

Vor allem hörte es Andreij Boborykin nicht, weil er es nicht hören wollte.

Er wollte seine Ruhe haben — weiter nichts.

Wie man einen solchen Steg durch den Sumpf baut, hatte er als Partisan in den Pripjetsümpfen gelernt. Während die dämlichen germanskij um den Sumpf zogen und schwindelig wurden vor lauter Kreismarschieren, sickerten auf solchen Stegen ganze Bataillone in den Rücken der deutschen Armeen.

Andreij Boborykin schlief noch und träumte von vergangenen Zeiten, als Natascha Trimofa sich vorsichtig durch den Sumpf tastete. Sie hatte Boris und Svetlana am Waldrand zurückgelassen, denn so sicher war sie nicht auf dem schwankenden Steg, um sie mitzunehmen. Außerdem wußte niemand, ob Boborykin nicht ab und zu die Stege umlegte. Selbst Konjew wußte es nicht, und er bekam Boborykin nur zu Gesicht und zu fassen, wenn dieser nach Judomskoje kam, um seinen Vorrat an Gewürzen und Getränken aufzufüllen.

Nur im Winter und zum Frühlingsanfang verließ Boborykin für längere Zeit seine Hütte am Balchasch-See. Er reiste dann mit drei Pferdelasten voll selbst geschossener und gegerbter Felle in die Städte und verkaufte sie ... Sogar in Taschkent war er schon aufgetaucht und in Asku, im chinesischen Sinkiang. Damals wollte Genosse Tschetwergow ihn bestrafen, wegen Sabotage und Verschiebung von volkseigenen Tierfellen ins Ausland ... aber auch der gute Tschetwergow machte am Waldrand kehrt und verbrannte in Alma-Ata die neuangelegte Akte Boborykin.

Es ist besser, einen einzelnen leben zu lassen, als sich selbst vor aller Welt zu blamieren.

Andreij Boborykin staunte nicht schlecht, als es an sein Fenster klopfte. Er jagte aus dem Bett, griff zu seiner Repetierbüchse und überlegte ebenso schnell, ob er öffnen, oder einfach durchs Fenster schießen sollte.

»Mach auf, Andreijewitsch!« rief eine Frauenstimme. »Und leg dein Gewehr weg! Du willst doch nicht mich erschießen?«

»Genossin Trimofa ...«, sagte Boborykin verwundert. Er ging zur Tür, spähte durch einen Spalt hinaus in das nebelige Morgendämmern und sah Natascha Trimofa frierend und naß von Tau und Nebel vor dem kleinen, trockenen Platz der Hütte stehen.

»Nanu?« sagte Boborykin, als er die Tür öffnete. »Ich bin weder krank, noch bekommt man hier draußen die Syphilis!«

Er lachte laut und derb über seinen Witz, aber Natascha winkte ab.

»Ich will dir zwei Menschen bringen, Andreij.«

»Zwei Zobel wären mir lieber«, brummte er. »Ihnen kann man das Fell über die Ohren ziehen, und man bekommt noch 'was dafür. Menschen machen nur Ärger und Kummer.«

»Du mußt sie bei dir verstecken, Andreij.«

»Kommen Sie erst 'rein, Genossin Trimofa«, sagte Boborykin. Er stieß die Tür auf und trat zur Seite. Er sah wie ein Urwelttier aus. Groß, breit, massig, mit einem langen, struppigen schwarzen Bart, der das ganze breite Gesicht überwucherte und kaum Platz für Mund, Nase und Augen ließ, die wie Findlinge in einem Dorngestrüpp anmuteten. Er trug hohe Bärenlederstiefel, mit gebleichten Sehnen umwickelt, die er allen anderen Stricken vorzog.

»Was soll ich mit Menschen?« fragte er, als Natascha Trimofa in der Hütte stand. »Warum müssen Sie sie verstecken? Sind es Konterrevolutionäre? Fahnenflüchtige? Ausgebrochene Sträflinge? Es ist alles nur ein Lumpenpack, Genossin. Es lohnt sich nicht, sie zu beschützen. Werfen wir sie in den Sumpf, dann hat die Welt Ruhe.«

Natascha schüttelte den Kopf. »Es sind Boris und Svetlana. Zwei Deutsche.«

»Das ist noch schlimmer. Ich werde sie erwürgen.« Er reckte die mächtigen Hände aus. Seine Finger wirkten wie die Pranken eines Bären. »Es gibt noch zuviel Deutsche, Genossin. Ich kenne sie. Sie haben Axinja, meine Frau, so geschlagen in Dobroslawka, daß sie wahnsinnig wurde. Aber sie hat ihren Andreij nicht verraten, die gute Axinjaschka.«

»Damals war Krieg, Andreij.«

»Es ist immer Krieg in Rußland.«

»Ich muß sie bei dir verstecken, weil sie Borkin erschlagen haben.«

Die Augen Boborykins starrten ungläubig auf die Ärztin. »Iwan Kasiewitsch?«

»Ja. Boris erschlug ihn mit Borkins eigener Nagaika.«

»Den Stalinanbeter?«

»Ja doch. Er ist ein Held, dieser Boris. Er hat mich gerächt, Svetlana – und dich, Andreij. Hast du Vera Nikolajewna ganz vergessen?«

Über Boborykins Urweltgesicht zuckte es kurz. Er nahm sein Gewehr vom Tisch, hängte es über die Schulter und stampfte in seinen dicken Bärenlederstiefeln mit den gebleichten Sehnen zur Tür und hinaus auf den Vorplatz der Hütte.

»Komm, Genossin Trimofa«, rief er über die Schulter zurück. »Gehen wir sie holen –«

Es war für Iljitsch Sergejewitsch Konjew ein Schlag in den Magen, als ihn Sussja laut schreiend aus dem Bett warf.

»Mörder!« brüllte sie. »Mörder!«

Marussja, die aus der Küche ins Zimmer gerannt kam und glaubte, Sussja betitelte ihren Iljitsch mit diesem unschönen Namen, wollte zurücklaufen und einen eisernen Kochlöffel holen.

»Du Hure!« brüllte sie Sussja an. »Laß Iljitsch in Frieden! Kommt dieses Mensch daher und sagt Mörder zu meinem Iljitschi!«

Konjew erschien, da er so schnell nicht in seine Hosen fahren konnte, in einem langen Lammfellmantel in der Tür und verzog schmerzlich sein Gesicht, als er Sussja vor sich stehen sah. Er warf einen Schuh nach Marussja, die mit dem eisernen Löffel aus der Küche zurückkam, und brüllte Sussja an, um ihr Gekreische zu übertönen.

»Was ist los?« fragte er.

»Man hat meinen Iwanja erschlagen!« heulte Sussja auf.

»Was hat man?« Konjew wischte sich über die Augen. Das ist doch unmöglich, dachte er entsetzt. In Judomskoje wird der Freund Stalins ermordet? In meinem Dorf wird ... unter meinen Augen wird ... Er fühlte einen plötzlichen, spontanen kalten Schweißausbruch am ganzen Körper und setzte sich schwer auf den nächststehenden Stuhl.

»Wer?« fragte er dumm.

»Darum bin ich hier! Sie müssen den Mörder finden, Genosse Dorfsowjet!« schrie Sussja.

»Ich? Natürlich! Ich!« Konjew sprang auf. »Marussja! Weck den Genossen Tschetwergow! Es ist ein Fall für ihn. Er steht über mir ... es wird mir eine Ehre sein, ihm diesen Fall anzubieten.«

Auch Stephan Tschetwergow war sehr bestürzt und riß an seinem Tatarenbärtchen, als Konjew ihm mitteilte, was Sussja in der Küche der erstaunt zuhörenden Marussja dramatisch darstellte.

»Iwan Kasiewitsch Borkin?« sagte Tschetwergow nachdenklich. »Das ist eine Sauerei, Genosse Konjew.«

»Ich weiß es, Genosse Tschetwergow.«

»Man wird in Moskau sehr erstaunt sein, daß so etwas in Kasakstan passiert. Wir gelten als die ruhigste Provinz.«

»Ich weiß es, Genosse.«

»Es wird eine Untersuchung geben. Eine verteufelte Sache. Meist bleibt es nicht bei dieser einen Untersuchung, man prüft die Konten, man kontrolliert die Parteiarbeit . . .«

»Teufel, Teufel, Genosse . . .« Konjew verzog das Gesicht. »Das ist ein saurer Wein für uns.«

»Haben Sie einen Verdacht?«

»Nein.«

»Hatte Iwan Kasiewitsch Feinde?«

»Wenn es danach ginge, wären wir alle es gewesen, Genosse«, sagte Konjew anzüglich. Tschetwergow seufzte laut.

»Gehen wir, und sehen wir uns den Genossen Borkin an. Sussja meint, sie habe den Mörder gesehen.«

»Dann haben wir ihn ja!« rief Tschetwergow.

»Sie sah nur einen Schatten.«

»Mist!«

»Mehr als das, Genosse. Fedja, so sagte Sussja, habe sie daran gehindert, den Mörder zu fangen. Er habe gesagt, es sei nichts.«

»Dann werden wir Fedja in das Straflager schicken. Nach vierzehn Tagen wird er aussagen, er sei es gewesen.« Tschetwergow lächelte breit. »Es gibt da so Methödchen, Genosse . . .«

»Ich weiß. Man kann singen ohne Noten.«

Sie lachten und rieben sich die Hände. Erst, als sie Sussja weinend und etwas ruhiger im Zimmer antrafen, wurden sie wieder ernst und dienstlich.

»Was sagt Svetlana dazu?« fragte Tschetwergow in einem Anflug von Intelligenz. Sussjas Kopf flog empor.

»Sie ist gar nicht auf der Datscha! Gestern abend ritt Iwan zu ihr hinaus in die Steppe, um . . . Na ja.« Sie hob die fleischigen Schultern. »Sie ist eben jünger als ich. Aber nicht hübscher!«

»Halts Maul!« brummte Konjew. Stephan Tschetwergow wiegte den Kopf.

»Noch nicht zurück. Ei, ei! Sollte da etwas zusammenhängen?«

»Svetlana kann nicht die Kraft haben, einen Mann wie Borkin niederzuschlagen. Er war wie ein Baum.«

»Wem sagen Sie das, Genosse?« Tschetwergows Tatarenbart zitterte. »Schicken Sie einen 'raus in die Steppe. Svetlana soll sofort zur Datscha kommen! Aber er soll nicht sagen, was dort geschehen ist. Und wir fahren jetzt dorthin!«

»Und Moskau?«

Tschetwergow winkte ab. »Das hat Zeit. Erst sehen wir zu, daß wir möglichst viel zusammentragen, um Moskau telefonisch zufriedenzustellen. Vielleicht gesteht Fedja, wenn wir ihn kitzeln. Was meinen Sie, Genosse Konjew?«

»Das ist ein guter Gedanke, Genosse Distriktkommissar. Bestimmt gesteht er.«

»Fedja?« sagte Sussja. Sie riß den Mund weit auf. Unglauben und Nichtverstehen zogen ihr Gesicht in die Länge. »Aber Fedja lag ja im Bett, als ich den Schatten sah —«

»Wir brauchen keine Schatten, du Mistdirne, sondern einen Lebenden!« Tschetwergow stieß sie in den Rücken und trieb sie vor sich her auf die Straße. »Und wenn du noch ein Wort sagst, ohne gefragt zu sein, jage ich dich in die Wüste.«

»Aber Fedja —«

»Ruhe!« brüllte Iljitsch Sergejewitsch Konjew. »Wenn er seine Unschuld beweist, wird ihm nichts geschehen.«

»Wenn —«, lächelte Tschetwergow und ging zu seinem Pferdewagen. »Wenn —«

In der Hütte Andreij Boborykins mitten im Sumpf am Balchasch-See aßen Boris und Svetlana ihre erste Mahlzeit an diesem Tag. Boborykin hatte ihnen kalten Braten einer Ente vorgesetzt und war dann mit Natascha Trimofa wieder vor das Haus gegangen.

»Was soll ich mit ihnen tun, Genossin Ärztin?« fragte er. »Sie fressen mir das Essen weg und nützen nichts. Sie können doch nicht bei mir leben, bis sie an Altersschwäche sterben.«

»Ich komme sie in einer Woche oder in zwei Wochen holen, wenn sich der Sturm in Judomskoje gelegt hat. Genau kann man das nie wissen. Und dann sollen sie hinüber in die Dsungarei und nach Persien.«

Sie gab Boborykin eine Handvoll Rubelscheine. Verwundert schaute sie Andreij an. »Warum?«

»Ich habe mir sagen lassen, du machst nichts umsonst.«

»Geld ist Dreck, Genossin. Was soll ich im Sumpf mit dem Geld? Ich brauche Munition für meine Gewehre. Ich schieße mehr, als ich dem staatlichen Fellkombinat angebe. Und mehr als 10 Prozent Fehlschüsse darf ich nicht tun. Es ist ja alles ausgerechnet in unserem Mütterchen Rußland. Wenn es nicht zu schwierig wäre, würden die Normkommissare auch das Scheißen regulieren.«

Natascha Trimofa lachte nicht. Sie dachte an Konjew und den zu Besuch weilenden Tschetwergow und stellte sich vor, wie die jetzt an der Leiche Borkins standen, sein zerschlagenes Gesicht betrachteten und Angst hatten vor einer Untersuchung durch Moskau. Sussja würde weinen, Fedja gleichgültig sein und Kerek vor Freude saufen. Oh, sie kannte sie alle auf der Datscha. Sie wußte um ihre Seelen und Regungen.

»Es kann sein, daß ich gar nicht komme, Andreij«, sagte sie sinnend. Boborykin sah sie verblüfft an.

»Warum, Genossin Trimofa?«

»Es kann sein, daß uns jemand gesehen hat. Kurz vor dem Wald begegneten wir einem Hirten. Ich weiß nicht, ob er uns erkannt hat.«

Boborykin wischte sich über den struppigen Bart. Seine Augen waren ausdruckslos wie immer.

»Wenn Sie in drei Wochen nicht gekommen sind, werde ich Boris und Svetlana bis zur Dsungarei bringen. Aber nur, weil er Borkin getötet hat. Man sollte ein Fest darum feiern.«

Natascha Trimofa wandte sich ab und ging in die Hütte hinein. Svetlana hatte das Geschirr zusammengestellt und blies in das Feuer, das verlöschen wollte. Boris starrte auf den Boden.

»Ich komme in einer Woche wieder«, sagte Natascha Trimofa. »In den drei Säcken und der Tasche findet ihr alles, was ihr braucht.«

Svetlana drehte sich herum. »Wie kann ich Ihnen danken?« fragte sie. Natascha winkte ab. »Werden Sie Borkin sehen?«

»Ja«, sagte Natascha Trimofa leise.

»Sagen Sie ihm, daß ich ihn nicht hasse. Das Leben zu behalten ist mehr, als das, was ich hatte, zu verlieren. Aber zurückkommen kann ich nicht mehr. Sagen Sie ihm das?«

»Ich werde es ihm sagen.«

Boborykin stand in der Tür und glotzte. Er verstand nicht, was er hörte. »So was, so was«, murmelte er nur.

Langsam ging Natascha Trimofa über den unterirdischen Steg durch den Sumpf zurück zum Wald. Ihre Gestalt verschwand bald in dem mannshohen Schilf ... es schlug hinter und über ihr zusammen wie eine kurze geteilte Woge. Nur ihre Schritte hörte man noch eine Weile in der unendlichen Stille des Sumpfes ... ein leises Planschen, ein Plätschern, ein Gluckern, als wäre ein Frosch in den Moder gesprungen.

Vor der Tür ihres Hauses sah Natascha Trimofa einen Wagen stehen, als sie mit ihrem Panjegefährt in schneller Fahrt um die Biegung des Weges bog. Sie erkannte Tschetwergow, der auf dem Kutschbock saß, und Konjew, der an der Haustür stand und dabei war, das dicke Vorhängeschloß mit einer Eisenstange aufzubiegen.

»Hej! Was soll das?« schrie Natascha Trimofa. »Am hellichten Tage brecht ihr ein?!«

»Die Genossin Ärztin!« rief Tschetwergow und sprang auf die Erde. »Die ganze Nacht war sie weg. War's ein schwerer Fall?«

Konjew kicherte. Er ließ von dem Schloß ab und rieb sich die Hände. Natascha Trimofa stieg vom Wagen und kam auf Tschetwergow zu. Sie war ganz ruhig, zu ruhig fast, dachte Tschetwergow, für eine Frau, die zu einer Staatsfeindin geworden ist.

»Es war ein sehr schwerer Fall«, sagte Natascha. Sie schloß das Haus auf und stieß mit dem Fuß die Tür gegen die Holzwand. »Wenn Sie eintreten wollen, Genossen.«

»Danke, Genossin.«

Natascha hörte die Ironie heraus, die Tschetwergow in das letzte Wort legte. Jemand muß uns gesehen haben, dachte sie schnell. War es der Nomade, dem wir am Waldrand begegneten? War es ein Bauer? Es ist ja gleich, wer es war ... sie wissen es. Sie dachte an Karaganda und das Straflager. Und sie spürte, wie es kalt in ihr wurde.

»Es ist heute nacht etwas passiert, Genossin Ärztin«, sagte Tschetwergow, als er an dem Tisch Platz genommen hatte, auf dem vor wenigen Stunden Erna-Svetlana gelegen hatte. »Eine dumme Sache –«

»So ...?«

»Sie haben es noch nicht gehört, Genossin?«

»Nein.«

»Iwan Kasiewitsch Borkin –«

»Ach!« Natascha Trimofa lehnte sich gegen die Wand und starrte in das Licht der Petroleumlampe. Die Läden des Hauses hatte sie noch geschlossen ... wozu sie öffnen, dachte sie. Sie werden für immer geschlossen bleiben. »Hat er wieder ein uneheliches Kind bekommen?«

»Genossin! Borkin, der große Stalinfreund, ist ermordet worden!«

Tschetwergow sah die Ärztin mit einem breiten Grinsen an. »Man hat ihn totgepeitscht.«

»Ach.« Natascha Trimofa musterte die beiden Sowjets. »Es scheint Ihnen Vergnügen zu machen, Genossen.«

»Sehr! Borkin war ein Lumpenhund. Man durfte es bloß nicht sagen. Jetzt, wo er wie ein Klümpchen Fleisch auf seinem Bett liegt, ist es erlaubt. Sie müssen mitkommen, Genossin Ärztin.«

»Was soll ich dabei?«

»Wir müssen den Tod amtlich feststellen. Wir brauchen ein ärztliches Zeugnis. Er sieht nicht schön aus.«

»Und um das zu bekommen, bemüht sich der Genosse Konjew, mein Schloß aufzubrechen?« Die Stimme Nataschas wurde hart. »Warum spielen Sie Theater, Tschetwergow?«

»Wo waren Sie die ganze Nacht?«

»Bei Patienten.«

»Im Wald?«

»Im Sumpf. Andreij Boborykin hat eine Blutvergiftung. Ich mußte ihm den Finger aufschneiden. Sie können ja zu ihm gehen, Iljitsch Sergejewitsch.«

»Wir werden uns überzeugen. Sicherlich.« Tschetwergow erhob sich. »Fahren wir zu Borkin. Dann reden wir weiter.« –

Auf der Datscha hatte man Iwan Kasiewitsch Borkin in seinem Arbeitszimmer aufgebahrt. Sussja hatte ihn gewaschen. So sah er nicht mehr so grauenhaft entstellt aus wie beim ersten Anblick, als man ihn fand. Fedja war nicht zu sehen ... Tschetwergow hatte ihn ohne viel Worte in den kleinen Keller gesperrt, in dem Borkin seine Wintervorräte lagerte.

»Denk darüber nach, wie du ihn umgebracht hast, du Wanze!« hatte Tschetwergow den verblüfften Fedja angebrüllt. »Wenn wir wiederkommen, zwicken wir dich so lange in den Hintern, bis du alles gestehst!«

Die Hunde sprangen wieder gegen die Gitter und heulten und geiferten, als Konjew, Tschetwergow und Natascha Trimofa an ihrem Zwinger vorbeigingen.

»Teufelsbrut«, sagte Konjew und schielte zur Seite. »Borkin hat sie mir einmal nachgehetzt, Genosse.«

»Gut, daß man ihn erschlagen hat.«

»Gut für uns. Aber was wird Moskau sagen ...?«

Moskau, das große Gespenst. Tschetwergow strich über seinen Tatarenbart. Man muß Beweise haben und einen Täter, dachte er. Man muß ihnen etwas vorzeigen können ... Schuldige, auch wenn sie unschuldig sind. Hauptsache, man weist etwas vor.

Im Zimmer Borkins empfing sie Sussja. Sie weinte noch immer. Ihr verquollenes Gesicht war rot und schweißig. Sie saß neben dem Bett und hielt Totenwache. Konjew drückte sie weg und trat sie auf den Fuß.

»Laß das Flennen, Hurenbalg!« sagte er grob. »Vielleicht warst du es selbst! Wer kennt die Weiber!«

»Bitte«, sagte Tschetwergow höflich. Er wies auf den Toten, als überreiche er Natascha Trimofa einen Blumenstrauß oder ein wertvolles Geschenk. »Stellen Sie den Tod fest.«

»Das ist hiermit geschehen.« Nataschas Stimme war ruhig und geschäftsmäßig. Sie sah in das zerschlagene Gesicht Borkins, auf die zerrissenen Lippen, die aufgedunsenen Augen und die blaugestriemten Ohren. Sie empfand bei diesem Anblick weder Freude noch Triumph, weder Genugtuung noch Befriedigung. Sie empfand gar nichts. Hier lag ein toter Leib, der einmal Borkin war. Er hatte wenig Ähnlichkeit mehr mit dem Borkin, den sie haßte. Es war fast enttäuschend, die Erfüllung eines Wunsches zu sehen und sich nicht darüber freuen zu können.

»Sie untersuchen ihn nicht?«

»Warum, Genosse Tschetwergow? Er ist erschlagen – das sieht man. Der Tod ist eingetreten durch Gehirnbluten. Das nehme ich an. Aber darüber kann nur eine Obduktion Auskunft geben. Das wiederum ist Sache des Distriktarztes in Alma-Ata.«

»Sie glauben doch nicht, daß wir den Kerl mit nach Alma-Ata nehmen?!«

»Sie werden es müssen.«

»Hämmern Sie ihm das Gehirn frei!«

»Das darf ich nicht.«

Tschetwergow winkte ab. »Sie nehmen es doch sonst nicht so genau, Genossin Trimofa.« Er wandte sich um zu Sussja und zeigte zur Tür. »Raus, du Aas!«

Weinend verließ Sussja das Zimmer. Konjew setzte sich ans Fenster, wo er Borkin nicht ins Gesicht sehen konnte.

»Sie kennen Erna-Svetlana Bergner, Genossin Ärztin?« fragte Tschetwergow.

»Nein.«

»Man hat Sie gesehen, wie Sie ungefähr eine Stunde nach dem Mord an Borkin mit einer Frau und einem Mann durch den Wald ritten.«

»Das kommt öfter vor, wenn mich Genossen zu den Kranken holen.«

»Wir haben diese Antwort erwartet. Genosse Konjew hat in Judomskoje nachgefragt, und auch von dem Genossen Sirkow aus Undutowa liegt die Meldung vor, daß Sie in dieser Nacht in keinem der Dörfer waren! Erna-Svetlana aber ist verschwunden. Und mit ihr fehlt auch ein Boris Horn. Beide sind Deutsche! Wir wissen auch, daß Borkin vor seinem Tod einen Besuch bei Svetlana machte. Er kam zu ihr hinaus in die Steppe!« Tschetwergow grinste breit. »Ich weiß noch mehr, Genossin! Sie ist eine kleine, blonde Hexe, diese Svetlana. Hübsch wie die Sünde. Und jetzt ist sie weg! Was halten Sie davon?«

»Vielleicht schicken Sie mal einen Brief an die Frage-und-Antwort-Redaktion der *Prawda*?«

Iljitsch Sergejewitsch Konjew lachte meckernd. Aber er verstummte sofort, als er sah, daß Tschetwergow keinen Spaß verstand, vor allem dann nicht, wenn er auf Kosten seiner eigenen Person ging.

»Sie verschweigen uns etwas!« sagte er laut.

»Das mag sein. Ich bin an meine ärztliche Schweigepflicht gebunden.«

»Das sind doch westlich-kapitalistische Manieren, Genossin!

Schweigepflicht! Wo gibt es so etwas in unserem fortschrittlichen Staat?! Wer waren die beiden?«

»Patienten.«

»Es waren Boris und Svetlana!«

»Wenn Sie einmal als Distriktsowjet entlassen werden, könnten Sie in Alma-Ata eine Wahrsagerbude aufmachen, Genosse.«

»Boris hat Borkin also erschlagen?«

»Das müssen Sie ihn selbst fragen. Ich bin nur hier, amtlich den Tod festzustellen.«

»Sie haben den Mörder und das Mädchen in Sicherheit gebracht, Natascha Trimofa! Sie haben gelogen. Sie waren nicht bei Andreij Boborykin. Er hat keinen vergifteten Finger.«

»Nein? — Warum nicht?«

»Sie geben also zu —«

»Ich gebe zu, weggewesen zu sein. Warum haben Sie Fedja als Mörder verhaftet, wenn es Boris gewesen sein soll?«

»Genossin Trimofa.« Stephan Tschetwergow setzte sich auf die Bettkante. Die Hand Borkins, die herunterhing, wollte er wegschieben, aber sie war steif wie ein Brett und kalt, als habe sie auf Eis gelegen. Tschetwergow rückte ein wenig zur Seite. »Uns nützt kein Mörder, der flüchtig ist. Wenn Moskau erfährt, daß Boris Horn entwischen konnte, wird es Unannehmlichkeiten geben. Ich bitte Sie deshalb, Genossin Trimofa ... sagen Sie, wo Sie die beiden hingeführt haben.«

»Sie haben Angst, Tschetwergow?« Natascha lachte. »Welch ein Anblick! Ich lobe mir das Land, wo die Gewaltigen vor den noch Gewaltigeren zittern können! Manchmal trifft so die Gerechtigkeit wirklich den Richtigen.«

»Sie sind grausam.« Tschetwergow sprang vom Bett hoch. Auch Konjew löste sich von dem Fenster, an dem er gesessen hatte. »Was haben Sie mit Borkin zu tun, Natascha?!«

»Vor fünf Jahren kam ich nach Undutowa. Ich war vier Tage in meinem Haus, als Borkin erschien. Groß, stolz, lachend, auf seinem Lieblingspferd, kraftstrotzend, welterfahren ... ein Mann wie aus einem Bilderbuch der Anatomie: Der ideale Körper! Er kam in mein Haus, setzte sich an den Tisch, zeigte mir seinen Arm und sagte: ›Genossin Trimofa — dort juckt es mich. Sehen Sie einmal nach!‹ — Er hatte nichts am Arm, ich sah es sofort. Ich wollte ihn hinauswerfen, aber ich kannte ja Borkin noch nicht. Als er über mich herfiel, schrie ich. Aber wer hört schon das Schreien in der Einsamkeit des Waldes? Er behandelte mich wie ein Stück Vieh und ließ mich zurück wie ein durchgebrochenes Stück Holz. In dieser Stunde habe ich alles verloren, was man Seele nennt.«

Tschetwergow sah kurz auf das bleiche, zerschlagene Gesicht des Toten. »Und warum haben Sie ihn nicht angezeigt?«

»Ich habe es dem Provinzarzt in Alma-Ata gemeldet. Ich habe an die Sanitätsbrigaden geschrieben. Ich habe es nach Moskau geschickt. Nach Wochen erhielt ich Antwort. Ich solle ruhig sein, wenn ich in Undutowa bleiben und nicht in den Norden kommen wolle. So etwas vergesse man ... es sei menschlich!« Natascha lächelte schwach. Ihr schmales, bleiches Gesicht mit den eng an den Kopf gedrückten Haaren war wie aus einer Ikone geschnitten. »Er war ein mächtiger Mann, der Genosse Borkin. Er aß im Kreml am Tische Stalins. Er erzählte es allen. Ein solcher Mann wird nicht angezeigt von einer kleinen Ärztin.«

Tschetwergow nickte mehrmals. »Das ist ein Grund, seinen Mörder zu verbergen.«

»Ich habe Boris angefleht, es zu tun.« Ihre Augen glühten wieder. »Ich hätte mich für diese Tat jedem, der es wagte, hingegeben! Ich lebte nur für diesen einen Tag ... hier zu stehen, ihm in das bleiche Gesicht zu sehen und sagen zu können: Ja! Er ist tot!«

Sie drehte sich zu Borkin um, sah ihn lange an und warf dann den Kopf in den Nacken.

»Ja – er ist tot!« sagte sie fast feierlich.

»Wir werden Boris fangen«, sagte Tschetwergow nachdenklich.

»Nie!«

»Dann werden wir den armen Idioten Fedja zum Mörder machen. Und auch Sie haben wir. Wir werden Sie zwingen, auszusagen, daß Fedja der Täter ist.«

»Macht, was ihr wollt«, sagte Natascha Trimofa. »Mir ist jetzt alles gleichgültig.«

Boris und Erna-Svetlana wurden nicht gefunden.

Tschetwergow ließ die Wälder absuchen. Es war die größte Suche, die Judomskoje je erlebt hatte. Selbst zu den Zeiten Wrangels, als sich weißrussische Kosaken in den dichten Wäldern verborgen und die Roten nachts überfallen hatten, hatte man nicht so systematisch die Gegend durchgekämmt.

Auch Andreij Boborykin beteiligte sich an der Suche. Als ihm Konjew erzählte, was Natascha Trimofa gelogen hatte, lachte er dröhnend und hielt seine zehn riesigen Finger Iljitsch Sergejewitsch vor die Nase.

»Alles gesund, Brüderchen!« schrie er vergnügt. »Kein Rißchen im Finger! Wie sie geschwindelt hat, die kleine Kröte.«

»Ich dachte es mir.« Konjew klopfte Boborykin auf die Schulter. »Du hättest die beiden sofort zu uns gebracht ... schon weil es Deutsche sind.«

»Nawoß!« (Mist!) sagte Boborykin und schloß sich der Suchkolonne wieder an.

Borkin wurde im Garten seiner Datscha begraben. Nur ein einziger Mensch neben Kerek, der das Grab geschaufelt hatte, stand an der Grube, als der Sarg polternd hineingelassen wurde. Es war Sussja, die mit starrem Gesicht die ersten Schaufeln voll Erde auf den Sargdeckel warf.

Fedja war in Alma-Ata. Er saß in einer Zelle, bekam morgens um sieben Uhr eine Suppe und um acht Uhr eine gewaltige Portion Prügel, weil er immer noch behauptete, er habe nur einen Schatten gesehen und könne deshalb nicht der Mörder sein.

»Wir kriegen dich klein, du Hundebrut!« schrie Tschetwergow. »Es haben schon andere gestanden als du! Wir haben Mittel!«

»Die habt ihr, Genosse.« Der alte Fedja wiegte den Kopf. »Aber so lange ich reden kann, wird kein unwahres Wort aus mir herauskommen.«

Eine Woche später kamen die Kommissare aus Moskau. Sie konnten nur noch den lang hingestreckten Körper Fedjas besichtigen. Er lag in seiner Zelle, ein Handtuch um den Hals, und seine hervorquellenden Augen starrten an die Decke, als wollten sie sagen: Nanu, was machen sie denn mit mir?

»Er hat sich selbst gerichtet, Genossen«, sagte Tschetwergow salbungsvoll. »Als er gestanden hatte, erwürgte er sich mit dem Handtuch. Das Protokoll liegt in meinem Zimmer. Leider konnte es Fedja Petronowitsch nicht mehr unterschreiben ... er starb uns unter den Händen weg.«

Und es fiel auch nicht auf, daß der alte Fedja niemals von sich aus einen so festen Knoten um seinen Hals hätte binden können. Der Gefängnisarzt schwieg. Der Wärter schwieg.

Es war alles in bester Ordnung.

Auch Natascha Trimofa schwieg. Der Oberkommissar aus Moskau blätterte in den Akten, als man sie hereinführte. Er sah kurz auf, nickte und legte seine schwarzbehaarte Hand auf die Papiere.

»Fedja hat gestanden! Und Sie?«

»Was erwarten Sie von mir?«

»Nichts. Es genügt, was wir haben! Ab!«

Zwei Wochen später führte man Natascha Trimofa auf den Hof zum Abtransport in das Straflager Karaganda.

Sie war nicht allein. Zweihundert Männer und Frauen warteten bereits. Geduckte, ausgemergelte, ängstliche, zusammengeschlagene Gestalten. Ein Transport lebender Leichname.

Für Iljitsch Sergejewitsch Konjew kamen jetzt spannende Wochen.

Die Datscha wurde von Sussja und Kerek und zwei neuen, entlassenen Sträflingen bewirtschaftet, aber es ging die Rede, daß von Moskau ein neuer Pächter eingewiesen werden sollte.

»Sie werden uns wieder solch einen ›Helden des Volkes‹ oder wieder einen Dichter schicken«, sagte Konjew zu seiner Frau Marussja. »Einen Idioten, der nichts von der Landwirtschaft versteht, herumreitet, die Weiber belästigt, in den Wäldern jagt, große Bogen spuckt und uns das Leben sauer macht mit seiner Stalintreue. Du wirst sehen, wir werden kein Glück haben mit der Datscha!«

Über diesen Sorgen vergaß er Boris und Svetlana. Der einzige, der sich noch mit ihnen beschäftigte, war notgedrungen Andreij Boborykin. Er sorgte für sie wie eine Mutter, ging für sie auf die Jagd, kaufte Svetlana in Balchasch neue Kleider und Boris einen Jagdrock und fluchte über diese ›deutsche Invasion‹ nur des Nachts, wenn die beiden schliefen.

Sie lebten inmitten des Sumpfes wie die Biber und Ratten.

»Kann ich dir nicht helfen, Andreij Andreijewitsch?« fragte Boris nach vier Tagen des Nichtstuns, als sie vor der Schilfhütte in der Sonne saßen.

»Helfen? Nein!« Boborykin reinigte den Lauf seines Gewehres. Er ölte es, er putzte das Schloß; die Waffe blitzte, als sei sie neu. Sie war sein ganzer Stolz und die Grundlage, auf der er sein Leben aufbaute und fortführte. »Ich will sehen, wie ich euch wegbringe. Natascha Trimofa wird nicht kommen.«

»Aber sie hat es versprochen.«

»Sie ist bereits in Karaganda —«

»In —« Boris schwieg und senkte den Kopf. »Gott müßte dieses Land verfluchen.«

In der Tür der Hütte erschien Erna-Svetlana. Sie trug die goldgelben Haare aufgesteckt. Ein bunter Schal, den ihr Boborykin mit den Kleidern mitgebracht hatte, schlang sich um die Stirn.

»Das Mehl geht zu Ende, Andreij.«

Boborykin legte das geputzte Gewehr zur Seite auf einen Holzstapel. »Ich habe kein Geld, neues zu kaufen.«

»Wir haben dich arm gegessen ... ich sehe es.« Svetlana sah hinüber zu Boris, der in den Sumpf starrte. »Auch wenn wir nur einmal am Tag essen ... es reicht nicht für drei. Wir sind jetzt sieben Wochen bei dir, Andreij ... sollen wir nicht wieder zurückgehen?«

»Zurück? Wohin denn?«

»Zurück zur Datscha. Djadja wird uns wieder aufnehmen. Bestimmt wird er das! Er wird sich so geängstigt haben, daß er froh ist, wenn er mich wiedersieht. Bor kann bei ihm arbeiten, wir werden heiraten können, es wird wieder ein schönes Leben werden. Und djadja wird dir alles ersetzen, Andreij.«

»Wer ist djadja?«

»Borkin«, sagte Boris rauh. Er stand auf und ging an den Rand des festen Platzes. Im Schilf flüchtete eine große Eidechse. Dort, wo die Sonne prall auf das Land schien, dampfte der Sumpf und stiegen grüne Nebel in das Blau des Himmels.

Boborykin strich sich mit beiden Händen durch den struppigen Bart. Verdammt, dachte er. Verdammt ja, sie weiß es ja noch immer nicht. Warum sagt es ihr denn keiner? Warum spielen sie solch ein dummes Verstecken mit einem Mann, der zeit seines Lebens ein Schwein war und wie ein Vieh erschlagen wurde?

»Wir müssen noch hierbleiben«, sagte er langsam. »Ich will einige Felle verkaufen. Nur sind sie im Sommer billiger als im Winter. Ich verliere einige hundert Rubelchen.«

»Vielleicht kannst du das gebrauchen, Andreij?«

Svetlana hielt ihm die Hand hin. Zwischen ihren Fingern lag die silberne Kette, die ihr Borkin geschenkt hatte.

»Wo hast du das her?« Boborykin griff nach der Kette und drehte sie in seinen Tatzen. »Sie wird einige Rubel bringen. Auf solche Sachen sind die Dirnen in Alma-Ata wild.«

»Dann verkauf es. Djadja wird es ja nie erfahren.«

»Bestimmt nicht«, sagte Boborykin. Er steckte die Kette in die Tasche seines Jagdrockes. Dann schob er das geölte Schloß des Gewehres wieder ein und drückte einen Patronenrahmen in das Magazin. »Ihr werdet zwei Wochen allein bleiben müssen. So lange dauert es.«

»Läßt du uns ein Gewehr hier, Andreij?« Boris kam vom Rand des Sumpfes zurück.

»Nein. Ich brauche sie selbst.«

»Wovon sollen wir denn leben?«

»Stellt Fallen oder pflückt die Schilfsprößlinge. Sie geben einen guten Salat oder gehackt ein Gemüse ab. Außerdem habt ihr Trockenfisch. Er hängt unter dem Dach.«

»Und Trinkwasser?«

»Siebt das Flußwasser durch. Es geht mit einem Seidenschal. In zwei Wochen könnt ihr wieder essen wie die Fürsten.«

»Wenn wir sie überleben.« Svetlana sagte es ganz ruhig. Es durchrann Boris wie ein feuriger Strom. Er kam auf Boborykin zu, die Fäuste geballt.

»Laß von deinen drei Gewehren eines hier!« sagte er leise. Andreij Boborykin kniff die Augen zusammen. Es war, als wüchse sein Gesicht vollends mit Haaren zu; es glich einer großen, flachen, haarigen Masse.

»Werde nicht wild, Deutscher«, sagte er brummend. »Ich sage er dir . . . werde nicht wild! Ich kann mit wilden Tieren umgehen.«

»Du kannst uns hier nicht verhungern lassen!«

»Ich habe euch nicht zu mir gebeten.«

»Natascha Trimofa hat dir getraut —«

»Sie ist in Karaganda.«

»Das ist nicht wahr!« schrie Svetlana auf. Sie umklammerte den Arm Boris'. In ihren Augen stand helles Entsetzen. »Sie ist unseretwegen nach Karaganda gekommen?«

»Konjew erzählte es mir. Ihr Haus steht leer. Es soll jetzt ein Arzt nach Judomskoje kommen. Ein ehemaliger politischer Sträfling, der zehn Jahre Sibirien hinter sich hat.« Boborykin hob die breiten Schultern. »So ist das Leben, mein Täubchen. Karaganda ist schlimmer als zwei Wochen Hunger.«

Er nahm seine drei Gewehre über die Schulter und ging weg durch den Sumpf.

Der Zug, der von Alma-Ata mit den zweihundert neuen Sträflingen nach Karaganda abging, stand auf einem Nebengeleis des riesigen Güterbahnhofes und wartete auf die Nacht.

Major Waska Iwanowitsch Poltezky sah noch einmal die Transportlisten durch. Gewissenhaft war hinter jedem Namen der ehemalige Wohnort und der Beruf vermerkt. Bei dem Namen Natascha Trimofa stutzte er. Eine Ärztin? Was macht eine Ärztin bei den Sträflingen? Rußland ist stolz auf seine Ärzte und auf die Erfolge, über die die Welt staunt.

»Hol mir die Trimofa!« rief er einem Unteroffizier zu, der als Wache vor den geschlossenen Waggons hin und her ging.

Der Unteroffizier rannte fort. Nach fünf Minuten war er wieder zurück, ohne Natascha Trimofa. Major Waska Poltezky legte verblüfft die Papiere hin.

»Wo ist sie?« schrie er.

»Im Waggon 4, Genosse Major.«

»Und warum hast du sie nicht mitgebracht?«

»Sie will nicht.«

»Sie —« Major Poltezky legte seine Fäuste auf die Akten, als wäre ein starker Wind gekommen, der sie wegreißen könnte. Die Ungeheuerlichkeit, daß sich in Rußland jemand weigerte, einem Befehl nachzukommen, verschlug ihm die Sprache. Er starrte den Unteroffizier an und schüttelte den Kopf. »Und da bist du einfach weggelaufen, du Idiot? Wozu hast du dein Gewehr?« Er sprang auf und schüttelte die Fäuste. »Man sollte euch alle nach Sibirien schicken!« brüllte er. »Du bringst die Ratte sofort her! Sofort! Und wenn du sie an den Haaren herbeischleifst!«

»Sie ist im Waggon bei einer Kranken, Genosse Major. Sie sagt, die Kranke habe Typhus. Sie macht Wickel.«

»Wickel! Auf einem Transport nach Karaganda! Das muß ich sehen!«

Natascha Trimofa drehte den Kopf nur zur Seite und blickte

dann wieder auf die fiebernde Kranke, als Major Poltezky die Waggontür aufriß und in den Wagen sah.

»Trimofa!« brüllte er.

»Genossin Trimofa!« sagte Natascha gleichgültig.

»Ein Staatsfeind ist keine Genossin mehr!« schrie Poltezky.

»Und lautes Schreien ist noch keine Qualifikation für einen Offizier!«

Der Unteroffizier grinste. Poltezky kniff die Augen zusammen und schwieg. Er sah die Ärztin auf dem Waggonboden knien und einem phantasierenden, um sich schlagenden Mädchen Wadenwickel machen, um das hohe Fieber herunterzudrücken. Schweigend umstanden die anderen Waggoninsassen die beiden Frauen ... vierzig hohlwangige, hungernde, ausgelaugte Menschen, ohne Hoffnung und ohne Gefühle mehr.

»Typhus?« fragte Poltezky. Seine Stimme war beherrscht und ruhig.

»Wenn Sie es schon wissen, Major, dann würde ich nicht herumstehen und zusehen, sondern für Medikamente sorgen.«

»Wir haben keine!«

Natascha Trimofa wandte sich um. Sie sah in große schwarze Augen und ein gelbliches Gesicht mit einem schwarzen Schnurrbart. Ein schönes Gesicht, männlich, hart, kantig, vielleicht ein wenig brutal.

»Der ganze Waggon wird Typhus bekommen, wenn sie nicht helfen. Der ganze Zug! Und Sie auch, Major! Wollen Sie zweihundert Leichen in Karaganda abliefern?«

»Warum nicht? Wir nehmen den Genossen im Lager nur die Mühe ab«, sagte Poltezky ironisch.

»Und Ihr eigenes Leben ist Ihnen auch nichts wert? Ich habe noch nie einen Menschen gesehen, der offen sagt, daß er soviel wie eine Null wert ist.«

Poltezky rückte an seinem Koppel. »Ich werde Ihnen Chlorkalk anliefern. Jeder Waggon wird mit Chlor ausgewaschen und gekalkt.«

»Totengruben für die Lebenden.«

»Erwarten Sie mehr von mir?«

»Nein.« Natascha Trimofa erhob sich von der Fiebernden. Sie ging zum Eingang des Wagens vor und sah auf Poltezky herunter. »Die Zeit, in der Männer sich wie Männer benahmen, ist gestorben. Übriggeblieben ist eine Lebensmechanik, ferngesteuert von einem Mechanisten im Kreml.«

»Allein schon für diese Worte gehören Sie nach Karaganda.«

Natascha Trimofa hob die schmalen Schultern. »Ich habe mich auch nicht bei Ihnen darüber beschwert.«

Major Poltezky winkte. »Kommen Sie mit, Genossin Trimofa.«

Er merkte nicht, daß er sie Genossin nannte. Nur der Unteroffizier grinste wieder und stützte Natascha sogar, als sie vom Waggon herab auf die Erde sprang. Als sie neben Poltezky stand, war sie zwei Köpfe kleiner als er. Wie ein Schulmädchen wirkte sie.

»Wollen Sie eine Privatkonsultation, Major? Krank geworden bei einem nächtlichen Ausflug durch die Stadt?«

Poltezky ging neben ihr her. Er sah auf ihre schmalen Schultern herab, auf die kleine Brust, die sich durch die Bluse drückte, und auf die schlanken Beine, um die der weite Rock aus grünem Leinen wippte.

»Für eine Ärztin haben Sie eine schrecklich ordinäre Art, Natascha Trimofa«, sagte er.

»Man hat sie mir in 4 Jahren Partisanenkrieg und 6 Jahren Landarztpraxis beigebracht. Es gibt Menschen, die nur solche Sprache verstehen. Ich habe fast nur unter ihnen gelebt.«

Major Waska Poltezky schwieg. Stumm gingen sie zu dem Begleitwagen des Transportes und stiegen in das Abteil. Es war ausgeräumt und als Zimmer eingerichtet mit einem Bett, einem Spind, einer alten Porzellanschüssel und Waschkanne, zwei Stühlen und einem kleinen runden Tisch. An den Holzwänden hingen Fotos von Waska Poltezky . . . einmal als junger Leutnant, einmal bei Verleihung der Tapferkeitsmedaille in Gold, einmal zu Pferde auf einem Waldweg. Auch ein Familienfoto hing an der Wand . . . Major Poltezky neben einer blonden Frau und zwei blonden Kindern. Zwei Mädchen, lachend, gesund, schelmisch. Ein Tannenzweig war über dem Bild mit einer Heftzwecke an der Wand befestigt.

»Ihre Frau, die Poltezkaja? Und Ihre Kinder?« fragte Natascha Trimofa.

Poltezky winkte herrisch ab. »Lassen Sie das!« Er setzte sich auf das Bett und musterte die Ärztin, als wolle er sie kaufen. »Sie sind ein merkwürdiges Mädchen«, sagte er kopfschüttelnd.

»Weil ich einen Mörder verberge? Für mich ist er ein Held, der mir meine Seele wiedergab.«

»Was nennen Sie Seele, Natascha?«

»Vor allem das herrliche Gefühl, lieben zu können.«

»Haben Sie jemals geliebt?«

»Einmal. Aber das ist so weit fort wie ein verschwommener Traum. Ich war damals ein Mädchen von achtzehn Jahren. Als ich die Nachricht bekam, daß er bei Kiew gefallen sei, ging ich zu den Partisanen.«

»Und wurden das, was Sie jetzt sind.«

»Nein. Das machte Borkin aus mir.«

Poltezky griff in die Tasche seines Uniformrockes und holte

eine Schachtel Papyrossi hervor. Er bot Natascha eine an, reichte ihr Feuer und sah dem Rauch nach, den er mit zurückgelehntem Kopf gegen die hölzerne Decke des Wohnabteils blies.

»Ich habe Ihre Akten gelesen, Natascha Trimofa. Stephan Tschetwergow ließ mich hineinblicken. Er war stolz, solch einen Staatsfeind wie Sie – wie er es nannte – zur Strecke gebracht zu haben. Stalin wird ihn loben ... dafür gäbe er seine Mutter her und schickte sie nach Karaganda.«

»Ist das nicht der reformierte Charakter aller Russen, die nach oben schielen?«

»Sie sind bitter wie Tollkirsche, Natascha. Daß Sie dabei schön sind, ist besonders traurig.«

Natascha Trimofa schlug die Beine übereinander. Ihre Knie sahen weiß unter dem Rock hervor.

»Denken Sie an die Poltezkaja, Major.«

»Ich habe sie seit zwei Jahren nicht mehr gesehen. Es gibt keinen Urlaub für uns ... nur eine Ablösung.« Poltezky winkte wieder ab. »Doch das geht Sie nichts an, Genossin Trimofa. Trinken Sie einen Wodka mit mir?«

»Man wird Sie als Konterrevolutionär degradieren, Major.«

Poltezky erhob sich, ging zu seinem Spind, holte eine Flasche Wodka heraus und schenkte zwei Wassergläser voll.

»Es sind keine schönen Gläser«, sagte er, als er Natascha ein Glas hinreichte. »Aber betrachten wir sie als geschliffenes Kristall.«

»Wie romantisch.« Natascha Trimofa blickte durch das hochgehaltene Glas den Major an. »Ein Kriegsheld stößt mit einer Strafgefangenen an, auf einem Transport in die Hölle! Ein Stoff für einen grandiosen Film, finden Sie nicht auch?«

»Sie stecken voller Spott, Natascha.«

»Es ist für die Henker bitterer, die Sterbenden lächeln als schreien zu sehen.« Sie reckte ihre schmale Gestalt und hob das Glas Poltezky entgegen. »Wo bleibt Ihr Trinkspruch, Major? ›Auf Ihre Gesundheit‹ können Sie ja schlecht zu mir sagen. Soviel Sarkasmus traue ich Ihnen nicht zu.«

»Sie werden staunen: ›Auf Ihre Gesundheit, Natascha Trimofa‹.«

»Darauf stoße ich nicht an.« Ihre Stimme war bitter und rauh. »Sie sind ein Sadist, Major. Warum haben Sie mich holen lassen?«

»Ich wollte sehen, wie eine Ärztin aussieht, die man in das Vergessen schickt.«

»Sie haben sie gesehen. Nun lassen Sie mich gehen zu den anderen Toten.« Sie stellte das Glas mit einem harten Stoß auf den Tisch zurück. Major Waska Poltezky sprang von seinem Bett auf.

Er trat nahe an Natascha heran. Sie lehnte an der Wand und hatte keine Möglichkeit, ihm auszuweichen. Mit zitternden Augen sah sie ihn an. Poltezky hob die Hand und legte sie leicht auf ihr glattes schwarzes Haar. Sie spürte kaum den Druck, so zart strich er über das Haar hinweg.

»Sie sind zu schade für das Begrabenwerden«, sagte er leise.

Nataschas Kopf zuckte zur Seite. »Lassen Sie diese dummen Reden, Major. Ich bin kein unschuldiges Mädchen, das unter einer Männerhand wie schmelzendes Eis vergeht.«

»Ich wollte Sie auspeitschen lassen, weil Sie Piotr, den Idioten von einem Unteroffizier, einfach wegschickten, als er Sie holen sollte. Aber als ich Sie dann sah, im Waggon, vor der Kranken kniend, vergaß ich die Peitsche.«

»Und die Poltezkaja.«

»Auch sie, Natascha. Zwei Jahre sind eine lange Zeit. Sie erzieht uns Männer zu Tieren. Aber ich will kein Tier sein, Natascha ... ich will ein Mann bleiben. Sie sind schön genug, es mich bleiben zu lassen.«

»Welch ein Heuchler, welch ein Lump Sie doch sind, Major Poltezky.« Natascha Trimofa ließ die Arme sinken, die sie als unwillkürliche Abwehr vor ihre Brust gekreuzt hatte. Sie stand, an die Wand gedrückt, hoch aufgerichtet und mit zurückgeworfenem Kopf da. »Warum gebrauchen Sie Wodka, wenn Sie Gewalt meinen?« Sie hielt seine Hand fest, die nach ihr greifen wollte. »Sie wissen, daß Sie erschossen werden, wenn ich schreie.«

»Machen Sie einen Preis, Natascha.« Er legte seine Hände auf ihre Schultern und schloß die Augen. »Nennen Sie etwas, was ich erfüllen kann.«

»Wir wollen sehen.«

Sie wandte sich ab, verriegelte die Tür und zog die Vorhänge dichter vor die Scheiben.

»Du hast Borkin etwas voraus, Waska«, sagte sie, als sie sich umwandte. »Ich werde dich nicht töten lassen —«

In der Nacht verschwand Natascha Trimofa. Sie tauchte unter in dem Häusergewirr von Alma-Ata oder in der Weite, die um die Stadt herum lag.

Major Poltezky wartete mit dem Alarm so lange, bis sie weit genug gekommen war. Dann heulten die Sirenen.

Ein Gefangener geflüchtet!

Das Heulen der Sirene pflanzte sich fort, sprang über von Kontrolle zu Kontrolle und umkreiste die ganze Stadt.

Suchtrupps durchstreiften mit Hunden die Gegend; Stephan Tschetwergow tobte und schrie, als man ihn aus dem Bett holte und die Flucht der Trimofa meldete.

Der Zug nach Karaganda aber fuhr beim Morgengrauen ab.

Die beiden einsamen Wochen im Sumpf gingen zu Ende. Svetlana kochte Trockenfisch, und Boris versuchte, mit Schlingen Biber oder Wasserratten zu fangen. Es war eine mühselige Jagd, aber sie schützte vor dem Verhungern.

An einem frühen Morgen kam Boborykin zurück.

Er tauchte aus dem dichten Schilfdickicht auf, als Boris Horn gerade seine Angeln ausgelegt hatte, um in den Tümpeln, die zwischen dem Sumpf lagen, einen Fisch zu fangen.

»Laß die armen Fischlein leben, Bruderherz«, rief Boborykin und schwenkte beide Arme durch die heiße Luft. »Ich habe einen ganzen Schinken mitgebracht. Wenn euer Magen und die Gedärme noch nicht vertrocknet sind, wollen wir uns so lange den Wanst vollschlagen, bis wir von der Erde nicht mehr aufstehen können!«

Er kam näher, tastete sich über den unsichtbaren Laufsteg an die Wohninsel heran und warf neben Boris einen Sack auf den Grasboden.

»Ich habe ausgekundschaftet, wie es um euch steht. Konjew glaubt, daß ihr in der Wüste verhungert seid. Tschetwergow, dieser tatarische Hund, glaubt an gar nichts. Er hat Fedja als Mörder vorgeschoben und sich mit Moskau so ausgesöhnt. Und Fedja, dieser Halbaffe, hängt sich selbst auf! Was sagt man zu solcher Idiotie?«

»Es ist schrecklich.« Boris wandte sich ab. »Das habe ich nicht gewollt.«

»Nein, fängt er gleich zu heulen an wie ein altes Mütterchen, dem das Süppchen überkocht.« Boborykin schüttelte sich, als käme er aus dem Wasser. »In Rußland geschieht viel, was man nicht will. Wir haben das Wollen abgeschafft, Brüderchen ... das ist die größte Tat der roten Revolution.« Er lachte und wuchtete den Sack wieder auf seine Schulter.

»Wir wollen fressen, bis wir platzen!« schrie er fröhlich. »Svetlana! Svetlana! Komm her, mein Täubchen! Boborykin ist wieder da. Der gute Andreij. Ein halbes Schweinchen hat er auf dem Rücken! Komm heraus, mein Silberfüchschen!«

In der Tür erschien Erna-Svetlana. Sie war etwas größer geworden, aber noch dürrer, eingefallener und farbloser. Nur ihre Haare waren das einzige Glänzende an ihr. Als die Sonne darauf fiel, leuchteten sie auf wie poliertes Gold. Ein Schimmer Freude überzog ihr schmales Gesicht mit den großen blauen Augen, als sie Boborykin winken sah.

»Willkommen«, rief sie ihm entgegen. »Du hast ein Schwein mitgebracht?«

»Fast ein halbes, Schätzchen! Heiz den Ofen kräftig ein und stecke den Bratspieß in die Gabeln ... wir wollen uns satt essen.«

»Satt! Das Wort kennen wir nicht mehr.«

»Nichts lernt man schneller als das!« Boborykin warf den Sack auf den rohen Tisch, als er im Hause war, und löste die Kordel, mit der er zugebunden war. Er holte den Schinken hervor, drei Würste, ein großes Stück Salzfleisch vom Schweinenacken und drei Säckchen mit feinem Mehl und Hirse. Auch einige Dosen stellte er auf den Tisch. Sie waren flasch, olivgrün und hatten mit schwarzer Schrift eine Aufschrift in einer fremden Sprache.

»Das ist amerikanisch!« sagte Boborykin stolz. »Als mir der Natschalnik in Alma-Ata diese Dosen gab, sagte er: Das ist beste Ware aus Amerika. Ist gekommen mit Maschinengewehren und Munition. Das ist zwar schon ein paar Jährchen her, Genosse — aber die Büchsen schmecken frisch wie gerade eingemacht. Habe sie selbst gegessen. Ja — es ist eben Wertarbeit, Genosse.«

Boris kam in die Hütte. Er hatte die Angeln eingezogen. Staunend überblickte er den Tisch.

»Wo hast du das Geld her, Andreij?«

»Gestohlen, Brüderchen.«

»Gestohlen?« wiederholte Erna-Svetlana.

Boborykin lachte dumpf. »In Jemskowitschi hat ein Kaufmann seine Kasse fünf Minuten allein gelassen. Das darf man nicht, Brüderchen! Die Zeiten sind arg und schlecht, und die Menschen sind nicht besser. Das hat sich auch Andreij Boborykin gedacht. Es ist kein großer Verlust, Freunde. Der Kaufmann wird weiter seine Kunden betrügen und das Geld bald wieder hereinhaben. So bezahlen die anderen Genossen unser Fräßchen! Ist das nicht wahre Volksdemokratie?!«

Er lachte wieder dröhnend und hieb mit der Faust auf den Schinken. Svetlana ging zu dem offenen Feuer, legte getrocknetes Schilf auf die Flamme und hakte den Bratspieß in die handgeschmiedeten Eisengabeln.

Sie aßen bis zum späten Abend.

Boborykin stopfte das Fleisch und den Schinken in sich hinein, als sei er ein Silo und müsse die Speisen speichern. Boris und Svetlana aßen vorsichtiger, langsamer, jeden Bissen zerkauend und den ausgedörrten Magen wieder an Fleisch, Wurst und Mehlsuppe gewöhnend.

»Und zum Schluß einen Wutki!« rief Boborykin mit glänzenden Augen und fettverschmiertem Bart. »Es ist ein Wodka aus der Staatsbrennerei in Balchasch. Dreifach gebrannt für den Privatgebrauch des Genossen Aufseher. Ein Gauner, ein Strick ist dieser Serjosha! Brennt privat seine Püllchen ab! Für ein Iltisfell hat er mir drei Fläschchen abgegeben!«

Auch von diesem Wodka tranken Boris und Svetlana ein paar Schlückchen. Er brannte höllisch, als sei er achtzigprozentiger

Spiritus. Svetlana hustete zur Freude Boborykins, der Witze riß, rülpste, nach der ersten Flasche feurige Kosakenlieder sang und beim Abenddämmern über den Fußboden hüpfte und einen Krakowiak versuchte. Er fiel dabei um wie ein nasser Sack ... liegend, auf die Seite gerollt, sang er weiter, dröhnend, mit der Faust den Takt auf die Dielen hämmernd.

> Mein Bruder, heij, der war Kosak,
> mit krummem Säbel, schnellem Pferd ...

Dann schlief er ein, mitten im Gesang. Schnarchend, ein riesiger Bär, lag er auf dem Boden, und noch im trunkenen Schlaf zuckten seine Beine im Takt des Liedes.

»So kann es doch mit uns nicht weitergehen«, sagte Svetlana, nachdem sie den Tisch abgeräumt hatte und sich wieder zu Boris an das geöffnete Fenster setzte. Boris rauchte eine selbstgeschnitzte Pfeife und vertrieb damit die Mückenschwärme, die vom Sumpf und aus den Schilfwäldern in die Hütte dringen wollten.

»Wir müssen so lange warten, bis man alles vergessen hat.«

»Vergessen?« Svetlana strich leicht über die krausen schwarzen Haare Boris'. »Wenn djadja erlaubt, daß wir heiraten, will ich alles vergessen. Und du wirst es auch können, nicht wahr?«

»Djadja wird es nie erlauben können«, sagte Boris stockend. Einmal muß sie es erfahren, dachte er. Vielleicht ist es jetzt die richtige Stunde. Mit einem satten Magen ist auch die Seele satt, und die Trägheit des Leibes nimmt das Entsetzliche gelassener auf als ein hungriger Bauch. »Du hast mit Borkin nichts mehr zu tun, Svetla.«

»Hat er mich freigegeben? Was hat Boborykin dir erzählt?«

Sie rückte näher und legte ihren Arm um seine Schulter.

»Borkin hat dich nicht freigegeben. Ich habe uns frei gemacht.«

»Du, Bor?«

Boris schluckte. »Ja. Ich. Ich wollte es dir immer sagen, die ganzen Wochen über.«

»Du hast an Djadja geschrieben?«

»Nein! Ich habe ihn – ich habe ihn erschlagen.«

Svetlana starrte Boris Horn an, als habe sie ihn nicht verstanden oder als begriffe sie die Worte einfach nicht, die sie gehört hatte. Ihr Arm zuckte von seiner Schulter ... dann rückte sie ganz von ihm weg, als habe er Aussatz. Sie sprang fast in das Zimmer zurück und lehnte sich gegen den Tisch, als sie die volle Wahrheit dieser Worte begriff.

»Nein –«, sagte sie leise. Ganz leise war es, wie ein Hauch, verwehend, tonlos, kaum noch Stimme.

»Doch!« sagte Boris fest. »Ich habe ihn mit seiner eigenen Peitsche zu Tode geprügelt. Er hat deine Kindheit getötet ... das ist einen Mord wert!«

»Du hast djadja ...« Svetlana wich vom Tisch zurück in die Mitte des Zimmers. Ihre Augen waren groß und voller Elend. »Du hast meinen djadja, der mir das Leben rettete ...«

»Svetla! Er hat dich mißbraucht!« schrie Boris auf. Er sprang von der Fensterbank empor und trat auf sie zu. Svetlanas Arme schnellten vor.

»Komm mir nicht näher! Rühr mich nicht an! Du hast djadjas Blut an den Fingern!«

»Deinetwegen, Svetla!«

»Du Mörder«, schrie sie grell auf. »Du Mörder! Geh aus der Hütte! Geh! Oder ich bringe dich um, wenn du schläfst.«

Leichenblaß lehnte Boris an der Wand. Über sein Gesicht zuckte es, als wolle er weinen.

»*Ich* liebe dich doch, Svetla! Er hat mir das Höchste genommen! Ich mußte ihn töten!« Seine Stimme brach, sie zerflatterte in Schluchzen. »Du mußt es doch verstehen ... Svetla ... du weißt doch, was er dir angetan hat ...«

»Geh!«

»Wenn du mich wegschickst, werde ich mich in den Sumpf legen.«

»Geh.«

Zwischen ihnen lag Boborykin und röchelte trunken. Seine Fäuste hämmerten auf den Boden. Er sang noch immer im Traum sein Lied vom Kosakenbruder.

Boris wandte sich ab. Er ging zur Tür, zögerte, als erwarte er noch ein Wort Svetlanas ... dann stieß er die Tür auf und verließ die Hütte.

Svetlana blieb inmitten des Zimmers stehen. Ihr schmales Gesicht war ratlos, farblos, und völlig entseelt.

»Oh, djadja ... oh, Bor ...«, sagte sie leise. »Warum lebe ich noch? Warum?«

Sie wollte sich festhalten, sie griff um sich, aber sie stand mitten im Raum ... als sie ohnmächtig zusammenfiel, schlug sie mit dem Kopf gegen die Hinterwand. Die Stirnhaut platzte auf, Blut rann ihr über das Gesicht und verklebte die langen goldenen Haare.

Sie spürte es nicht mehr.

Der Transport nach Karaganda kam pünktlich und vor allem vollzählig an.

Stephan Tschetwergow rieb sich die Hände, als die Lagerleitung ihm dies mitteilte.

»Alles in Ordnung, Genosse«, sagte Oberst Sherdow am Telefon. »Grüßen Sie mir Ihre Gattin.«

»Schönen Dank, Genosse.« Tschetwergow hängte ein. Alles in Ordnung. Er winkte seiner mongolischen Sekretärin und rieb sich die Hände. »Schreiben Sie, Täubchen, an Moskau: Alarm wegen Flucht der Ärztin Natascha Trimofa war ein falscher Alarm. Der Transport kam heute vollzählig am Bestimmungsort an.«

Das Mädchen riß die geschlitzten Augen auf. »Aber —«, sagte es.

»Es gibt bei uns kein Aber!« schrie Tschetwergow. »Unsere Volksrepublik ist bekannt für Tatsachen!«

Das Kunststück, einen Transport ohne Ausfälle ankommen zu lassen, war Major Waska Iwanowitsch Poltezky zuzuschreiben. Es war ein alter Kniff, den er aus den Gefangenentransporten des Krieges und den Jahren nachher übernommen hatte, als man die Deutschen von Lager zu Lager brachte und darauf sah, daß die Abteilungen vollzählig ankamen.

Auch in dieser Nacht, als Natascha Trimofa aus dem Wagen des Majors Waska flüchtete, nahm sich Poltezky drei Rotarmisten mit und ging mit ihnen in den Randbezirk von Alma-Ata.

Hier wohnten die Bauern und die Kirgisen, die sich von ihrem Nomadenleben in ein Stadtleben umgewöhnen wollten. Sie hausten in Holz- und Wellblechhütten, gezimmert aus alten Benzinkanistern, mit Dächern, die aus Latten, gegerbten Fellen und zerschlissenen Zeltbahnen zurechtgezimmert waren.

»Durchsuchen und alle Weiber von zwanzig bis dreißig Jahren zu mir bringen!« befahl er seinen Soldaten.

Es gab einen großen Lärm und viel Geschrei, aber nach einer Stunde schon hatte Major Poltezky vier junge Frauen vor sich stehen, die nach eingehender Durchsiebung so aussahen und so alt waren wie die geflohene Natascha Trimofa.

»Wer hat Kinder?« fragte Waska Iwanowitsch.

Zwei der Frauen hoben zögernd die Hand.

»Ihr nicht?« fragte der Major die beiden anderen.

»Nein, Genosse Offizier.«

»Vater? Mutter?«

»Ja«, sagte die eine.

»Und du?«

»Ich bin allein, Genosse Offizier. Aber ich will heiraten. Nächsten Monat. Den Traktorenführer Fedor Alexan —«

Poltezky unterbrach sie mit einer herrischen Handbewegung.

»Heiraten kannst du immer noch. Du mußt dem Vaterland einen großen Dienst erweisen! Verstanden? Und wenn du heulst oder gar schreist, hänge ich dich auf!«

»Was haben Sie vor?« fragte das Mädchen ängstlich. »Warum holen Sie mich aus dem Bett ...«

»Das wirst du sehen! Mitkommen!«

Die drei Soldaten ergriffen das Mädchen. Es hieb um sich, es schrie auch, es jammerte, es spuckte und kratzte und rief nach Fedor, ihrem Verlobten.

Poltezky hieb ihr ins Gesicht. Da schwieg sie und ließ sich willenlos mitschleifen.

Im Zug wurde sie mit dem Namen Natascha Trimofa versehen.

»Du heißt jetzt so, verstanden?« brüllte sie Waska Iwanowitsch an. »Und du bist eine Ärztin!«

»Eine Ärztin? Was haben Sie mit mir vor, Genosse Major? Wo komme ich denn hin?«

»In die Hölle, mein Süßes! Wo wir alle hinkommen!«

So kam es, daß der Transport vollzählig in Karaganda ankam. Xenia Vereschka Njudanowa aber, wie das Mädchen hieß, starb einen Monat später in Einzelhaft an einer Lungenentzündung, weil sie immer wieder schrie und behauptete: Ich bin nicht Natascha Trimofa! Ich bin Xenia Njudanowa!

Aber die Akten und Papiere stimmten. Für die Lagerleitung war sie die Trimofa. Ihre ›Aufsässigkeit‹ wurde mit Einzel- und Dunkelhaft, mit Hunger und Wasserentzug bestraft.

Fedor Alexandrowitsch, der Traktorenführer, der bei der Parteileitung immer wieder vorfragte und bis zu Tschetwergow vordrang, machte sich mit seinem Satz: »Wo habt ihr meine Xenia gelassen?« denkbar unbeliebt. Eines Tages verschwand er auch.

Niemand fragte, wo er geblieben war.

Verdächtig ist in Rußland immer der, der viel fragt.

In einem geordneten Staatswesen gibt es keine Fragen . . .

Boborykin hatte in zweiwöchiger Arbeit zusammen mit Boris den unterirdischen Sumpfweg wieder verlegt. Er ging jetzt in einem Bogen um die Wohninsel herum und näherte sich von der Rückseite des Hauses. Dort war das Schilf weiter zurückgetreten und ein flaches Grasplateau endete im Sumpf.

»Das gibt ein besseres Schußfeld, Brüderchen«, sagte Boborykin. »Jetzt kann keiner mehr von vorn kommen, und wir brauchen nicht mehr so aufzupassen. Daß der Weg einen weiten Bogen macht, ahnt keiner. Jetzt sind wir sicher wie zehn Werst unter der Erde!«

Seit dem Abend, an dem Boris aus der Hütte gegangen war, hatte sich zwischen den drei Einsiedlern am Balchasch-See wenig ereignet. Boris schlief im Schilf und kam am Morgen zerstochen und fieberkrank in die Hütte zurück. Er traf Boborykin an, wie er Svetlanas Kopf verband.

»Was hat sie?« rief Boris erschrocken und stürzte zu ihr hin. »Ist sie schwer verletzt?«

»Blödsinn! Sie ist besoffen hingefallen!« Boborykin stank nach abgestandenem Schnaps und kaltem Machorka. Ein Bock hätte nicht ärger stinken können. »Was hat sie denn? Was ist denn, mein Täubchen!« sagte er ratlos, als er sah, wie Svetlana die Hand Boris' wegstieß und sich bemühte, sich von ihm wegzudrücken. »Hat's Krach gegeben, Leutchen?« Er schüttelte den Kopf. »Noch nicht verheiratet, und schon raucht es bei euch? Ihr seid mir Liebesleute!«

»Ich habe es ihr gesagt«, stammelte Boris.

»Was?«

»Borkin –«

»Ach! Und jetzt spielt sie das wilde Frauchen?« Boborykin hielt mit dem Verbinden inne. »Hör einmal, mein Täubchen«, sagte er zu Erna-Svetlana. »Was Boris getan hat, war eine Erlösung für die Welt! Borkin, diese Hundsbrut, hat nicht nur dich entehrt, sondern auch Natascha Trimofa ...«

»Nein!« wimmerte Svetlana. Sie hielt mit beiden Händen ihren Kopf umklammert und preßte die Finger dagegen. »Ich will nichts mehr davon hören!«

»Du mußt es hören, du blödes Frauenzimmer!« brüllte Boborykin sie an. »Und wenn ich es dir in die Ohren jaule, bis dein Kopf zerspringt. Natascha hat er auf dem Gewissen, Sussja, die Magd ...«

»Nein –«

»Shenja, die Frau des Schmiedes –«

»Hör auf, Andreij! Oder ich werfe mich mit dem Kopf an die Wand.«

»Du wirst es zu Ende hören! Du!« Boborykin umklammerte mit seinen Riesentatzen ihre Schultern. Svetlana stöhnte auf und lag dann wimmernd vor Schmerz in Boborykins Armen, unfähig, sich aus der Klammer dieser Hände zu befreien. »Wanda, die Frau des Tischlers, und Anna, die Tochter von Bulbekin, dem Bäcker! Sie alle hat er so behandelt wie dich! Er war ein Schwein, dieser Dichter Borkin. Er war wilder als ein Schwarzeber!«

»Es ist kein Grund, einen Menschen zu töten ...«

»Wir alle haben ihn gehaßt. Wir alle! Nur, weil er in Moskau alle Welt kannte, weil er der Freund Stalins war, haben wir das Maul gehalten und uns geduckt. Du solltest Boris dankbar sein!« Er ließ sie los und begann, sie weiter zu verbinden. Er nickte Boris zu und winkte mit dem Kopf zur Tür. »Geh und hol Wasser. Und wenn sie das Wasser aus deiner Hand nicht trinkt, ersäufen wir die Katze im Eimer!«

Sie taten es nicht. Svetlana trank den Tonbecher Wasser, den ihr Boris hinhielt. Aber sie sah ihn nicht dabei an. Sie blickte über ihn hinweg oder durch ihn hindurch ... Boris wußte es nicht. Er zitterte vor Erregung und verließ auch schnell wieder die Hütte, als Svetlana den Becher ausgetrunken hatte.

In den folgenden Tagen sprachen sie kaum miteinander. Boborykin zog seinen Steg meterweise ein ... rückwärts kriechend löste er die Verankerung des Knüppelweges, die sein Geheimnis war.

Von der Morgendämmerung bis zum letzten glutgoldenen Strahl der Sonne waren Boris und er draußen im Sumpf. Nur des Mittags rasteten sie im Schilfwald ... dann kam Svetlana mit einem Kessel voll Kasch oder Kapusta oder Hirsebrei und Brot und stand neben ihnen, bis sie gegessen hatten ... stumm, mit unbewegtem Gesicht, bleich.

Als der neue Knüppeldamm verlegt war, gingen ihn alle drei ab, um ihn genau kennenzulernen. Sie brachten für uneingeweihte Augen unmerkliche Markierungen an ... einen trockenen Zweig, Schilfinseln, Moosflechten, Punkte, an denen der unterirdische Weg einen Knick machte oder die Richtung wesentlich änderte.

Es war ein Labyrinth, das sie anlegten, jedem zum Verderben werdend, der die Schilfburg Boborykins ohne Kenntnis des Sumpfes angreifen wollte.

In diesen zwei Wochen sprach Erna-Svetlana wieder mit Boris. Doch es war ein anderes Sprechen als vorher ... ein Riß war zwischen ihnen. Es war, als sähen sie sich durch eine Glasscheibe, die zersprungen und blind war. Der Klang ihrer Stimmen traf sich, aber der Blick ihrer Augen verschwamm in der Trübnis, die zwischen ihnen lag.

»Es wird schon wieder«, sagte Andreij Boborykin und klopfte Boris auf die Schulter. »Eher wird ein Wolf ein Pflanzenfresser, als daß eine Frau so schnell nachgibt.«

»Vielleicht hat sie recht«, sagte Boris betrübt.

»Nie!« Boborykin schlug ihn auf den Rücken. »Was ein richtiger Kerl ist, gibt das nie zu!«

Boris schreckte in der Nacht hoch und setzte sich.

Es war ihm, als habe er einen Ruf gehört. Er warf die dünne Decke von sich, erhob sich von dem Graslager und ging zum Fenster. Leise öffnete er es und lauschte hinaus in die sternenklare Nacht.

Die Frösche quakten, im Schilf schrie grell und schrill ein Biber auf. Irgendwo klatschte es im Wasser. Boris wollte das Fenster schon wieder schließen, als es wieder zu ihm hinwehte. Weit fort, wie das Singen des Windes in den Birkenzweigen oder helles Schwirren der Grillen.

»Booooboooorykiiiin —«

Ein Ruf! Boris steckte den Kopf weit aus dem Fenster hinaus. Hinter sich hörte er das Rascheln von Andreijs Lager. Dann knurrte es wie ein verschlafener Bär.

»Was ist, Brüderchen?«

»Am Rande des Sumpfes ruft eine Frauenstimme.«

»Dummheit!« Boborykin klopfte sein Lager fester. »In der Nacht! Du hast geträumt, Freundchen.«

»Da ist es wieder! Hörst du es?! Dein Name!«

Boborykin saß auf seinem Gras und kratzte sich den Kopf.

»Es klang wirklich so«, sagte er hilflos. »Du steckst mich an mit deinen Weiberträumen.«

Boris wischte sich erregt über die Augen und rieb sich den letzten Schlaf von den Lidern.

»Wenn es Natascha Trimofa ist —«, meinte er stockend.

»Natascha! Du Idiot!« Boborykin lachte wieder. »Die liegt jetzt in Bett siebenundsiebzig in Baracke III, Block 4 von Karaganda! Es kann auch Baracke IV sein ... weiß ich es? Aus Karaganda ist noch nie eine Stimme weggeflogen ... erst recht kein Mensch!«

»Sie kann geflüchtet sein.«

»Aus Karaganda flüchtet man nicht ... man stirbt dort nur.«

Boborykin stand auf und begab sich zu Boris an das offene Fenster. Schulter an Schulter lauschten sie hinaus in die Nacht.

Sie warteten einige Minuten, fast hielten sie den Atem an.

»Nichts«, sagte Boborykin fast triumphierend. »Du hast den Koller, Brüderchen.«

Boris wollte das Fenster wieder schließen, als es wieder über den Sumpf wehte ... weit fort, aber langgezogen und nun nicht mehr überhörbar.

Andreij erbleichte.

»Das ist es! Es ist wahr!« Er stieß das Fenster zu, griff neben der Tür in den Gewehrständer und riß eine seiner Partisanenflinten heraus. Er lud sie durch und öffnete die Tür. »Komm, Bor!« sagte er heiser. »Heulende Wölfe vertreiben den Schlaf. Man rottet sie aus.«

Sie verschlossen die Hütte und ließen die schlafende Svetlana allein zurück. Es war gefahrlos, denn den neuen Weg kannte niemand außer ihnen.

»Es kommt vom Waldrand her, vom alten Weg«, flüsterte Boborykin, als sie durch den Sumpf vorwärtsschlichen. »Welch ein Glück, daß wir so gut gearbeitet haben.«

»Boborykin!« flog der Ruf wieder durch die Nacht und den Schilfwald. Jetzt klarer, näher, deutlich vernehmbar.

Boborykin stellte sich breitbeinig in das Schilf und brüllte durch die Nacht.

»Geht weg und laßt mich in Ruhe!«

»Du hast den Weg weggenommen!« rief die weibliche Stimme zurück. »Ich bin Natascha Trimofa.«

»Wer's glaubt, ist ein Idiot!« schrie Boborykin zurück.

»Sie ist es wirklich!« Boris griff Andreij am Arm, aber der Riese schüttelte ihn ab. »Sie ist geflüchtet.«

»So etwas gibt es in 100 Jahren zweimal!«

»Boborykin!« rief die Stimme. »Ich sitze im Sumpf fest. Ich bin den alten Weg gegangen. Ich versinke langsam! Komm! Boborykin! Hörst du mich?«

»Teufel! Teufel!« Andreij kratzte sich wieder den Kopf. »Es kann eine Falle sein! Bleib hier, Brüderchen. Ich gehe allein. Wenn du es schießen hörst, lauf zurück zur Hütte und weck Svetlanja. Ihr seid sicher auf der Insel. Ich werde den neuen Weg nie verraten.«

Boris hockte sich im Schilf nieder und wartete. Ab und zu hörte er die weibliche Stimme und die Rufe Boborykins, der sich durch den Sumpf vorwärtstastete. Dann war es still ... die Frösche quakten wieder, eine Eule, die ihr Nest in den alten Weiden haben mußte, strich flügelschnatternd über ihn hinweg.

»Genossin Ärztin!« hörte er plötzlich den lauten Ausruf Boborykins.

Da erhob er sich und ging zurück zur Hütte.

Er traf Svetlana wach an. Sie saß am Tisch hinter der blakenden Öllampe.

»Natascha ist zurückgekommen«, sagte er. »Jetzt werden wir mehr erfahren.«

»Was sollen wir erfahren?« antwortete sie langsam. »Wir werden nie mehr hier herauskommen. Wir sind für die anderen Menschen da draußen gestorben.«

Zwei Monate blieben sie noch in der Hütte mitten im Sumpf.

Dann sagte Boborykin zu Natascha Trimofa: »Es könnte jetzt gelingen, Genossin Ärztin. Konjew denkt nicht mehr daran, auf der Datscha ist ein neuer Pächter aus Gorkij, Tschetwergow hat einen Orden bekommen, weil er Fedja als Mörder Borkins überführte ... es ist alles in bester Ordnung.«

Natascha Trimofa saß über einer Karte, die Boborykin von Balchasch mitgebracht hatte, und fuhr mit ihrem dürren, langen Zeigefinger eine imaginäre Straße ab.

»Es bleibt uns nur der Weg zur Dsungarei«, sagte sie nachdenklich. »Von dort müssen wir durch Tibet zum Pamir und über das Gebirge hinweg nach Indien. Erst dort sind wir in der Freiheit!«

»Ein verrückter Plan!« Boborykin sah dem dürren Finger der Trimofa nach. »Es sind Tausende von Werst bis zur indischen Grenze. Ihr werdet nie durch Tibet kommen!«

»Weißt du einen anderen Weg?«

»Nein! Es sei denn, ihr bleibt hier.«

»Wir wollen unser Leben nicht als Sumpfratten beschließen.«

»Und wie sollen wir es schaffen?« fragte Boris.

»Wir haben unsere Pferde. Wenn Dschingis-Khan auf dem Rücken seines Pferdes die halbe Welt eroberte, wird es möglich sein, mit einem Pferd in die Freiheit zu reiten.«

»Die Pferde können kaum noch laufen!« Boris' Miene drückte Ratlosigkeit aus. »Seit drei Monaten sind sie wenig bewegt worden, nur immer rund um die Hütte herum. Sie halten einen solchen Ritt nicht durch. Sie haben das schlechteste Futter bekommen, das je ein Pferd auf der Welt zu fressen bekam. Seht euch nur das Fell meines ›Goldenen‹ an ... es ist stumpf und voller Flecken. Es wird zusammenbrechen nach 30 Werst!«

Natascha Trimofa faltete die Karte wieder zusammen und steckte sie in den Blusenausschnitt. »Ich habe auch gehungert. Ich bin zu Fuß von Alma-Ata bis Undutowa gelaufen, immer des Nachts, weil am Tage die Polizei, die Soldaten und die Spitzel jede Straße und jeden Weg kontrollieren. Als ich hier ankam, als ich den Waldrand erreichte und in den Sumpf ging, kroch ich fast auf allen vieren wie ein Lurch. Aber ich kroch ... ich kam weiter ... ich gab nicht auf!« Sie sah Boris hart an. »Wir werden die Pferde zwingen, nicht müder zu sein als der Mensch!«

Systematisch begannen sie mit den Vorbereitungen.

Boborykin besorgte Fleisch, das sie in Pökellake legten. Erna-Svetlana buk Brot und harte Zwiebäcke in dem steinernen Backofen, den Boris hinter der Hütte baute und für den Boborykin mit einem Pferd die Steine außerhalb des Sumpfes und am See aufsammelte.

Am schwierigsten war es, die Pferde zu bewegen und wieder an langes Laufen zu gewöhnen. Jede Nacht führten Boborykin und Boris zwei Pferde über den versteckten Knüppeldamm auf das feste Land und ritten die ganze Nacht hindurch durch die Steppe und die Wälder, jagten die Pferde, bis sie prustend und schweißnaß, erschöpft und zitternd an den Bäumen lehnten. Aber die Lungen wurden wieder kräftiger, die Muskeln strafften sich.

Drei Wochen lang arbeiteten sie Tag und Nacht. Die wenigen Stunden Schlaf, die sie sich gönnten, waren kaum eine Unterbrechung der schweren Arbeit. Die Körper standen genauso müde auf, wie sie sich hingelegt hatten. Aber es war kein sinnloses Schaffen, das sahen jetzt auch Boborykin und Boris ein.

»Übermorgen nacht ist es soweit«, sagte Natascha Trimofa an einem Abend, als sie um den Tisch saßen und aßen. »Morgen werden wir den ganzen Tag schlafen und an nichts denken. Das muß ausreichen bis zur indischen Grenze.«

»Es wird einsam sein bei mir.« Boborykin starrte auf sein Glas mit Wasser verdünntem Wodka. »Ich habe mich so an euch gewöhnt, Freunde.«

»Dann komm mit, Andreij.«

Boborykin schüttelte den Kopf. »Was soll ich ohne meinen Sumpf, Natascha Trimofa? Da draußen sind mir zuviel Menschen. Ich würde ersticken unter all den anderen Menschen. Aber ich begleite euch bis Ala-tau.«

In diesen Tagen kam auch Stephan Tschetwergow wieder einmal zu Besuch bei Iljitsch Sergejewitsch Konjew.

»Offiziell oder privat?« fragte Konjew, als Tschetwergow in das Haus trat.

»Gut. Seien wir privat.« Tschetwergow setzte sich und nahm dankend das Glas Wodka an, das Marussja aus der Küche hereinbrachte. »Was macht eigentlich unsere Natascha Trimofa, Iljitsch Sergejewitsch?«

»Die Trimofa? Die fault irgendwo zwischen Alma-Ata und Undutowa.«

»Ich glaube, wir irren uns da, Genosse.«

»Soso?«

»Ich habe mit Major Poltezky unter vier Augen gesprochen, als er von Karaganda zurückkam. Ein wüster Knabe, Iljitsch Sergejewitsch. Wenn alle Frauen, die er kennt, ihm ein Zeugnis ausstellen würden, könnte er mit ihnen eine ganze Datscha tapezieren!«

Konjew lachte laut. Er hieb sich auf den Oberschenkel und stürzte das Glas mit Wodka hinunter. »Das mit dem Zeugnis ist gut, Genosse Tschetwergow. Sehr gut! Da hätte für Borkin der Kreml nicht ausgereicht.«

Tschetwergow verzog die Miene. Es kam ihm sauer hoch, wenn er an Borkin dachte.

»Erwähne diesen Namen nicht. Er soll vergessen sein! Für immer! Wenn der Kreml unsere Schiebungen wüßte —«

»Wir könnten uns einen Strick suchen, Genosse.«

»Das könnten wir.« Tschetwergow erhob sich und ging unruhig im Zimmer hin und her. »Wo kann sie nur sein?« fragte er nachdenklich.

»Wer?«

»Erna-Svetlana.«

»Was kümmert uns das deutsche Luderchen?«

»Sie war hübsch, Iljitsch Sergejewitsch. Wenn ein Borkin sie anfaßt, ist dies ein Gütebeweis. Ich habe sie zwei Wochen lang gesucht. Wie ist es möglich, daß in Kasakstan drei Menschen einfach verschwinden?«

»Vielleicht fressen sie jetzt die Würmchen oder die Steppengeier.«

»Halt den Mund, Konjew!« Tschetwergow nahm seine Wanderung durch das Zimmer wieder auf. »Sie ist nicht tot! Wir hätten sie sonst gefunden! Alles haben wir abgesucht! Bis zum Balchasch-See hinunter.«

»Bis Andreij Boborykin?« sagte Konjew leichthin. Er dachte sich nichts dabei ... es war nur ein Name. Tschetwergow blieb ruckartig stehen.

»Wer ist Boborykin?«

»Sie kennen ihn doch. Der Jäger im Balchasch-Sumpf. Er haust dort wie ein Bär. Keiner kennt den Weg, der zu ihm führt.«

»Kannte ihn Natascha Trimofa?«

»Ich glaube –«, sagte Konjew zögernd. »Ja! Sie kannte ihn. Sie war ein paarmal bei ihm! Erinnern Sie sich, Genosse, sie sagte, Boborykin habe eine Blutvergiftung am Finger?« Konjew sprang auf. »Es war eine Lüge. Ich habe Andreijs Finger gesehen.«

»Aber seine Hütte habt ihr nicht gesehen?«

»Nein. Wir kommen nicht an ihn heran.«

»Ihr Idioten!« sagte Tschetwergow aus voller Brust. »O ihr Idioten! Wir suchen uns die Augen aus dem Kopf, und bei Boborykin können sie leben wie die Maden im Speck! Man sollte euch in Sibirien verfaulen lassen!« schrie er plötzlich. Er winkte und hob den rechten Arm, als führe er eine ganze Reiterschar an. »Wir fahren sofort zu Boborykin!«

»Am Wald ist Schluß! Weiter kommen wir nicht.«

»Ich werde ihn mit einem Artilleriegeschütz herausschießen«, sagte Tschetwergow laut. »Ich bombardiere ihn! Mit einem Hubschrauber lande ich auf seinem Drecksdach! Ich werde ganz Rußland aufbieten, um Svetlana zu bekommen! Räuchern wir Boborykin aus ... es ist die einzige Stelle, die wir nicht abgesucht haben.«

»Wie Sie wollen. Wann soll es losgehen?«

»Sofort! Sie haben Telefon?«

»Selbstverständlich.«

»Dann rufen Sie Alma-Ata an und verlangen Sie die Sektion III. Alles andere werden Sie dann hören.«

Und Iljitsch Sergejewitsch Konjew lief zum Telefon und wählte die Nummer des Parteihauses von Alma-Ata.

Gegen 2 Uhr morgens zog die kleine Kolonne los.

Vorweg Boborykin mit einem Packpferd. Er kannte die Wege am besten, er konnte durch die Wälder und Dickichte gehen wie ein Fuchs, der in ihnen aufgewachsen war.

Die Hufe der Pferde waren mit Säcken umwickelt, solange sie in der Nähe der Höfe und der Hörweite der Nomaden gehen mußten.

Hinter Boborykin ritt Natascha Trimofa. Sie hatte zwei große Säcke mit auf dem Pferd. Der eine lag vor ihr, der andere war hinter ihr festgeschnallt, so daß sie sich dagegen lehnen konnte wie gegen eine gutgepolsterte Lehne. Zuletzt ritten Boris und Svetlana, nebeneinander, fast Hand in Hand.

Sie ritten langsam, vorsichtig, lautlos. Wie Schatten glitten sie aus dem Sumpf hervor und wanden sich durch den Wald an Undutowa vorbei.

Vier Stunden später brachen Tschetwergow und Konjew auf.

Vierundzwanzig Rotarmisten begleiteten sie mit Granatwerfern und Gewehrgranaten.

Sie kamen bis zum Waldrand, aber dann versperrte der schwappende und glitschige Boden, der unter ihren Stiefeln nachgab wie Brei, das weitere Vordringen.

Iljitsch Sergejewitsch Konjew hob die Schultern. Die Rotarmisten, die zwei Meter weitergegangen waren, tappten zurück auf das letzte Stück harten Bodens.

»Ab hier beginnt das Gebiet von Boborykin«, sagte Konjew zu Tschetwergow. »Keiner weiß, wo er seinen Weg hat.«

Tschetwergow sah über den Sumpf hin. Das Schilf stand hoch und fett wie ein Wald aus wiegenden, dünnen, grünen Stämmen. Sumpfhühner glitten schreiend und aufgescheucht von den vielen Menschen über die Schilfspitzen ... Frösche quakten ... ein Biberpärchen flüchtete in seinen Bau. Über diesem wogenden, nie stillstehenden, von Leben wimmelnden Grün schwebte wie ein Schleier ein dünner Nebel. Die Morgensonne sog die Feuchtigkeit von den Halmen und aus dem unerschöpflichen Boden hinauf in das flimmernde Blau des Himmels.

»Ich werde Hunde kommen lassen!« Tschetwergow suchte das Schilf ab. Nirgends war die Andeutung eines Weges oder einer Schneise. »Sie werden die Spur finden.«

»Boborykin ist ein alter Partisan, Genosse. Er hat seinen Weg wie im Pripjet unter der Oberfläche angelegt. Da versagt jede Hundenase. Wasser hält keinen Spurgeruch.«

»Mist!« sagte Tschetwergow.

»Außerdem wird er auf jeden schießen, der sich seiner Hütte nähert. Und in Deckung gehen können wir nicht. Der Weg ist gerade zwei Fuß breit.«

»Woher wissen Sie das?«

»Er hat mich einmal darübergeführt. Aber jeden Monat ändert er ihn um.«

»Dann werde ich ihn ausräuchern wie eine Ratte. Ich werde sein Misthaus mit Hubschraubern aufstöbern und zusammenbomben!«

Vier Stunden später kreiste ein Hubschrauber über dem

Sumpfgebiet. Der Funktrupp der Rotarmisten am Waldrand stand in Sprechverbindung mit ihm. Ein junger Leutnant schrieb in einem Rapportbuch mit, was der Beobachter meldete.

»Sie haben die Hütte gefunden«, sagte er zu Tschetwergow, der ungeduldig neben ihm im Grase saß.

»Was sehen sie noch?« rief er aufgeregt.

»Nichts. Sie sind alle in der Hütte.«

»Wundervoll!« Tschetwergow rieb sich die Hände. »Befehlen Sie: Bomben abwerfen!«

Der junge Leutnant sah erschrocken zu Tschetwergow.

»Es geht doch nicht, daß —«

»Geben Sie her!« schrie Tschetwergow. Er riß dem Leutnant den Kopfhörer von den Ohren und preßte das Sprechgerät an den Mund. Seine geschlitzten Augen glühten. »Hier Tschetwergow«, rief er in das Mikrophon. »Hört, ihr Idioten da oben! Ihr habt die Hütte gesehen. Fliegt sie tief an und werft eure Bomben ab. Wenn eine einzige Bombe daneben in den Sumpf fällt, sorge ich dafür, daß ihr nach Sibirien kommt. Verstanden? Also — anfliegen und das Rattenloch vernichten! Ende!«

Iljitsch Sergejewitsch Konjew stand blaß an eine Birke gelehnt. Er rang die Hände und stotterte.

»In der Hütte ist auch Svetlana«, sagte er leise. Tschetwergow lächelte grausam.

»Sie soll mit hochgehen. Iljitsch Sergejewitsch. Ich werde sie nie haben können!« Er starrte hinaus in den Sumpf. »Und an einen Toten denke ich nicht mehr . . .«

Der Hubschrauber kreiste über dem Schilf. Dann ging er tief herunter, so daß seine Gleitkufen fast die Spitzen berührten . . . ungefähr 100 Meter weiter hob er sich wieder hoch . . . dort mußte die Hütte stehen. Tschetwergow und Konjew hielten den Atem an. Der Hubschrauber zog empor und drehte ab. Hinter ihm aber krachte es dumpf und bebte die Erde.

Über dem Sumpf stieg eine dunkle, feuchte, quirlende Wolke empor. Dann folgten wie ein Entenschwarm die Balken und Trümmer der Hütte, ein halbes Dach, Ziegel, Bruchsteine, eine zerfetzte Esse. Weit verstreut klatschte alles in den Sumpf . . . nur die Wolke zog träge weiter, über das Schilf hin und verging dann unter der brennenden Sonne.

»Leb wohl, Svetlanja«, sagte Konjew mit zitternder Stimme. Tschetwergow fuhr herum, er war grün im Gesicht.

»Halt die Schnauze!« schrie er grell. »Es geschieht zum Wohle von Mütterchen Rußland!«

Als die Sonne durch die Wolken brach und die Steppe zu dampfen begann, ritten Boborykin, Natascha Trimofa, Boris und Svetlana bereits außerhalb des Gebietes von Undutowa der Muju-kum-Wüste entgegen.

Sie waren keinem Menschen begegnet, solange sie die Zelte der Nomaden und verstreut liegende Kolchosenhütten umgingen oder sich am Rande der Steppe und in den Wäldern aufhielten. Nun aber, um den Weg nach Süden zu erreichen, mußten sie aus den schützenden Bäumen heraus und über das freie Land reiten.

»Es gibt zwei Möglichkeiten«, sagte Boborykin und hielt sein Pferd an. »Entweder wir bleiben hier im Wald den ganzen Tag über und reiten in der Nacht weiter, oder wir wagen es, gesehen zu werden und bekommen mehr Werst unter die Hufe. Was sollen wir?«

»Wir reiten weiter«, sagte Natascha Trimofa. »Je weiter wir von Judomskoje wegkommen, um so sicherer sind wir. Ausruhen können wir uns im Gebirge.«

Vor ihnen lag die Steppe, die langsam überging in die sandige und steinige Wüste. In der Ferne, am rotblau schimmernden Horizont, halb verhangen im Morgendunst, sahen sie die einsamen, vegetationslosen Hügel und Ebenen der Muju-kum. Der Wüstengürtel zwischen Steppe und Gebirge, eine der natürlichen, fast unüberwindlichen Grenzen zum riesigen asiatischen Raum.

Svetlana ritt an die Seite Natascha Trimofas. »Was ist dahinter?« fragte sie, als errate sie die Gedanken der Ärztin.

»Das Gebirge ... und dann wieder eine Wüste, größer als Kasakstan, das Tarim-Becken ... dann wieder ein Gebirge ... dann das geheimnisvollste Land der Welt, Tibet ... dann wieder ein Gebirge, höher als die Wolken ... und dann ein Tiefland. Indien.«

»Und dort?«

»Dort ist die Freiheit. Verborgen hinter zwei Wüsten und zwei zum Himmel führenden Gebirgen.«

»Und das sollen wir erreichen? Wir drei kleinen Menschen?« Erna-Svetlana sah hinaus auf die ersten Anzeichen der Wüste. Geier kreisten im Morgendunst; es war, als hätten sie die vier Menschen schon erspäht und warteten auf sie.

Natascha Trimofa schwieg. Boborykin legte sein Gewehr vor sich in den Sattel. Auch Boris tat es. Er blickte zu den Geiern hinüber.

»Warum zögern wir?« fragte Natascha. Sie warf den Kopf in den Nacken. Mut, sagte sie zu sich. Nur Mut, Natascha! Die Freiheit liegt am Ende der Welt. Vielleicht erreichen sie darum nur wenige ...

Sie ritten aus dem schützenden Walddunkel hinein in die grelle Morgensonne. Das goldene Pferd Boris' wieherte auf, als begrüße es die Sonne. Es hob den Kopf und trabte an den anderen vorbei an die Spitze. Langsam, mit weiten Flügelschlägen, kamen die Geier näher, strichen niedrig über die letzten Steppengräser und umschwirrten die kleine Kolonne. Ihre starren Augen sahen auf sie nieder, die spitzen, gebogenen Schnäbel blitzten in der Sonne.

Boborykin hob das Gewehr. »Aasgeburten!« schrie er. »Ich lösche euch aus!« Er wollte das Gewehr an die Wange reißen, aber Boris fiel ihm in den Arm.

»Schüsse hört man hundert Werst weit!«

Boborykin starrte auf die kreisenden Vögel. »Sieh dir ihre Augen an«, sagte er bebend vor Wut. »Sieh sie dir an! Sie fressen uns schon mit den Augen –«

Sie ritten sechs Stunden. Ohne Rast, ohne sich umzublicken. Sie wollten nicht sehen, wie das Leben hinter ihnen versank in der Rundung des Horizonts, wie sie hineinritten in das Leblose, in die Unendlichkeit, hinter der für sie wieder das Leben begann.

Gegen Mittag stiegen sie von den Pferden und setzten sich auf ein paar bleiche, ausgelaugte Steine. Sie aßen Trockenbrot und etwas Wurst und tranken kalten Tee, den Natascha in zwei großen Lederbeuteln an ihrem Pferd hängen hatte.

Nach einer Stunde ritten sie weiter. Sie blieben im Sattel bis zum Abend. Erst als die Abendkühle über das flache Land strich und die Geröllsteine die aufgespeicherte Hitze abgaben und in den erkaltenden Händen brannten, als seien sie rotglühend, hielt Boborykin seinen Gaul an.

»Schluß«, sagte er laut. »Mein Hintern ist wund. Wenn ich einen Eimer Wasser hätte, würde ich mich 'reinsetzen.«

Er kletterte breitbeinig vom Pferd und reckte die mächtigen Glieder.

»Es wäre schön, wenn wir einen Tee kochen könnten«, sagte Svetlana. »Aber hier gibt es kein Holz für ein Feuer.«

Boborykin grinste. Er griff in seine Satteltasche und holte ein Päckchen hervor. »Andreij ist doch kein Idiot«, sagte er breit. »Ich habe aus Alma-Ata Spiritustabletten mitgebracht. Koch uns ein Teechen, Svetlanja. Wir wollen auch in der Wüste leben wie ein knjasj (Fürst).«

Nach dem Essen lagen Boris und Svetlana unter einer Decke eng zusammengerollt. Sie schliefen sofort ein. Svetlanas Arm lag um den Nacken Boris'. Es war eine rührende Geste des Anschmiegens und Schutzsuchens, des Zusammengehörens und Vertrauens.

»Sieh dir die zwei an, Natascha Trimofa«, sagte Boborykin.

»Sie lieben sich. Ist es nicht ein Wunder, daß es auf dieser Welt von Haß und Elend, Verfolgung und Grausamkeit noch Liebe gibt?«

Boborykin winkte ab. »Auch Wanzen und Flöhe paaren sich.«

»Ist dir eigentlich nichts heilig?« fragte die Trimofa. »Was bist du nur für ein Mensch, Andreij.«

Boborykin zog die Schultern zusammen. »Manchmal weiß ich gar nicht, ob ich überhaupt ein Mensch bin.«

»Hast du nie geliebt?«

»Doch. Aber die Deutschen haben sie umgebracht.«

»Das ist bald zehn Jahre her, Andreij.«

Boborykin nickte. »Und seitdem weiß ich nicht mehr, ob ich noch ein Mensch bin.«

»Und warum kommst du jetzt mit uns? Wenn du kein Gefühl mehr hast, dürftest du gar nicht hier sitzen. Warum hilfst du uns überhaupt?«

»Warum?« Boborykin sah in den dunklen Nachthimmel. Die Sterne brachen durch die ziehenden Wolken. Es würde eine kalte Nacht werden, eine jener merkwürdigen Wüstennächte, die man nicht versteht und über die man sich wundert, daß man auf einem Stück Erde frieren kann, auf dem man vor ein paar Stunden noch in glühender Sonne wegschmolz.

»Warum?« wiederholte er. »Ich habe mich an euch gewöhnt, das ist alles. Und jetzt laß mich in Ruhe.«

Er drehte sich weg, ließ sich mit seiner Decke auf den abgeschnallten Sattel fallen, rollte sich in die Decke und streckte sich dann. Wenig später schlief auch er.

Natascha Trimofa erhob sich. Sie ging zu ihrem Pferd, hob den Sattel ab und holte aus den großen Seitentaschen einen flachen Blechkasten heraus. Sie öffnete ihn und überflog den Inhalt.

Ein paar Mullbinden, Brandbinden, blutstillende Watte, drei Injektionsspritzen, 10 Ampullen Narkotika, 10 Ampullen Herz- und Kreislaufmittel, 10 Ampullen Penicillin, 10 Röllchen Fiebertabletten. Eine Schere, einige Rollen Leukoplast. Und – in ein Öltuch gewickelt – ein notdürftiges chirurgisches Besteck: Zwei Scheren und Pinzetten, ein Weichteil- und Resektionsmesser, einige Gefäßklemmen, zwei stumpfe Muskelhaken, zwei runde und zwei scharfe Haken, eine große Kornzange, ein scharfer Löffel, drei Nadeln, eine Fadenschere, ein langes Amputationsmesser, eine chirurgische Säge und ein Resektionshaken. Ferner zwei messerscharfe Meißel, ein Schlegel und eine Knochenhaltezange. Dazu einige Rollen Catgut und Seidenzwirn. Tupfer in sterilen Packungen und drei Kompressen.

Mit ihnen fange ich drüben in der Freiheit ein neues Leben an, dachte Natascha Trimofa. Mit ein paar Zangen und Wundhaken und einem Amputationsmesser. Mit einer Handvoll vernickelten Stahls.

Sie streichelte über die Instrumente und legte sie dann zurück in die große Satteltasche.

Wir müssen es schaffen, dachte sie, als sie sich neben Boborykin in ihre Decke wickelte. Ich habe noch vieles vor in meinem Leben.

Sie ritten drei Wochen.

In Undutowa und Judomskoje ging unterdessen das Leben weiter. Tschetwergow saß in Alma-Ata in seinem Parteihaus und hatte eine Meldung geschrieben: »Mit dem Einsatz eines Hubschraubers gelang es, in den Sümpfen von Balchasch einen der letzten Reaktionäre zu vernichten. Mit ihm wurden auch ein Boris Horn und eine Erna-Svetlana getötet, zwei Deutsche, die mitschuldig waren am Mord an Iwan Kasiewitsch Borkin. Im Gebiet von Judomskoje ist somit endgültig Ruhe eingekehrt. Andreij Boborykin, der Reaktionär, muß als das Zentrum des illegalen Widerstandes angesehen werden.«

Die einzige, die keine Ruhe gab, war Sussja.

Konjew bestellte sie eines Tages zu sich in sein Haus.

»Hör einmal, du Ziege«, schnauzte er sie an. »Ich höre, daß du behauptest, der blöde Fedja sei nicht der Mörder von Iwan Kasiewitsch gewesen. Wie kommst du dazu?«

»Fedja sah neben mir aus dem Fenster, als ich den Schatten an der Mauer bemerkte.«

»Du hast einen Schatten im Gehirn!« brüllte Konjew außer sich. »Hat man schon je eine so blöde Gans gesehen? Es ist Ruhe im Dorf, Fedja hat sich aufgehängt, alles ist eitel Freude, Moskau drückt uns die Hand, weil wir so schnell und gründlich arbeiten, und da kommt so eine geile Katze daher und schreit, es sei alles anders.« Konjew beugte sich zu Sussja vor. »Noch ein Wörtchen, Sussja, und du liegst im Garten der Datscha, dort, wo dein Iwanowitsch liegt. Du verstehst mich?«

»Ja. Aber –«

»An einem Aber hat sich schon mancher verschluckt und ist erstickt!«

Sussja schob die Unterlippe vor. Sie sah in diesem Augenblick nicht mehr hübsch aus, es sei denn, man betrachtete sie nur von unten herauf bis zum Kinn.

»Ich war die einzige, die Iwan Kasiewitsch wirklich geliebt hat. Eigentlich müßte ich eine Hinterbliebenenrente bekommen.«

»Ha?« fragte Konjew verblüfft. »Was?«

»Wenn es eine Witwe gibt, dann bin ich es! Borkin war versichert.«

»Raus!« brüllte Konjew.

»Ich werde es in Moskau einklagen. Ich kann beweisen, daß Iwan Kasiewitsch fast jede Nacht –«

»Saustück!« schrie Iljitsch Sergejewitsch. Dann prügelte er Sussja mit seiner langen Pferdepeitsche aus dem Haus, über den

Hof und hinaus auf die Straße. Schweratmend lehnte er sich dann gegen einen Weidenbaum und wischte sich über die Stirn. »So ein Aas«, stöhnte er erschöpft. »Vergewaltigt auch noch den Toten!«

Drei Tage später wurde Sussja überfahren.

Keiner hatte es gesehen, keiner wußte, wer es gewesen war. Eigentlich gab es im ganzen Gebiet nur drei Privatwagen, die Traktoren nicht gerechnet.

Mit einem zerschmetterten Bein und einem Schädelbruch kam Sussja nach Alma-Ata in das staatliche Hospital. Tschetwergow leitete die Untersuchung nach dem Täter. Es kam nichts dabei heraus. Die drei Privatwagen waren zu dieser Zeit in der Garage, was über zwanzig Personen beschworen. Konjew hatte keinen Wagen. Daß er sich an diesem Tage einen Wagen geliehen hatte, schien keiner bemerkt zu haben.

Sussja kam nicht mehr nach Judomskoje zurück. Nach ihrer Heilung — man amputierte ihr das Bein — schickte man sie in ein Arbeitslager auf die Krim, wo sie in der Küche Kartoffeln schälte und Kapusta schnitt. Auf die Datscha aber kam ein anderes Mädchen, das die jungen Burschen von Judomskoje verrückt machte, denn es war jung, schlank, hochbusig und nicht angekränkelt mit unmoderner Moral.

Konjew und auch Tschetwergow besuchten von da ab öfter die Datscha, um von Staats wegen das Gut eingehend zu kontrollieren. Es herrschte eitel Freude und Frieden in Judomskoje.

Wie sagten die Tataren: Ein Weiberrock als Fahne gewinnt jede Schlacht . . .

Nach drei Wochen hatten sie den Rand des Tien-schan-Gebirges erreicht. In der Nähe des Issyk-kul-Sees verabschiedete sich Andreij Boborykin.

Er tat es auf seine Weise, um keinerlei Rührung zu zeigen und zu beweisen, daß er keine Gefühle kenne.

Er klopfte Boris auf die Schulter und blinzelte Svetlana und Natascha Trimofa zu. Sie standen müde, hungrig, staubüberkrustet und Schatten ihrer selbst in einer Senke, von der ein breites Tal ziemlich steil in das Gebirge hineinstieg.

»Karten habt ihr, zu essen habt ihr, die Wasserschläuche habt ihr aufgefüllt . . . wenn ihr über den Kamm dort hinüber seid, kommt die Grenze. Sie ist stark bewacht«, sagte er heiser. »Lebt wohl, Genossen.«

Svetlana streckte ihm die Hand hin. Unaussprechliche Dankbarkeit stieg in ihren müden Augen empor.

»Wir werden dich nie vergessen. Andreij. Du bist der beste Mensch, den ich je kennenlernte.«

Boborykin wurde unsicher. Er strich sich über sein behaartes Gesicht und schaute zur Seite.

»Blödsinn!« sagte er grob. »Ich habe mit diesen Händen hier« — er streckte sie weit vor und Svetlana unter die Augen — »mit diesen Händen über hundert Deutsche umgebracht. Ich habe sie erwürgt, erstochen, aufgehängt, erschossen, zerstückelt.«

»Das kannst du gar nicht, Andreij.« Svetlana lächelte ihn an und ergriff seine Hände. In einer Aufwallung kindlicher Demut beugte sie sich darüber und küßte sie. Boborykin riß sie zurück, als habe man sie in Feuer getaucht.

»Nein!« brüllte er. »Keinen Dank!« Über sein Gesicht wetterleuchtete es. Er wich vor Natascha Trimofa zurück, die auf ihn zutrat. »Ich gehe jetzt! Seht zu, wie ihr allein weiterkommt! Ich schäme mich als Sowjetbürger, euch Reaktionären geholfen zu haben!«

»Du schämst dich, weil du eine Seele hast, Andreij.« Natascha Trimofa strich ihm über das zuckende Gesicht. »Du bist etwas wie die Hoffnung, Andreij. Du kannst den Glauben geben, daß der russische Mensch nicht im Oktober 1917 gestorben ist. Vielleicht wird Rußland einmal auferstehen aus den Sümpfen, in die du zurückgehst.«

Boborykin wandte sich schroff ab. »Laßt mich in Ruhe!« sagte er heiser vor Rührung. »Laßt mich doch in Ruhe!«

Er rannte zu seinem Pferd und sprang auf.

»Lebt wohl!« schrie er noch einmal. »Ich — ich —« Er beugte sich tief über den Hals seines Pferdes und brüllte ihm in die Ohren. »Lauf, du Hundetier! Lauf doch! Lauf!«

Wie ein riesiges Gespenst raste er durch die Felsen davon. Er sah sich nicht um, er winkte nicht, er hätte am liebsten die Hände gegen die Ohren gepreßt, wenn er sie nicht zum Lenken des Pferdes gebraucht hätte.

Weinend jagte er zurück nach Norden. Als er außer Sicht- und Rufweite war, ließ er die Zügel los, das Pferd fiel in einen leichten Trab und sah sich ab und zu um.

»Vermißt du sie, moj sjerdzenja (mein Herzchen)?« sagte Andreij Boborykin weinend.

Dann schluchzte er auf; schließlich heulte er laut wie ein verwundeter Wolf und hing auf seinem Pferd wie eine knochenlose Fleischmasse.

In der Nacht noch wurden Boris, Svetlana und Natascha Trimofa gezwungen, ihren Weg zu ändern und seitlich des Gebirges in der Steppe weiterzuziehen. Ein Gebirgsbauer, der in der Nacht vom Fallenstellen in die Schlucht hinunterkam und auf die drei stieß, berichtete von einem starken Spähtrupp der Roten Armee, der gerade vor ihnen, nur sechs Werst weit entfernt, die ganzen Wege, und das waren nur zwei, besetzt hielt.

»Sie machen ein Manöver«, sagte der Bauer. »Die Berge wimmeln von ihnen. Überall findet man sie.«

So zogen sie weiter nach Osten, am Rande des Gebirges entlang. Ab und zu hörten sie das Schießen der Manövertruppen ... eine Staffel Aufklärungsflugzeuge brauste über sie hinweg. Da warfen sie sich in das Steppengras und sahen von oben aus wie verstreute Felssteine.

Natascha Trimofa sagte nichts von dem, was sie dachte. Bis zum Winter dauerten die Manöver, bis dahin war kein Durchkommen nach Tibet. Im Winter aber war es Selbstmord, weiterzuziehen über das Gebirge in ein Land, wo der Eiswind die Felsen leerfegt, wo Lawinen die Straßen bis zur Hälfte der Berghöhen auffüllen und wo der Mensch, schutzlos in Kälte und Sturm schwankend, in die Schluchten geweht wird, als sei er ein übriggebliebenes Herbstblatt, das der Wind nicht hinab ins Tarim-Becken gerissen hat.

Eine Woche später trafen sie auf kirgisische Nomaden.

Sie standen plötzlich vor den Felljurten, als sie um eine Waldecke bogen. Fast hundert Kamele lagen träge im verdorrten Gras, eine Ziegenherde weidete östlich zu den Bergen hin. An Ketten und Eisenstangen hingen über offenen Feuern die Tonkessel, in denen der Mittagsbrei der Kirigisen schmurgelte.

»Sofort zurück!« sagte Boris und umklammerte sein Gewehr. »Sie werden uns verraten.«

Er wollte das Gewehr anlegen, als sich von den Jurten drei Gestalten lösten und mit krummen Reiterbeinen und hängenden, langen Schnurrbärten auf sie zukamen. Natascha drückte den Lauf des Gewehrs herunter.

»Ein Nomade hat noch nie einen Flüchtenden verraten. Sie wissen besser als jeder andere, was es heißt, heimatlos zu sein. Wir werden bei ihnen bleiben.«

»Wir müssen doch über das Gebirge, Natascha Trimofa.«

»Vielleicht wissen sie einen besseren Weg«, wich sie aus. »Sie kennen das Land wie du deine Hand.«

Die drei krummbeinigen Gestalten waren herangekommen. Sie stellten sich nebeneinander und verneigten sich.

»Sayn«, sagten sie mit heller, näselnder Stimme.

»Sie sprechen mongolisch.« Natascha Trimofa hob die Hand. »Sayn«, sagte auch sie. »Ihr habt einen weiten Weg gehabt, Freunde. Wie wir.«

Die drei Kirgisen sahen sich an. In ihren breiten, großflächigen Gesichtern mit den gelben Falten und den hängenden Schnauzbärten war keine Regung zu lesen. Sie waren wie aus Pergament geformt, aus verblichenem Pergament, das eine Hand zerknittert hatte.

»Wohin zieht ihr?« fragte der am weitesten rechts Stehende. »Wo kommt ihr her?«

»Aus Kasakstan. Wir wollen nach Indien.«

»Indien?« Die drei sahen sich wieder an. »Indien liegt dort!« Sie wiesen mit der Hand nach Südwesten. Aber ihre Augen sagten, daß sie es nicht glaubten. Wie können drei Menschen allein mit Pferden nach Indien ziehen?

»In den Bergen sind Truppen der Roten Armee.«

»Ja.«

»Sie dürfen uns nicht sehen.«

In die Falten der drei Kirgisen stahl sich ein leichtes Lächeln. Es war das geheimnisvolle Lächeln der Asiaten, mit dem sie den Freund begrüßen und den Feind hinrichten.

»Keine Bolschewiki?« fragte der eine wieder.

»Nein. Wir suchen die Freiheit.«

»Kommt mit.« Der Kirgise winkte. »Seid unser Gast.«

Ohne weitere Worte traten die drei Kirgisen an die Pferde und nahmen die Zügel in die Hand. Geführt wie Ehrengäste, aber mit dem Gefühl, Gefangene zu sein, ritten sie in das Kirgisenlager ein.

Ein kleines Heer von Kindern kam ihnen schreiend entgegen und umtanzte sie neugierig und mit lautem Gebrüll. Frauen, die an den offenen Feuern saßen, ließen ihre Kessel im Stich und rannten schnatternd näher.

In der Mitte des Lagers stand eine größere Jurte mit einem Wimpel auf der Spitze. Drei Frauen in bestickten Wollgewändern waren dabei, aus Hirse einen Kuchenteig zu kneten, der in der glühenden Holzasche gebacken werden sollte. Flache Tonschalen voller Kamelstutenmilch standen in der prallen Sonne. Die Milch sollte säuern, um später als Verzierung über den heißen Kuchen geschüttet zu werden.

Als das Pferdegetrappel und das Geschrei der Kinder näher kam, öffnete sich der Filzvorhang des großen Zeltes und ein weißhaariger und weißbärtiger Kirgise mit einem goldbestickten Käppchen auf dem länglichen, schmalen Kopf trat heraus. Er legte die Hände über die geschlitzten Augen und betrachtete die Ankommenden.

Die drei Kirgisen sprachen ein paar Worte in einer mongolischen Sprache, die weder Boris noch Natascha Trimofa verstanden. »Es scheinen Sojoten zu sein«, flüsterte sie Boris zu. »Man trifft sie sonst weiter im Osten an, in der Mongolei und Urianhai. Mir ist rätselhaft, was sie hier wollen.«

»Es ist kein Rätsel, meine Tochter.« Der alte Mongole sah Natascha Trimofa mit schräg geneigtem Kopf an. »Ich habe gute

Ohren. Alles ist alt an mir geworden, aber wie bei einem alten Tiger, dem die Zähne abfaulen, ist das Gehör besonders gut geworden.« Er machte eine Handbewegung, die bedeuten konnte: Steigt ab — oder geht weg. Die Trimofa entschloß sich, abzusteigen.

»Ich bitte euch um eure Gastfreundschaft, Noyon (Fürst, mongolisch). Wir sind müde und am Ende unserer Kräfte.«

»Ich sehe es.« Der Greis musterte die Pferde. Sie allein sagten ihm alles. Wenn ein Pferd müde ist, brauchte er keinen Menschen anzusehen. Bei Boris' goldenem Pferd leuchteten seine Augen auf. »Es ist ein Hengst aus Europa! Woher kommt ihr?«

»Aus Kasakstan. Wir wollen nach Indien.«

»Ein weiter Weg, meine Tochter. Ihr seid Bauern?«

»Ich bin Ärztin.«

»Ärztin?« Die Augen des Greises weiteten sich. Er verbeugte sich wieder, mit jenem feierlichen Ritus der Asiaten, mit dem sie Gäste empfangen, gemessen, demütig, sich unterordnend und doch voller Hoheit. »Sei mir doppelt willkommen, meine Tochter. Kommt in meine Jurte, bitte.«

In dem großen Filzzelt setzten sie sich auf geflochtene Matten und alte Teppiche. Sie hörten, wie draußen die Pferde weggeführt wurden. Dann wurde der Vorhang des Zeltes wieder zur Seite geschoben. Der Greis kam herein, gefolgt von drei Frauen, die gebrannte Schüsseln und flache Eßschalen auf den Boden stellten. Hirsebrei und geröstetes Ziegenfleisch wurde hereingetragen. Der Alte hob einladend die Hand.

»Eßt und trinkt. Und dann schlaft. Es wird euch keiner stören. Unsere Gäste sind wie unsere Brüder. Was man ihnen tut, tut man uns an. Übermorgen ziehen wir weiter.«

Er verbeugte sich noch einmal, würdevoll und den Kopf tief neigend. Dann fiel der Vorhang hinter ihm zu.

Natascha Trimofa tauchte die Hände in die Waschschüssel und rieb sich den Steppenschmutz ab. Da kein Handtuch vorhanden war, schlenkerte sie die Hände durch die Luft, bis sie trocken waren. Boris und Svetlana taten es ihr nach. Dann aßen sie, aber nach wenigen Bissen übermannte sie die Mattigkeit und die Anstrengung der wochenlangen Reise. Sie legten sich auf die Teppiche und schliefen ein, kaum daß sie lagen.

Sie schliefen fast zwei Tage.

Die erste, die erwachte, war die Trimofa. Als sie sich aufrichtete, fielen ihre Blicke auf eine ältere Frau, die neben dem Zelteingang hockte und sie aus großen Augen anstarrte. Es war keine Sojotin. Sie hatte weder eine gelbe Haut, noch die vorstehenden Backenknochen oder die Fettpolster der Asiaten an den Augen.

Natascha setzte sich. Boris und Svetlana schliefen noch. Sie lagen wieder aneinandergeschmiegt und schienen im Schlaf zu lächeln wie zwei glückliche Kinder.

»Wer bist du?« fragte die Trimofa.

»Die Frau des Noyon. Du bist eine Ärztin, sagte er mir. Du könntest mich heilen.«

Sie beugte den Kopf vor und drehte sich zur Seite. Dort, wo sonst der untere Haaransatz ist, war der Hals kahlgeschoren. Inmitten dieser Tonsur hob sich ein brandrotes, ausgezacktes und dick gewölbtes Geschwür ab. Die Frau mußte seit Tagen furchtbare Schmerzen ausstehen. Aber sie klagte nicht, mit starrem Gesicht blickte sie zu Boden, als Natascha aufsprang und mit den Fingerspitzen das Geschwür umtastete.

»Es ist ein Karbunkel, Noyona. Es muß sehr weh tun.«

»Die irdischen Schmerzen sind nicht die schlimmsten«, sagte die Frau. »Kannst du mich heilen?«

»Ich muß es aufschneiden.«

»Dann tue es.«

»Dazu brauche ich meinen Sattel. Ich habe die Instrumente in einer der Taschen.«

»Man wird dir sofort alles bringen.«

Die Frau erhob sich, verneigte sich und verließ das Zelt.

Natascha Trimofa rüttelte Svetlana und Boris wach.

»Aufstehen! He! Aufwachen!«

Als die Frau des Noyon wieder in die Jurte trat, hinter sich zwei Sojoten, die Nataschas Sattel trugen, hatte sich die Trimofa schon einige Schüsseln mit heißem Wasser und große Leinentücher geben lassen, die sie als Kompressen benutzen wollte. Natascha tauchte sie bereits in das kochende Wasser.

»Ich brauche einen Hocker«, sagte Natascha. Sie winkte der Frau und nahm aus der Satteltasche den länglichen Blechkasten mit dem Instrumentarium heraus. Sie klappte den Instrumentenkocher auf, legte einen Block Hartspiritus hinein und entzündete ihn. Svetlana wickelte die Instrumente aus dem Öltuch und legte sie nebeneinander auf eines der nassen, vom heißen Wasser dampfenden Leinentücher. Die Frauen brachten einen mit Wolffell bezogenen Hocker in die Jurte. Auch der Noyon kam herein und hockte sich am Zelteingang auf die Erde. Er betrachtete die blitzenden Zangen und Gefäßklemmen, Messer und Scheren, die Svetlana ausbreitete und auf Anordnung der Trimofa in das siedende Wasser des Instrumentenkochers warf.

»Skalpell, zwei Scheren, zwei Pinzetten, das genügt«, sagte sie. Sie zeigte auf die Instrumente und begann, sich bis zum Oberarm die Hände zu waschen. Sie benutzte dazu das letzte, kleine Stückchen Seife, das sie im Instrumentenkasten mitgenommen hatte und das sie nur für medizinische Zwecke verwenden wollte.

Mit nassen, tropfenden Händen, die Finger gespreizt von sich haltend, trat sie dann hinter die Frau, die mit unbeweglichem Gesicht auf dem Hocker saß, den Kopf weit nach vorn gebeugt, den Nacken Natascha entgegenwölbend, als solle sie hingerichtet werden.

Die Trimofa wandte sich wieder ab, öffnete das Jodfläschchen und umpinselte das Operationsgebiet. Erstaunt sah der alte Fürst, wie die Haut braun wurde und inmitten dieses Brauns sich der Berg des Karbunkels erhob. Er blickte wieder auf die blitzenden Instrumente und strich sich langsam über den weißen, sich in der Mitte des Kinnes teilenden Bart.

»Hoffentlich hat sie keinen Zucker«, sagte Natascha zu Boris, als sie das Steckskalpell mit einer Zange aus dem Kocher nahm.

»Und wenn sie ihn hat?«

»Dann wird sie sterben. Es kann sie keiner mehr retten. Bei Zuckerkrankheit darf man keine Geschwüre schneiden. Aber ich habe ja keine Möglichkeit, das Blut zu untersuchen. Wir müssen es so wagen.«

Boris biß sich auf die Unterlippe.

»Was wird, wenn sie stirbt?« fragte er leise.

Natascha Trimofa hob die schmalen Schultern. Ihr Gesicht war bleich und energisch wie immer. »Dann sterben wir mit, mein Freund. Aber sag es nicht Svetlana.«

»Nein«, würgte Boris. Er schielte hinüber zu dem Greis am Zelteingang. Als eine der Frauen wieder heißes Wasser hereintrug, sah er für einen Moment, wie vor dem Zelt eine Menge Sojoten stand, still, andächtig fast, aber doch bereit, auf einen Ruf ihres Fürsten ins Zelt zu stürmen.

»Man hat uns umzingelt«, flüsterte Boris der Trimofa zu. »Wir sind in einer Falle.«

»Du mußt nicht so primitiv von den Nomaden denken, Bor.« Natascha Trimofa winkte zu Svetlana hinüber, näherzukommen. »Sie vertrauen uns. Mit der Ehrfurcht vor allen Wundern wollen sie hier ein Wunder sehen. Dabei ist es nur eine einfache Operation, die jeder Feldscher kann.«

Sie trat hinter die Frau und nickte Boris zu.

»Halt den Kopf fest. Und du, Svetlana, gibst mir die Spritze.« Sie streckte die Hand aus.

Die Spritze mit dem Novocain lag eine kurze Sekunde nachdenklich in ihrer Hand, ehe sie die Nadel ansetzte.

Der erste Einstich ... durch den Körper der Frau ging ein kurzes, kaum merkliches Zucken. Sie schloß die Augen. Auch die Augen des zusehenden Greises wurden kleiner, noch geschlitzter, und verschwanden fast in den gelben Falten des Gesichtes.

Die weiteren Einstiche bei der Umspritzung des Operationsfeldes merkte die Frau schon nicht mehr. Peinlich genau setzte Natascha Trimofa die Lokalanästhesie; dabei betrachtete sie eingehend das aufgequollene Geschwür und entschloß sich, den Kreuzschnitt anzuwenden. Zwar hinterließ er später große, häßliche Narben, aber er war der Schnitt, der am besten das Feld zur Ausräumung des Karbunkels öffnete.

Svetlana trug die Instrumente heran ... mit beiden Händen hielt sie das heiße Leinentuch, auf dem sie lagen, und stellte sich neben die Trimofa.

Natascha wartete einige Minuten, bis die Lokalanästhesie wirksam war. Dann nahm sie das Skalpell, strich mit dem Messer noch einmal über den Karbunkel und schnitt dann mit schneller Bewegung in das Geschwür. Ein Schnitt vertikal, ein Schnitt horizontal. Der Karbunkel klaffte weit auf ... Boris hielt die Schale an den Nacken ... Eiter, stinkende braune Flüssigkeit und fast schwarzes Blut quollen aus dem Schnitt.

Durch das Zelt zog der Geruch von Verwesung und Eiter.

Unbeweglich saß der Greis am Eingang und sah mit starren Augen der Operation zu. Die Frau auf dem Hocker rührte sich nicht. Sie hielt die Augen geschlossen, nur ihre Finger waren ineinander verkrampft und zitterten leise, als der ekelerregende Geruch auch zu ihr kam.

Svetlana stand neben Natascha Trimofa und rang mit einer aufsteigenden Übelkeit. Als die Trimofa sie einmal ansah, lächelte sie krampfhaft.

»Nicht umfallen, Svetla«, sagte die Trimofa leise.

»Es wird gehen, Natascha. Ich beiße die Zähne zusammen.«

Natascha nahm zwei Wundhaken und klappte den Schnitt weit zurück. Dann ging sie mit dem Skalpell in die Tiefe, umschnitt den Karbunkel und stieß Boris an, die Schale dichter an den Nacken zu halten. Zwischen Eiter und Blut quoll faulendes Fleisch aus dem Nacken heraus und floß in die tönerne Schale.

Zwanzig Minuten dauerte die Ausräumung des Karbunkels. Erst, als Natascha den Verband angelegt hatte und der Frau auf die Schulter klopfte, erhob sich der Greis vom Eingang.

»Sie wird weiterleben, meine Tochter?« fragte er, als spräche er etwas völlig Gleichgültiges.

»Ja, Noyon.« Natascha tauchte ihre Hände wieder in heißes Wasser. »Ich gebe ihr noch Penicillin. In zwei Wochen wird sie nur zwei Narben haben ... weiter nichts.«

»Narben sind Ehrenzeichen des Schmerzes.« Der Greis verneigte sich tief. »Ich bin euer ewiger Schuldner.«

Vier Wochen später trug die Frau des Noyon nur noch ein Pflaster im Nacken und umarmte Natascha und Svetlana, als sie Abschied nahmen von den Jurten der Sojoten. Die Nomaden zogen weiter nach Westen, dorthin, woher die Flüchtenden gekommen waren.

Der Fürst gab ihnen Felle mit, Lebensmittel, Wasserschläuche und Munition für die Gewehre. Dann hob er die Hände, als wolle er die drei segnen. Er sprach kein Wort, er hob nur die Hände hoch über sie, und seine Lippen bewegten sich im stummen Gebet.

Als sie abritten, stand er an seiner Jurte und sah ihnen nach, bis sie in den Felsen verschwanden. –

Fünf Wochen später überraschte sie der Winter.

Während sie in einer Höhle schliefen, schneite es. Die Wege und Schluchten, die Bäume und Felsen vereisten, als der erste Wintersturm durch die Berge heulte.

Boris und Svetlana starrten hinaus in die wirbelnden weißen Flocken und das Heulen des Windes, der von den Höhen hinab in die Schluchten stieß. Natascha Trimofa war unterwegs, um Holz zu suchen.

Das erste Heulen von Wölfen geisterte schaurig durch die Felsen. Die Kälte wehte mit jedem Windstoß in die Höhle. Svetlana kroch nahe an Boris heran und legte ihren Arm um seinen Nacken.

»Nun ist es vorbei«, sagte sie leise. Es klang nicht traurig oder entsetzt, sondern demütig.

Boris biß sich auf die Lippen. Er hätte schreien können, aber selbst der Schrei erfror in seiner Kehle.

»Es wird nicht ewig schneien und frieren«, sagte er heiser.

Es war eine lahme, eine dumme Entgegnung. Vor ihnen lagen noch die Mongolei, Tibet und der Himalaya.

Tausende von Werst.

Natascha kam in die Höhle zurück. Sie war mit gefrorenem Schnee überkrustet. Ihr schmales Gesicht war gerötet und geschwollen vor Frost. Unter dem Arm preßte sie ein schmales Bündel Holz an den Körper ... armselige Stückchen, Rinden, Äste, Reisig, Stämmchen von verdorrten Büschen.

»Das ist alles«, sagte sie und warf das Bündel auf den Felsboden. »Drei Tage Wärme ...«

»Und dann?« fragte Svetlana.

»Dann?« Sie wischte sich die vereisten Haare aus dem Gesicht. »Wir sollten nie fragen: ›Und dann?‹ Wenn der Mensch seine Zukunft wüßte, begänne er gar nicht erst zu leben ...«

Sie setzte sich an die hintere Wand der Höhle und lehnte sich gegen den feuchten, kalten Stein. Boris schichtete das Holz auf; er nahm nur einige dünne Reisigbündel und einige stärkere Stämmchen, die er so zueinander legte, daß sie nicht auf einmal aufflammten, sondern nacheinander oder in Gruppen verbrannten. So hielt das Holz länger.

Erna-Svetlana strich ein Zündholz an und hielt es gegen das

Reisig. Es qualmte etwas, beißender Rauch zog durch die kleine Höhle, das Knistern des feuchten Holzes hallte gegen das kahle Gestein wie ferne Schüsse.

»Es wird nicht reichen, um Tee zu kochen«, sagte Svetlana. Sie kniete vor dem Holzstoß und blies die in der Feuchtigkeit erstickende Flamme höher. Tränen standen ihr in den Augen, sie liefen die eingefallenen Wangen herab und tropften vom Kinn auf ihre Brust. Boris wußte nicht, ob es vom beißenden Qualm kam oder von Schmerz und Trauer, daß sie weinte. Er sah hinüber zu Natascha Trimofa.

»Wie lange wird es dauern?« fragte er.

»Einen Tag ... eine Woche ... einen Monat ... Du bist lange genug in Rußland, um zu wissen, daß man die Natur nicht fragen kann. Man fragt in Rußland nie –«

»Wir können doch hier nicht sitzenbleiben und warten, bis wir vereisen!« schrie Boris.

»Es stimmt. Wenn du hinaustrittst, geht es schneller.«

»Und die Pferde? Was soll aus den Pferden werden?«

»Sie werden verhungern.« Natascha Trimofa erhob sich und streckte die blaugefrorenen Hände über die kleine Flamme des Holzstoßes. »Wir werden sie aber vorher schlachten und ihr rohes Fleisch essen.«

Über Boris Horns Gesicht zitterte es wie Grauen und Entsetzen. Er lehnte sich gegen die Höhlenwand und ballte die Fäuste.

»Ich soll mein goldenes Pferd töten?« stöhnte er.

»Willst du zusehen, wie es verhungert? Willst du hören, wie es schreit, wie es irr wird? Willst du dabei sein, wenn es in die Knie bricht, sich zur Seite rollt und so lange röchelt, bis das Herz bricht?«

»Ich werde wahnsinnig«, stammelte Boris. Er stand mit geschlossenen Augen am Eingang und zitterte.

»Du wirst es töten müssen, weil du es liebst, Boris. Und seine große Liebe und Treue wird sein, daß es uns mit seinem Fleisch ernährt und uns vielleicht das Leben zurückgibt. Was willst du mehr von einem Pferd?«

»Und wie sollen wir durch Tibet nach Indien kommen – ohne Pferde?« fragte Erna-Svetlana.

Natascha Trimofa schwieg. Auch Boris beantwortete die Frage nicht. Sie dachten beide das gleiche und scheuten sich, es laut auszusprechen.

Tibet – Indien – die Freiheit. Es waren Utopien, Hirngespinste, Sinnlosigkeiten. Wie hatte Tschetwergow einmal zu Boris gesagt: »Aus Rußland flüchtet man nicht. Ehe der kleine Mensch die Grenze gefunden hat, hat ihn die Natur vernichtet. Mit dem, was von ihm übrigbleibt, werden wir fertig.«

Als der Abend kam, legte Boris die Pferde vor den Höhleneingang. Wie ein Wall aus Fleisch und Fell versperrten sie das Einströmen von Schneeluft und Wind. Damit sie nicht wegliefen, hieb er mit einem Hammer eiserne Pflöcke in die Gesteinsritzen und band die Pferde an kurzen Leinen an.

Im Schutze der Pferdekörper, eng aneinandergeschmiegt und sich gegenseitig wärmend, zugedeckt mit den Fellen der Sojoten, schliefen sie wie Ohnmächtige. Sie hörten nicht das Schnaufen der Pferde, nicht das Krachen der Hufe, die zitternd gegen den Fels stießen, nicht das pfeifende Atmen der Lungen, als sich die Felle mit Eiskristallen überzogen und ein neuer Wind den Schnee über die Körper trieb.

Es wäre ein schöner Tod gewesen.

Aber am Morgen kam die Sonne –

Boborykin hatte es sich abgewöhnt, sich zu wundern oder zu fluchen. Er nahm die Dinge hin, wie sie kamen, aus dem Fatalismus heraus, daß das arme kleine Schwein von Mensch doch nichts ändern konnte.

Als er jedoch vor seinem zusammengebombten Haus in den Balchasch-Sümpfen stand, verging ihm einen Augenblick der Atem. Dann aber fluchte er los, brüllte, daß es weit über das Moor schallte und trat in unbändiger Wut auf den zerfetzten Balken herum.

»Sauhunde!« brüllte er und schüttelte die Fäuste zum Wald hin. »O ihr Mistvögel! Ihr Hurensöhne! Ihr Mißgeburten! Ich bringe euch um, wo ich euch auch sehen werde.«

Zur Bekräftigung seines Beschlusses verließ er gegen Abend seine Sumpfinsel wieder und tauchte in der Dunkelheit bei Iljitsch Sergejewitsch Konjew auf.

Marussja, die ihm öffnete und ihm den Eingang wehren wollte, drückte er zur Seite und knallte ihr, als sie ihn am Rock festhielt, eine so gewaltige Ohrfeige in das breite Bauerngesicht, daß sie umfiel und über den Boden kugelte.

»Iljitsch!« konnte sie noch kreischen, da war der Bär Boborykin schon in der Stube und trat einen Stuhl, der im Wege stand, gegen die Holzwand, wo er zerbrach.

Konjew, der gemütlich beim Schein der Lampe in der *Komsomolza Prawda* las und einen Artikel über die moderne Rübenernte buchstabierte, zuckte zusammen und fuhr herum. Als er Boborykin in der Tür stehen sah, wurde er leichenblaß und umklammerte die Zeitung, als könne er sich an ihr festhalten.

»Andreij Andreijewitsch«, stotterte er. »Du? Ich denke . . .«

»Gedacht hast du nie!« brüllte Boborykin. Seine mächtige Stimme dröhnte durch die Hütte Konjews wie Donner. Marussja verkroch sich in der Küche; ihr Gesicht brannte wie ein angeheizter Backofen, und der Kopf brummte.

»Was habt ihr mit meiner Hütte gemacht, ihr Saukerle?« brüllte Boborykin weiter.

Iljitsch Sergejewitsch Konjew schielte zum Telefon. Aber es war ein dummer Gedanke, das wußte er. Auch wenn er den Apparat erreichte ... die Nummer Tschetwergows oder der Militärstation würde er nie wählen können. Soviel Zeit blieb nicht mehr.

»Du lebst, Brüderchen?« fragte er freundlich grinsend, obgleich sein Gesicht käsig war und er das drängende Gefühl empfand, sofort und hier auf der Stelle seinen Darm zu entleeren.

»Was habt ihr gemacht?«

»Genosse Tschetwergow — du kennst ihn, Brüderchen — war der Ansicht, daß Natascha Trimofa, Boris Horn und Erna-Svetlana Bergner nur bei dir verborgen sein müßten, weil man sie sonst nirgendwo fand.«

»Ach!« sagte Boborykin. Er kam langsam näher. Dieses ›Ach!‹ trieb Konjew einen Schauer über den Rücken. Er kannte Boborykin, er wußte um die Urweltkräfte, die in diesem riesigen Körper steckten.

»Mach keine Dummheiten, Brüderchen«, sagte er schluckend. »Es war Befehl aus Alma-Ata! Ich habe nur —«

»Wie kommt Tschetwergow auf diesen idiotischen Gedanken? Wer hat ihm gesagt, daß ich die Deutschen verbergen könnte?«

»Wer wohl, Brüderchen? Wer wohl?« Konjew schwitzte kalt und rang die Hände ineinander.

»Du hast Tschetwergow gesagt, daß ich —« Boborykin hob die rechte Hand. Wie ein riesiger Teller schwebte sie einen Augenblick über dem Gesicht Konjews. Dann klatschte es, daß es durch die ganze Hütte tönte bis hinüber zu Marussja. Diese bekreuzigte sich in alter, überlieferter Weise und war versucht, für Iljitsch ein Seelengebet zu sprechen.

Konjew ging in die Knie. Die Hand Boborykins war mitten und flach auf seinem Kopf gelandet. Er kam sich vor, als habe er einen Felsstein auf das Gehirn bekommen. Benommen kniete er mitten im Zimmer und döste vor sich hin.

»Wer baut mir meine Hütte wieder auf?« schrie Boborykin grell. Er trat Konjew in das etwas vorgestreckte Gesäß. Das ernüchterte Iljitsch Sergejewitsch. Er schnellte wieder empor.

»Das kostet dich den Kopf!« kreischte er auf. »Du hast den Dorfsowjet geschlagen! Ich werde es melden! Ich werde es bis Moskau melden!«

Boborykin nahm Konjew vorn an der Jacke, hob ihn hoch wie einen erlegten Hasen, schüttelte ihn und setzte ihn auf den Tisch.

Mein Hintern, durchzuckte es Konjew. Er hat mir den Steißknochen gebrochen. Oh! Oh! Und alles wegen Tschetwergow!

»Was ist mit meiner Hütte?« sagte Boborykin etwas gemilderter.

»Ich werde in Alma-Ata anfragen.« Konjew zitterte wie ein gefangenes Eichhörnchen. »Aber es wird Schwierigkeiten geben, Genosse. Verhöre, Verhaftung, Gefängnis, immer wieder Verhöre, bis du deine Unschuld beweisen kannst.«

»O ihr Scheißkerle!« Boborykin setzte sich ächzend auf den Stuhl, auf dem vor zehn Minuten Konjew noch friedlich seine *Komsomolza Prawda* gelesen hatte und über die Rübenernte nachdachte. »Ihr wolltet den armen, unschuldigen Boborykin töten. Den lieben, treuen, guten Andreij. Es ist zum Weinen.« Er wischte sich schnaufend über die Augen und das bartbewachsene Gesicht. »Was habe ich euch getan? Ihr Gesindel, ihr?«

Konjew legte die Hände flach auf die Knie. Er wagte nicht, vom Tisch zu springen.

»War Erna-Svetlana nie bei dir? Sag die Wahrheit, Brüderchen.«

»Ich habe sie nie gesehen!«

»Und Natascha Trimofa?«

»Natürlich.«

»Aha!«

»Kein Aha, Genosse! Sie war Ärztin. Ab und zu habe ich Rheuma im Rücken. Da mußte sie kommen und mir ein Zugpflästerchen geben. Dann wurde der Rücken ganz heiß, er brannte wie mit tausend Feuern ... aber das Rheuma ging weg wie Schnee im Mai. War eine gute Ärztin, die Natascha. Auch die habt ihr auf dem Gewissen!«

Konjew rutschte langsam vom Tisch herunter. Er wirkte wie ein Zwerg gegen den bulligen Boborykin. In seine Augen kam ein listiges Blinzeln.

»Sie konnte flüchten, das Satansweib! Weg ist sie, Brüderchen, wie von der Erde verschluckt. Tschetwergow ist verzweifelt! Wir dachten, daß sie alle bei dir —«

»Oh, ihr Hunde!« Boborykin sah Konjew an, als wolle er ihn umbringen. Langsam ging Konjew zur Tür zurück, um mit einem Satz aus dem Zimmer zu flüchten, wenn Boborykin die Hände ausstreckte. »Ich verlange 5000 Rubel für eine neue Hütte.«

»5000 Rubel?!« Konjew brüllte auf. »Du gehörst in eine Anstalt, Andreij! Für diese Drecksbude —«

»Brüderchen —«, sagte Boborykin breit. »Sag es noch einmal —« Er hob die Arme wie zwei riesige Dreschflegel.

»5000 Rubel wird dir Tschetwergow nie geben.«

»Dann hole ich sie mir aus Moskau.«

»Dort werfen sie dich in die Lubjanka!«

»Ich werde erzählen, daß man ehrliche Sowjetbürger einfach ohne Grund und Verhör mit Granaten zusammenschießt. Mitten im Frieden! Ehrbare Kommunisten! Ich werde erzählen, daß der Dorfsowjet von Judomskoje zwei Schweine heimlich geschlachtet und das Pökelfleisch unter der Scheune vergraben hat ...«

»Teufel! Teufel!« Konjew setzte sich schwer auf den Stuhl neben der Tür.

»Ich verlange 5000 Rubel!« brüllte Boborykin von neuem.

»Ich werde es in Alma-Ata vortragen.« Konjew wischte sich wieder den kalten Schweiß von der Stirn. Oh, ihr Heiligen, dachte er. Er wird alles erzählen, dieser Halbaffe! Er weiß so viel von uns allen ... er hat die Nase überall gehabt. Wenn man in Moskau auch Boborykin fertigmachen wird ... es bleibt für uns genug übrig, um zum Strick zu greifen. Es ist doch ein verdammt schweres Leben, ein guter Sowjet zu sein und nicht wider die Paragraphen der Partei zu sündigen ...

»Ich werde warten«, sagte Boborykin.

»Wo?« fragte Konjew ahnungsvoll.

»Hier! Wo soll ich sonst hin? Ihr habt mir die Heimat genommen. O ihr wilden Säue!« Boborykin verzog weinerlich sein Gesicht. Konjew winkte ab.

»Wir klären das gleich.« Er ging zum Telefon und wählte die Parteinummer von Alma-Ata. Das Mädchen in der Vermittlung brüllte er an, als sie nicht gleich verstand, wen er wollte. »Tschetwergow, du blödes Luder!« schrie er. »Genosse Stephan Tschetwergow. Schnell!«

Es knackte ein paarmal in der Leitung, dann war Tschetwergow da. »Ja?« fragte er. »Wo brennt's denn, Konjew?«

»Hier, bei uns, Genosse!« Konjew holte tief Luft. »Sitzen Sie fest auf dem Stuhl, Genosse?!«

»Ja.«

»Brüderchen Boborykin ist da!«

»Wer?« sagte Tschetwergow. Seine Stimme war kaum hörbar.

»Brüderchen Andreij aus dem Sumpf. Die Hütte war leer, als wir sie ... na ja ... Und jetzt verlangt Genosse Boborykin 5000 Rubel für ein neues Häuschen.«

»Ich komme morgen nach Judomskoje.«

Es machte klick, und Genosse Tschetwergow war stumm. Konjew wandte sich um. »Hast du's gehört, Andreij. Er kommt morgen hierher.«

»Solange warte ich bei dir. Entweder habe ich morgen eine neue Hütte, oder Judomskoje und Alma-Ata können sich einen neuen Sowjet suchen.«

Natascha Trimofa und Boris schlichen durch den verschneiten, frostklirrenden Wald, um etwas Eßbares zu suchen.

Seit drei Tagen war ihr Trockenbrot und ihr Salzfleisch zu Ende. Erna-Svetlana hatte erfrorene Vögel gerupft und gebraten, die Natascha im Schnee aufgelesen hatte. Zuletzt, das war gestern, hatte Svetlana eine Suppe aus Wurzeln gekocht, mit Schneewasser, in dem die geschabten Wurzeln wie Nudeln schwammen. Aber sie waren so hart, daß man glaubte, Holzscheite zu kauen.

In diesen drei Tagen hatte Boris mit seinem Spaten einige kleine Fallgruben geschaufelt. Eine mühselige Arbeit, denn der Boden war eisenhart und hätte gesprengt werden müssen. Er legte die Fallgruben dort an, wo er Hasenspuren gesehen hatte.

Einmal sahen sie auch die Tatzenspuren eines Bären, und in der Nacht hörten sie ihn brummend um die Höhle tappen. Die Pferde zitterten, aber sie erhoben sich nicht. Sie lebten nur noch von Schneewasser und magerten von Stunde zu Stunde ab. Der Goldene von Boris war bereits so schwach, daß er sich nicht mehr erheben konnte, sondern auf der Seite lag, den Kopf flach auf dem vereisten Boden und Boris nur aus seinen bernsteinfarbigen Augen ansah, als könne er in diesen Blick die ganze Qual und den ganzen Vorwurf legen.

»Er wird der erste sein, den wir töten«, sagte Natascha Trimofa. Da ging Boris weg, hinaus in den Schnee, setzte sich in dem Hohlweg auf einen Stein und weinte bitterlich.

An diesem Tage sahen sie auch, wie gefährlich sie lebten. Als sie durch die Felsen tappten, um Holz zu suchen, sahen sie auf einem Vorsprung drei Menschen stehen. Sie warfen sich sofort in den Schnee und warteten, was geschehen würde.

»Es sind Rotarmisten«, flüsterte Natascha in Boris' Ohr. »Eine Patrouille. Wir müssen in der Nähe der Grenze sein. Jetzt dürfen wir auch nicht mehr schießen. Jeder Schuß lockt sie heran.«

»Aber wie sollen wir weiterleben ohne Gewehre?« keuchte Boris.

Natascha zuckte mit den Schultern. »Lautlos leben oder lautlos sterben ... wir haben die Wahl. Wenn sie uns finden, erschlagen sie uns wie streunende Wölfe.«

Sie krochen zurück und wandten sich seitlich in die Schluchten.

»Wir sagen Erna-Svetlana nichts davon«, bat Boris. Natascha schüttelte den Kopf.

»Natürlich nicht.« Sie wandte den Kopf zu ihm um. »Hast du sie sehr lieb, Boris?«

»Ich habe ihretwegen einen Mord begangen, du weißt es.«

»Du würdest alles für sie tun?«

»Alles, Natascha Trimofa.«

»Dann vergiß nicht, sie zu töten, wenn uns die Rotarmisten entdecken.«

Boris Horns Gesicht wurde weiß wie der Schnee, durch den sie tapsten. »Das . . . das . . . nie, Natascha!«

»Denk an deine Mutter, Bor . . .«

Mit gesenktem Kopf ging Boris weiter.

Warum leben wir überhaupt, dachte er. Was hat sich Gott gedacht, als er uns auf die Erde setzte? Er zuckte zusammen, als sich Nataschas Hand auf seine Schulter legte.

»Vielleicht aber müssen wir es gar nicht«, sagte sie fast mütterlich weich. »Vielleicht überleben wir den Winter und kommen nach Indien. Was wäre das Leben ohne ein Vielleicht . . . Es ist der Kitt, der die Scherben unserer Hoffnungen zusammenhält.«

Am vierten Tag fanden sie einen Hasen in einer der Fallgruben. Es war ein mageres Tierchen, so schwach und ausgehungert, daß es erfroren sein mochte, kaum daß es in die Grube gefallen war. Aber es reichte für zwei Tage, wenn man es briet. Zum Braten aber brauchte man Feuer, brauchte man Holz.

Boris hatte in einem Felsental eine kleine Baumgruppe entdeckt. Windzerzauste, niedrige Kiefern, den Latschen der Alpen ähnlich. Sie bildeten ein undurchdringliches Dickicht von etwa fünfzig Metern im Kreis, ein grüner Fleck in dem unendlichen Weiß und den glatten, himmelansteigenden Felsen.

Aus diesem ›Wald‹ heraus hieb Boris die Zweige und dünnen Stämmchen für ihr Feuer. Den erfrorenen Hasen in der Hand stand Natascha Trimofa an einer Ecke des ›Waldes‹ und sah ihm zu. Das Knacken des brechenden Holzes war der einzige Laut in der glasklaren schneeigen Stille.

Verwundert fuhr Natascha zusammen, als sie jemand von hinten an der Schulter berührte. Sie warf sich herum mit dem Gedanken, von der Militärpatrouille entdeckt worden zu sein. Dann aber verzog sich ihr schmales Gesicht zu hellem Entsetzen, sie riß den Mund auf, um zu schreien, aber es war nur ein ersticktes Röcheln, das die zusammengekrampfte Kehle durchließ.

Vor ihr stand ein Bär.

Ein mittelgroßer, braunzottiger Bär mit kleinen Eiszapfen an dem langen Fell, spitzer Schnauze, mit Schnee besprenkelt, als habe er unter der Schneedecke nach Nahrung gesucht. Die kleinen, ausdruckslosen Augen starrten Natascha an.

»Boris«, schrie Natascha noch einmal. Jetzt war es endlich ein Schrei . . . er gellte durch die Stille und riß den an einem kleinen Kiefernstamm sägenden Boris herum.

Aber auch der Bär zuckte von dem Schrei zusammen. Unwillig

schmatzte er mit der Schnauze, richtete sich dann auf und warf seine Vordertatzen Natascha entgegen.

Die Ärztin wich zurück. Mit den Spitzen der Krallen erwischte sie der Bär noch und riß ihr die Steppjacke über der Brust auf.

»Zurück!« brüllte Boris aus den Büschen. »Laufen Sie, Natascha. Ich bin gleich bei Ihnen.«

Er rannte durch das Getrüpp, das lange Messer weit vorgestreckt. Natascha Trimofa wandte sich um und rannte. Hinter ihr setzte der Bär wieder an ... er jagte in Sprüngen nach, lautlos, federnd, den schweren Körper über den Schnee schnellend, als sei er nicht mehrere Zentner schwer, sondern leicht wie eine Gazelle.

Boris rannte wie ein Irrer. Er sah, wie der Zwischenraum sich verringerte, er konnte sich ausrechnen, wann der Bär die durch den knietiefen Schnee stolpernde Natascha erreicht haben würde.

»Ziehen Sie die Jacke aus und werfen Sie sie ihm hin!« schrie er. »Das lenkt ihn ab!«

Verzweifelt versuchte Natascha Trimofa, während des Laufens die dicke Steppjacke auszuziehen. Sie hatte den linken Ärmel schon frei, als sie über ein Eisstück stolperte und in den Schnee fiel, mit dem Gesicht nach unten.

Boris schwang beide Arme wie Flügel durch die eiskalte Luft. Dabei schrie er ... gellend, schrill, langgezogen, um den Bären auf sich abzulenken. Natascha warf sich herum und zog die Beine an.

Als der Bär über ihr war, trat sie mit voller Wucht und beiden Beinen gegen seinen Unterleib.

Mit mächtigem Gebrüll richtete sich der Bär wieder auf. Er warf die Vordertatzen in die Luft, als wolle er nach Boris drohen ... dann ließ er sich über Natascha fallen und hieb mit der rechten Pranke in ihren Oberschenkel ... immer und immer wieder, immer auf die gleiche Stelle, eine Handbreit über dem Knie.

Natascha schrie einmal auf ... dann lag sie wimmernd unter den Prankenschlägen, bis alles um sie herum verschwamm und sie als letztes nur noch die spitze, schneebesprenkelte Schnauze sah und die kalten, ausdruckslosen Augen, die zu blinzeln schienen, während die Pranke ihr das Bein zerfetzte.

Brüllend wie ein Stier hatte Boris den Bären erreicht. Mit dem langen Messer stach er ihm in den Nacken und zog das Messer mit beiden Händen herunter. Blut schoß aus dem zotteligen Fell, der Nackenmuskel quoll aus dem Schnitt hervor, als sich der Bär brummend aufrichtete. Unter ihm lag Natascha Trimofa mit verzerrtem Gesicht und aufgerissenem Bein. Das Blut spritzte aus der Wunde ... um sie herum gab es keinen Schnee mehr ... sie schwamm in einem roten See.

Auf den Hinterbeinen schwankend stürzte der Bär auf Boris Horn. Mit aufgerissener Schnauze, mit schnaubenden Lauten und einem tiefen Grollen, das aus dem Inneren der breiten Brust quoll, versuchte er, sich auf Boris zu werfen.

Boris wich zurück. Er lockte den Bären von Natascha weg ... dann duckte er sich blitzschnell, unterlief die erhobenen Pranken und stieß das lange Messer mit beiden Händen und sich mit dem ganzen Gewicht seines Körpers dagegenwerfend in die Brust des Bären. Mit dem gleichen Schwung warf er sich seitlich in den Schnee und rollte sich weg.

Ein unheimliches Brüllen zitterte durch die Eisluft. Mit blutroten Augen, schwankend, die Tatzen um sich werfend, stand der Bär im Schnee. Dann knickte er in den Knien ein, fiel auf die Seite, drückte die Pranken gegen den Messergriff, als könne er ihn aus der Brust ziehen, und begann dann, mit ohrenbetäubendem Wimmern gegen die Brust zu trommeln. So verendete er abseits der ohnmächtigen Natascha, seufzend, brüllend, sich hin und her wälzend und doch nicht mehr die Kraft in den Beinen, sich aufzurichten, um den Menschen zu vernichten, der an ihm vorbeirannte und sich über die Ärztin beugte.

Aus der zerfetzten Schlagader spritzte noch immer das Blut. Boris griff mit beiden Händen zu und drückte sie gegen die Wunde. Das Blut rann ihm über die Hände, als halte er sie unter einen Wasserhahn. Da riß er seine Steppjacke vom Körper, zerfetzte sein Hemd, riß es in Streifen und knüpfte sie aneinander. Mit einem Streifen band er über dem zertrümmerten Unterschenkel das Bein ab und drehte mit einem Knebel den Hemdstreifen so fest um den Oberschenkel, bis die Schlagaderblutung aufhörte. Dann drückte er die anderen Streifen in die grauenhafte Wunde und verband sie, so gut er es konnte.

Noch einmal sah er zu dem Bären. Er lag still auf der Seite. Boris wußte nicht, ob er schon tot war ... die Augen waren offen und starrten ihn ausdruckslos an.

Vorsichtig hob er Natascha Trimofa auf, legte sie über seine nackte Schulter, deckte seine Steppjacke über ihren schmalen Körper und hielt mit der linken Hand das Bein fest, das nur an ein paar Sehnen hing und bei jedem Schritt hin und her pendelte.

Nach zwei Stunden schwankte Boris in die Höhle. Sein nackter, von der Kälte blauer Oberkörper war mit feinen Eiskristallen überzogen, gefrorener Schweiß, der, kaum daß er aus den Poren drang, zu Eis erstarrte.

Er stolperte zwischen den apathisch auf dem Felsboden liegenden Pferden in das Innere der Höhle, wo Erna-Svetlana vor dem erkalteten Feuer saß, eingerollt in das Fell, das der Sojoten-Noyon ihnen mitgegeben hatte.

»Bor!« schrie sie leise auf, als sie den halbnackten Mann hereinschwanken sah. »Bor! Was ist denn?! O Gott! O Gott! Natascha.«

Sie wollte den leblosen Körper anfassen und griff in Blut und Fleischfetzen, hart gefroren und doch glitschig.

Boris ging in die Knie und schob den Körper Nataschas vorsichtig auf den Boden und auf die Decke, die neben dem Aschenhäufchen lag. Ohne Worte riß er Erna-Svetlana den Pelz von den Schultern und deckte ihn über die Trimofa. Dann erst richtete er sich auf und schlug mit beiden Händen gegen seine nackte, vereiste Brust, mit schmerzverzerrtem Gesicht und hohlen, wie abgestorbenen Augen.

»Ein Bär«, keuchte er unter seinen eigenen Schlägen, die die Eiskristalle von der Haut hieben. »Ein Bär ... ihr Bein ist zerfetzt ... die Schlagader ... Wir müssen sofort zu dem Lager der Rotarmisten ... Sie sind acht Werst weit entfernt.« Er sah zu Boden, als ihn der Blick Erna-Svetlanas traf. Er wußte, was sie dachte und nicht aussprechen wollte. Mehrmals nickte er.

Ja, Svetla, hieß das. Ja, es ist das Ende. Nicht die Menschen haben uns besiegt, sondern die Natur und die Tiere. Hier ist der weiteste Punkt der Freiheit ... wir haben das Glück gehabt, den Wind zu sehen, zu riechen und zu fühlen, der herüber kommt von einem freien Land ... wir haben das Glück gehabt, von der Freiheit zu träumen ... wir haben alles gehabt, was einen Menschen selig macht: Ein gemeinsames Ziel in das Morgen.

Nun geht es zurück ... in ein Lager, unter die Peitsche der Aufseher, unter die Stiefel und Tritte der Block- und Barackenführer, vielleicht auch vor einen Pistolenlauf, der sich kalt in deine Nackengrube bohrt und aus dem mit einem dumpfen Laut die Erlösung für immer kommt.

Er kniete wieder an der Seite Nataschas nieder und ergriff die schlaffen Hände Erna-Svetlanas.

»Wir müssen tapfer sein, Svetlana«, sagte er stockend. »Jetzt hört das Denken auf, und das Dulden beginnt.« Er lächelte verzerrt. »Beides fängt mit einem D an ... es verändert sich nicht viel ...«

Svetlana schob das Fell zurück. Sie sah das zerrissene Bein und den mit dem Hemdstreifen abgebundenen Oberschenkel, der blau und aufgequollen war.

»Wir müssen Holz haben, Bor.«

»Holz. Ja, Holz!«

Er rannte aus der Höhle, er taumelte durch den Schnee und den aufkommenden Wind zurück in die Schlucht, wo er das Holz geschlagen hatte, bevor der Bär kam. Keuchend, mit dem Gefühl, die Welt drehe sich um die Spitze des Felsens vor ihm, erreichte er das Kieferngehölz.

Der Bär lag vor ihm. Eine blutige Schleifspur zeigte den kurzen Weg, den er verendend zurückgelegt hatte.

Er war bis zu der Blutlache gekrochen, in der Natascha Trimofa gelegen hatte.

Und es war, als habe er sterbend noch das Blut seines Opfers geleckt . . .

Als das Feuer neu entfacht war und die ersten Flammen zischend und mit beißendem Qualm die Höhle erleuchteten, schlug Natascha Trimofa die Augen auf und starrte in den zuckenden Feuerschein.

Sie rührte sich nicht, ihr bleiches Gesicht blieb ausdruckslos, trotz der wahnsinnigen Schmerzen, die sie bei ihrem Erwachen aus der Besinnungslosigkeit empfinden mußte. Nur mit der Hand tastete sie nach dem zerrissenen Bein und strich mit den Fingern den Oberschenkel hinab, stockte einen Moment an der Abbindung und tastete dann weiter bis zu den zerfetzten Muskeln und zerspitterten Knochen. Ihre Augen wurden groß und weit, der Mund öffnete sich wie eine aufbrechende Erdspalte.

»Die Schlagader, Bor?« fragte sie leise.

»Ja, Natascha Trimofa.« Boris schluckte und biß sich auf die Lippen. Erna-Svetlana kam mit heißem Wasser und wusch die Stirn und das Gesicht der Trimofa.

»Bor wird zu den Soldaten gehen und dich abholen lassen.«

»Nein!« Natascha hob die Hand und versuchte, sich aufzurichten. Dabei schleifte die Wunde über den Boden. Mit einem ächzenden Laut, der mehr einen unterdrückten Schrei glich, sank sie zurück. »Nicht zu den Rotarmisten. Soll denn alles umsonst gewesen sein?«

»Das Bein —« Boris sah auf seine Hände.

»Es müßte abgenommen werden. Ich weiß es. Aber es bleibt dran, und ihr zieht weiter!«

»Das ist doch unmöglich.« Svetlana legte kalte, nasse Lappen auf den abgebundenen Oberschenkel. »Was soll denn mit Ihnen geschehen?«

»Laßt mich liegen und flieht weiter.«

»Sie wissen genau, Natascha Trimofa, daß wir das nicht tun«, sagte Boris laut.

»Weil ihr unheilbare Idealisten seid. Aber Idealismus in Rußland ist Idiotie! Keiner dankt ihn euch!«

»Sprechen wir nicht weiter darüber!« Boris deckte die Trimofa wieder zu.

»Man wird dich als Mörder Borkins verurteilen, Bor!«

Boris schwieg. Er sah hinaus in die beginnende Nacht und den

Sturm, der den Schnee wieder über die Pferdeleiber in die Höhe trieb.

»Wenn es dir gleichgültig ist, dann denke an Svetla!«

»Ihr wird nichts geschehen!«

»Was man dir tut, trifft auch sie! Sie liebt dich ...«

Natascha Trimofa richtete sich wieder auf. Ihr Gesicht verzerrte sich ... das abgerissene Bein, der abgebundene Oberschenkel, der ganze Körper brannte wie Feuer. Erna-Svetlana beugte sich über sie und drückte sie wieder auf das Fell.

»Sie müssen ganz ruhig liegen, Natascha Trimofa. Bor wird gleich Hilfe holen, wenn der Schneesturm etwas nachläßt.«

»Er darf es nicht! Er darf es nicht!« Die Trimofa tastete nach dem Instrumentenkasten. »Such eine Spritze heraus, Boris«, sagte sie stöhnend. »Zeig mir den Kasten.«

Svetlana hielt ihr den großen Blechkasten hin. Mit zitternden Fingern tastete Natascha nach dem Spritzenbehälter, nahm den Glaskolben heraus, setzte eine Nadel ein und zerbrach eine Ampulle mit einem schmerzstillenden Opiat, die sie aus einer kleinen flachen Schachtel nahm. Mit letzter Kraft zog sie die Spritze auf und hielt sie Boris entgegen.

»Stoß es mir in den gesunden Schenkel«, sagte sie. Ihre Stimme war klein, zerflatternd, wie ein sterbendes Vögelchen, das aus dem Nest gefallen war.

Boris schob die Decke zurück. Er bemühte sich, die schreckliche Wunde nicht zu sehen und den aufgequollenen, abgebundenen Oberschenkel. Mit Jodtinktur, die ihm Svetlana anreichte, pinselte er die Einstichstelle ein und nahm dann die Spritze.

»Keine Angst. Stoß hinein, Bor.« Natascha schloß die Augen. Ihr wurde übel ... schwarze Schatten zogen vor ihren Augen vorbei. So ist das Sterben, dachte sie. So ist das Geheimnis des Weggleitens in das Vergessen ... die Welt wird dunkel und leicht und kaum noch hörbar.

Den Einstich spürte sie kaum, nur ihre Haut zuckte aus dem Reflex heraus. Langsam drückte Boris die wasserhelle Flüssigkeit in das Fleisch. Noch während er injizierte, schlief Natascha Trimofa ein. Der Blutverlust ließ ihre Kräfte verfallen, ihre gelblichweiße Haut sah aus, als würde sie gar nicht mehr mit Blut gespeist werden.

Die ganze Nacht saßen Boris und Erna-Svetlana neben der schlafenden Natascha. Als sie zu phantasieren, als ihr Kopf zu glühen begann und sie sich hin und her wälzte, im Delirium wimmerte und unverständliche Worte stöhnte, versuchte Boris, die Abbindung zu lockern.

Aber kaum hatte er den Hemdstreifen etwas gelockert, als das

Blut wieder mit rhythmischen Schlägen aus der Wunde spritzte. Schnell zog er den Knebel wieder fester.

»Sie verblutet uns«, sagte er leise, als könne es die Trimofa noch hören. »Wir müssen zu den Soldaten, Svetla. Ganz gleich, was daraus wird . . . wir dürfen nicht mehr an uns denken.«

»Ich weiß es, Bor.« Erna-Svetlana senkte den Kopf. Ihre goldenen Haare waren strohig, verfilzt und schmutzig. Sie sah armselig aus. Boris schnürte es die Kehle zu. »Es war ein Fehler, zu denken, daß wir die Freiheit erreichen. Sie werden mich zu lebenslänglicher Zwangsarbeit verurteilen, Svetla . . .«

»Ich weiß es. Aber ich bleibe bei dir . . .«

»Sie werden es nicht zulassen.«

Der Kopf Erna-Svetlanas sank tief auf ihre Brust. Mit geschlossenen Augen, die Hände im Schoß verkrampft, saß sie da.

»Vielleicht tun sie es, wenn ich deine Frau bin und ein Kind erwarte.«

»Ein Kind —« Boris tastete nach der Schulter Svetlas. »Wie solltest du ein Kind bekommen?«

»Es ist noch Zeit bis zum Morgen, Bor. Wir sind allein . . .« Sie sah auf die schlafende Trimofa. »Niemand sieht uns . . . nur Gott! Und er wird uns segnen dafür . . .«

»Svetla . . .« Boris umklammerte ihre schmale Schulter. »Svetla . . . warum kann es nicht anders sein? Warum müssen wir das Glück verraten, um im Unglück leben zu können?!«

»Wir dürfen nicht fragen, Bor.« Sie legte sich zurück auf ihre Decke und streckte die Arme weit zur Seite. »Komm, Bor . . . Ich bin deine Frau — und will es immer sein . . .«

Zögernd, mit Augen, in denen Tränen standen, beugte sich Boris über das blasse, in der Dunkelheit verschwimmende Gesicht Svetlanas.

»Wie wunderschön habe ich einmal von unserem Glück geträumt«, sagte er mit erstickender Stimme. »Wie schön sollte dieser Augenblick werden —«

»Ist er nicht herrlich?« Sie schlang ihre schmächtigen Arme um seinen zitternden Hals. »Wir sind allein . . . draußen heult der Schneesturm, das Feuer umflackert uns, um uns herum ist herrliche Freiheit . . . was wollen wir mehr, Bor?«

Er nickte stumm und küßte ihre kalten Lippen.

Es war eine lange Nacht.

Als der Morgen kam, lagen sie nebeneinander, Hand in Hand, und weinten. Sie wußten nicht, ob es Trauer oder Glück war . . .

Mit dem Morgendämmern ließ auch der Schneesturm nach.

Boris stand bei den Pferden und wußte nicht, was er tun sollte. Sie waren zu schwach, um aufzustehen und die acht Werst bis zu der Militärstation zu laufen. Sie jetzt schon zu erschießen, brachte er aber nicht übers Herz.

Während Erna-Svetlana die ohnmächtige oder noch immer schlafende Natascha Trimofa in das Fell wickelte, vorsichtig, ganz sacht das zerfetzte Bein mit zwei abgeschabten Kiefernstämmchen schienend, kniete Boris neben dem Kopf seinen goldenen Pferdes und streichelte ihm die vereisten Nüstern.

Er sah dabei weg, denn er konnte nicht in die Augen des Pferdes blicken. Als es begann, seine Hand zu lecken, zog er sie weg und hatte das Gefühl, schreien zu müssen. Er sprang auf und trat hinaus in die weiße Felsenschlucht.

Der Himmel war blau und wolkenlos. Blendend schien die Sonne und warf die Felsen als blaue Schatten auf den Schnee. Es war ein herrlicher Tag, windstill und durch Kristalle verzaubert.

»Wir können gehen, Bor.« Die Stimme Erna-Svetlanas riß Boris herum. Sie stand hinter ihm, ein Kopftuch um die gelben Haare, unförmig in ihrer Steppjacke und den Stepphosen, aber mit einem Gesicht, das von innen heraus glücklich war, als habe die vergangene Nacht sie verzaubert.

»Und die Pferde, Svetla?«

»Ich werde für sie sorgen. Nimm du Natascha auf die Schulter ...«

Boris ging zurück in die Höhle, legte die Trimofa vorsichtig auf seine Schulter und tappte dann durch den Schnee die Schlucht hinauf, der Grenze entgegen und der Militärstation, die für ihn das Ende seines Lebens bedeutete.

Svetlana blieb zurück. Sie sah Boris nach, bis er um die erste Biegung des Weges gegangen war. Dann wartete sie noch ein paar Minuten, nahm das Gewehr, das sie in der Höhle zurückgelassen hatte und ging hinüber zu den Pferden.

Als die Schüsse durch die weiße Stille peitschten, zuckte Boris zusammen, als habe man ihn getroffen. Er blieb stehen und sah in den blauen, sonnenglitzernden Himmel.

So stand er unbeweglich, bis Erna-Svetlana neben ihm war und das Kopftuch aus der Stirn schob.

»Komm, Bor«, sagte sie stockend. »Jetzt hält uns nichts mehr zurück.«

Schweigend gingen sie weiter, durch kniehohen Schnee, über glatte, vereiste Felspartien. Stolpernd und rutschend, ab und zu anhaltend und nach Luft ringend, die dünner wurde, je mehr sie den Hohlweg emporstiegen, quälten sie sich die acht Werst hinauf in die Felsen, wo die Station der Grenzwache sein mußte.

Als sie nur noch zwei Werst weit entfernt waren, ging Erna-Svetlana langsamer. Verwundert sah sich Boris nach ihr um.

»Was ist, Svetla?«

Sie sah hinauf in den blauen, sonnengrellen Winterhimmel; und die Felsengrate leuchteten wie Gold.

»Es sind unsere letzten zwei Werst, Bor«, sagte sie leise. »Danach wird nichts mehr sein —«

Boris schwieg. Er blieb stehen, Wehmut und Wut vor dem unentrinnbaren Schicksal würgten in seiner Kehle. Wie armselig sind wir Menschen doch, dachte er. Wie grenzenlos armselig.

»Vielleicht läßt man uns zusammen«, sagte er heiser. »Wenn du ein Kind bekommst . . .« Er schwieg weiter, überwältigt von der Erinnerung an die Höhlennacht, die sie verbrachten, neben sich die stöhnende und röchelnde Natascha Trimofa mit einem Bein, das nur an einigen Fetzen und Sehnen hing.

Sie nickte. »Ich habe immerwährend zu Gott gebetet. Laß es ein Kind werden, mein Gott. Laß es ein Kind werden . . . Er wird mich erhört haben.«

Langsam gingen sie weiter. Den Bergweg hinauf, fast der Sonne entgegen, die grell zwischen zwei Felsen auf sie niederschien.

Plötzlich sahen sie den Rauch der Station. Wie dünne Nebelfäden flatterten drei Rauchsäulen in den Himmel. Es schien, als kämen sie aus dem Schnee, so wie Sumpfnebel aus dem Boden aufsteigen, Geistern gleich. Erst als sie näher kamen, sahen Boris und Svetlana die niedrigen Holzhütten, halb zugeschneit, mit in den Schnee gegrabenen Gängen, die zu den Türen führten.

»Es ist soweit«, sagte Svetlana. Ihre Stimme klang wie immer . . . geduldig, hell, fast kindlich.

Boris Horn nickte. Er umklammerte den Körper auf seiner Schulter und ging weiter.

»Komm!« sagte er mit rauher Stimme. »Gehen wir unseren Weg bis zum Ende. Wir haben nichts mehr zu verlieren . . . wir sind schon außerhalb von Wünschen und Hoffnungen.«

Als sie die Eingänge der Hütten genau sehen konnten, begannen sie zu rufen.

»Heij!« riefen sie. »Hilfe! Hilfe!«

In den Türen tauchten Pelzmützen und breite Gesichter auf. Ein Mann in einem dicken Wolfsfellmantel kam ihnen ein Stück entgegen.

»Sanitäter!« brüllte er, als er die Gestalt auf Boris' Schulter sah.

Svetlana sah nicht die Fellmütze und den roten Stern, der auf sie genäht war. Sie empfand keine Angst vor dem Kommenden.

Menschen, dachte sie nur. Endlich wieder Menschen.

Mögen sie menschlich sein —

»Wie ist es gekommen?« fragte der junge Leutnant, der die Grenzstation befehligte.

Er stand neben dem Feldscher am Tisch, auf den man Natascha

Trimofa gelegt hatte. Hilflos sah der Sanitäter auf das zerfetzte Bein, den geschwollenen Oberschenkel und den Hemdstreifen, mit dem die riesige Wunde abgebunden war. Auch er hatte versucht, die Abbindung zu lösen, und war von einem Blutstrom überschüttet worden.

»Ein Bär«, sagte Boris.

»Wann?«

»Gestern mittag.«

»Und warum kommen Sie erst jetzt?«

Boris schwieg und sah den Leutnant stumm an. Dieser fing den Blick auf und sah zu Boden.

»Ach so! Fernziel Indien?«

»Ja.«

»Immer dasselbe! Die Dummheit stirbt erst aus mit dem letzten Menschen. Glaubten Sie jemals, Indien zu erreichen?«

»Wenn man keine andere Hoffnung hat als diese, glaubt man es, Leutnant.«

Der Feldscher deckte eine Decke über die Beine Nataschas.

»Ich kann nichts machen«, sagte er. »Sie wird sterben. Soll ich ihr ein Spritzchen geben?«

»Hast du nicht gelernt, ein Bein abzunehmen, du Idiot?« fauchte der Leutnant den Sanitäter an.

»Das schon, Genosse Leutnant. Aber ich habe kein Amputationsmesser, keine Säge, keine Klemmen ... ich kann doch nicht mit einem Küchenmesser ...«

»Nein, das kannst du nicht. Das konnten nur die deutschen Plenny-Ärzte.«

Man gab Natascha eine schmerzstillende Spritze und wartete ab.

Nach zwei Stunden erwachte sie endlich aus ihrer Bewußtlosigkeit. Sie sah um sich, erkannte die Uniform, spürte die herrliche Wärme des Raumes und schüttelte leicht den Kopf, als Svetlana und Boris an den Tisch herantraten.

»Warum?« sagte sie leise. »Es ist doch alles umsonst ...«

»Wie fühlen Sie sich, Genossin?« fragte der junge Leutnant. Der Kopf Natascha Trimofas sank zur Seite.

»Ich bin Natascha Trimofa, ehemaliger Kapitän der III. Brigade, 3. weißrussische Front, zuletzt Distriktärztin in Judomskoje.«

Der junge Leutnant biß sich auf die Unterlippe.

»Sie kennen Ihren Zustand, Natascha Trimofa?«

»Ja.« Natascha hob den Kopf. »Stützen Sie mich etwas ... vielleicht kann ich es sehen ...«

»Ich würde nicht —« Der Leutnant dachte an den gräßlichen Anblick des Beines. »Wir haben alles getan, was wir konnten.«

»Und das ist wenig ... ich weiß es. Lassen Sie mich sehen.«

Der Leutnant winkte. Der Sanitäter und Boris stützten Natascha. Sie legten ihre Arme unter ihren Rücken und schoben ihren Oberkörper langsam empor, bis sie fast saß. Dann klappte der Leutnant die Decke zurück.

Natascha Trimofa sagte nichts, als sie ihr Bein sah. Der Unterschenkel war eine breiige, vom Frost nochmals getötete Fleischmasse, durchsetzt von gesplitterten Knochen. Der Oberschenkel, über der Abbindung aufgequollen wie ein aufgeblasener Ball, sah glasig und unheimlich aus.

Mit den Fingerspitzen drückte Natascha auf die pralle Haut oberhalb der Abbindung. Deutlich, allen vernehmbar, knisterte es unter ihr, als sei sie aus Pergament.

»Wissen Sie, was das ist?« fragte sie den Sanitäter, der sie stützte.

»Ja, Genossin.«

»Gasbrand! Amputieren Sie sofort.«

»Womit? Ich habe nichts.«

»Wenn Boris meinen Kasten mitgenommen hat . . .«

»Das habe ich, Natascha«, rief Boris dazwischen.

». . . dann haben Sie alles da. Amputationsmesser, eine Gigli-säge, Arterienklemmen, ein Steckskalpell, Narkotika . . . alles.« Sie legte sich zurück auf den Tisch und starrte an die Holzbalkendecke. Sie spürte, wie ihr Herz schwerer schlug und das Gefühl der Lähmung in sie hinein kroch. Zu spät, dachte sie. Viel zu spät. Es ist nicht mehr aufzuhalten.

»Den Stumpf spalten sie weit und tief«, sagte sie mit noch klarer Stimme. »Schneiden Sie weit ins Gesunde hinein und spalten Sie alle Muskeln . . .«

»Fang schon an!« schrie der junge Leutnant den Feldscher an, der unschlüssig vor dem Kasten stand, den Erna-Svetlana neben Natascha auf den Tisch gestellt hatte.

Vor den Augen Nataschas verschleierte sich die Welt. Sie sah Boris' Kopf, frei schwebend im Raum. Die Augen Svetlanas wanderten über sie wie Sterne, und ihre goldenen Haare waren wie zarte Wolken in der untergehenden Sonne von Kasakstan.

»Wie schön«, sagte sie leise, aber deutlich. Der Sanitäter, der gerade die Abbindung lockerte, zuckte zusammen.

»Mach schon, du Hornochse«, zischte der Leutnant.

Der Feldscher nahm das lange Amputationsmesser aus dem Kasten, hob die Schultern und setze es oberhalb des Kniegelenkes an.

Dann schnitt er . . . es knirschte, als die Schneide über den Knochen fuhr, und es war grauenhaft, als er mit der Giglisäge das Bein abschnitt, als durchsäge er einen morschen Baumstamm. Während er die freiliegenden Adern abklemmte, um später die

Ligaturen zu setzen, fegte er mit dem Ellenbogen das abgeschnittene Bein einfach vom Tisch auf die Erde.

Mit einem dumpfen Laut fiel es auf den Fußboden, vor die Füße des jungen Leutnants. Ein Frauenbein, das einmal schön und schlank gewesen war und über das vielleicht einmal die Hand eines verliebten jungen Mannes geglitten war, und eine selige Stimme gesprochen hatte: Wie schön du bist . . .

Zwei Stunden später starb Natascha Trimofa.

Sie starb an dem Gasbrand, den niemand mehr aufhalten konnte.

Erna-Svetlana saß bei ihr neben dem Strohbett. Als der Todeskampf begann, nahm sie ihre Hände und hielt sie fest, bis der letzte Atemzug pfeifend von den Lippen kam und der Leib sich streckte, das Gesicht sich entspannte und die Losgelöstheit des Überirdischen über den Körper Nataschas glitt.

Von Boris hatte sie seit der Operation nichts mehr gehört.

Er stand in der Nebenhütte vor dem jungen Leutnant und wurde bereits verhört.

Das Leben ging weiter. Man hält sich in Rußland nicht bei unwichtigen Episoden auf.

»Ihr kommt morgen noch weg«, sagte der junge Leutnant hart. »Ich will auf meiner Station keine Mörder haben!«

Es war für Stephan Tschetwergow eine ungeheure Überraschung, als er bei der morgendlichen Durchsicht der Protokolle auf die Namen Boris Horn und Erna-Svetlana Bergner stieß.

Sie standen mitten in einem Bericht des NKWD, mitten unter vielen anderen Namen, als seien sie nichts Besonderes.

»Das kann unangenehm werden«, sagte Tschetwergow laut zu sich und kaute an dem Ende seines Bleistiftes. Er dachte an den beantragten Schadenersatz Andreij Boborykins und die Möglichkeit, daß durch die Aussagen der beiden einige böse Dinge in die Ohren Moskaus kommen konnten: Die falsche Natascha Trimofa, die Gott sei Dank gestorben war, der arme Fedja, der als Mörder Borkins galt, die Zerstörung der Hütte im Sumpf, die sinnlos war, da ja Fedja als Mörder galt . . . Tschetwergow bekam einen roten Kopf und einen heißen Schüttelfrost und rief zunächst Ilja Sergejewitsch Konjew an.

»Brüderchen«, sagte er freundlich. »Es geht dir an den Kragen. Boris und Svetlana, unsere Täubchen, sind wieder da!«

»Bring sie um!« schrie Konjew am anderen Ende der Leitung. Er saß an seinem Schreibtisch und kam sich vor wie ein Herzkranker kurz vor dem endgültigen Schlag.

»Das wird nicht gehen, Brüderchen. Es gibt eine neue Akte über sie. Und wenn in Rußland etwas in den Akten steht, muß schon die Welt untergehen, ehe man es vergißt.«

»Ich hänge mich auf«, sagte Konjew heiser. »Es wird alles herauskommen. Aber ich sage Ihnen eins, Genosse Tschetwergow: Alles geschah unter Ihren Augen! Alles geschah mit Ihrem Willen. Sie sind mein Vorgesetzter. Ich handelte nur in Ihrem Auftrag.«

»Sie sind ein schönes Schwein, Konjew! Ihre Blödheit —«

»Ich habe mich nur der noch größeren Blödheit gebeugt! Wer hat die Hütte Boborykins zerstören lassen? Wer hat gesagt: ›Nehmen wir den kleinen idiotischen Fedja als Mörder. Ehe es jemand merkt, ist Fedja nicht mehr auf der Welt!‹ Wer hat's gesagt, Genosse? Und wie konnte ich widersprechen, Genosse? Sie sind mein Vorgesetzter. Auf der Parteischule haben wir gelernt: Ein Befehl ist ohne Widerspruch! Der Vorgesetzte hat immer recht — dafür ist er der Vorgesetzte. Ich kam mir vor wie in Deutschland, Genosse —«

Stephan Tschetwergow legte den Hörer auf.

Es wurde gefährlich, das wußte er. Das vergeudete Leben von zwei kleinen Menschen — man konnte sie ja zu Reaktionären erklären — war nicht wichtig. Aber es gab in Moskau nichts Schlimmeres als den Begriff Unfähigkeit. Wer unfähig war, sein Amt zu bekleiden, war ebenso gefährlich für den Staat wie ein Trotzkist. Er wurde liquidiert, denn Dummheit ist die Trichine im Leib der Diktatur.

Tschetwergow unternahm etwas, was abseits aller seiner Pflichten lag: Er besuchte Boris und Svetlana im Gefängnis von Alma-Ata.

Um dies zu erreichen, erfand er das Märchen vom Testament.

»Als Iwan Kasiewitsch Borkin erschlagen war«, erzählte er dem Kommissar des NKWD von Alma-Ata, »fanden wir ein Testament, Genosse Gorodny. Wir haben das Haus durchsucht nach Spuren und fanden es in der linken Schublade seines Schreibtisches. In diesem Testament stand: ›Wenn mir etwas zustoßen sollte, bitte ich den Genossen Stephan Stephanowitsch Tschetwergow, sich der kleinen Erna-Svetlana Bergner anzunehmen.‹ Nun war es ihm zugestoßen, Genosse. Aber sein Letzter Wille ist mir wie ein Befehl ... Sie können Ilja Sergejewitsch Konjew, den Dorfsowjet von Judomskoje, fragen. Er hat es auch gelesen.«

Kommissar Gorodny hatte keine Veranlassung, die Darlegungen eines so bekannten Mannes wie Tschetwergow anzuzweifeln. Nur vom Weltanschaulichen her hatte er rege Bedenken.

»Ein Testament?« fragte er gedehnt. »Wie kam Borkin dazu, ein Testament zu machen? Das sind doch pseudoreligiöse und bourgeoise Regungen.«

»Er war eben ein Dichter«, sagte Tschetwergow und hob den

Blick an die Decke. »Ein großer Dichter und Freund Stalins. Er schwebte in höheren Sphären. Kennen Sie seine Hymne auf den Stahlhammer der Stalingrader Eisenwerke? ›Hammer, Untier, glitzernd saust du nieder auf mein glühend Herz —‹«

Gorodny winkte ab, schnell, verlegen und emsig. Er hatte Hunger, es war 1 Uhr mittags, und außerdem kannte er weder die Hymne auf den Eisenhammer Borkins, noch interessierte er sich für Dichtung oder gar Lyrik. Seine einzige Freude war es, seine Untersuchungsgefangenen so lange singend im Kreise marschieren zu lassen, bis der letzte umfiel und die Beine und Arme von sich streckte wie ein sterbender Hund.

»Sie wollen mit Svetlana Bergner sprechen?«

»Genau das, Genosse. Der Mörder ist ja gefaßt worden. Es war der blöde Fedja von der Datscha Borkins. Man tut Svetlana unrecht ...«

»Aber dieser Boris Horn hat doch gestanden, daß er Borkin erschlagen hat!«

»Gestanden! Er hatte Hunger, wollte zu fressen haben und gestand, um in die gute Gefängnisverpflegung zu kommen. Wir kennen das doch, Genosse Gorodny. Im Winter frißt er sich rund, und im Frühjahr, sobald die Sonne scheint, widerruft er alles und hat ein wundervolles Alibi. Er wird dann herauskommen aus dem Gefängnis und bestaunt werden als Märtyrer.« Tschetwergow wischte sich über seinen Tatarenbart. Dabei merkte er, daß er trotz der Winterkälte schwitzte. »Ich werde Svetlana zu einem vernünftigen Geständnis bewegen, Genosse Gorodny. Auch Ihnen bleibt damit viel Arbeit erspart.«

So kam Stephan Tschetwergow zu seinem Papierchen, das ihn berechtigte, in der Zelle des Gefängnisses mit Boris und Svetlana zu sprechen und sie im Auftrage der Partei zu verhören.

Es wurde leider eine kurze Unterredung, denn Boris Horn sagte zu allem nein.

»Ich habe gestanden«, sagte er hart. »Ich lüge nicht. Unseretwegen ist Natascha Trimofa gestorben, verreckt wie eine tollwütige Füchsin! Was kommt, ist die Sühne für alles, was ich getan habe.«

»Was hast du denn getan, du Idiot?« sagte Tschetwergow erregt. »Du hast ein Schwein abgeschlachtet! Borkin war ein Lump, ein Mädchenschänder, ein Dorn im Fleisch von Mütterchen Rußland. Du hast ihn herausgezogen, den Dorn. Wo ist da Schuld, Genosse Boris? Du mußt nicht Dinge sehen, die andere gar nicht wahrhaben wollen! Und im übrigen haben wir den Mörder ja längst.«

»Das ist nicht wahr!« Boris starrte den breit grinsenden Halbtataren an. »So gemein könnt ihr nicht sein, einen Unschuldigen zu bestrafen.«

»Er ist schon tot, Brüderchen«, kicherte Tschetwergow.

»Noch ein Toter!« Boris lehnte den Kopf gegen die kalte Wand seiner Zelle. Weit zurückgelehnt saß er da, als blicke er in die Ferne. »Ich werde auch dieses Unrecht wiedergutmachen müssen.«

Ärgerlich verließ Tschetwergow die Zelle. Er nahm sich vor, mit Genosse Gorodny zu sprechen. Unter vier Augen, bei einem guten Wodka oder Krimsekt.

Genosse Gorodny aber war ein fader Bursche. Er soff zwar den Wodka Tschetwergows, aber er war nicht zu bewegen, ein oder gar beide Augen zuzudrücken und die beiden Gefangenen der Partei zu übergeben.

»Ich bin Moskau gegenüber verantwortlich, Brüderchen«, lallte er und rülpste. »Sie sind keine einfachen Muschiks, die man beliebig verschwinden und wieder auftauchen lassen kann. Sie haben den Freund des großen Stalin –«

Tschetwergow winkte ab. »Denk an später, Brüderchen. Auch Stalin wird einmal alt.«

»Es sind Mörder!« sagte Gorodny halsstarrig.

»Sollen sie nach Moskau kommen?«

»Nein! Sie werden hier abgeurteilt.«

»Du weißt es genau?«

»Ja. Mit sechzig anderen Banditen! Es geht schnell, Genosse. Sie haben ja gestanden.«

Wütend sah Tschetwergow gegen Morgen den Genossen Gorodny wegfahren. Er hatte seinen Wodka umsonst geopfert, denn wenn der Prozeß in Alma-Ata stattfand, kam die Akte nie der Zentrale in Moskau zu Gesicht. Dafür zu sorgen, war eine Kleinigkeit.

Am nächsten Morgen rief er Ilja Sergejewitsch Konjew an.

»Es ist alles in Ordnung«, sagte er mit gleichgültiger Stimme. »Keiner von ihnen wird sprechen.«

»Bleibt nur noch Boborykin.« Konjew seufzte. »Er gibt keine Ruhe wegen der Hütte.«

»Ich werde ihn wegbringen lassen«, sagte Tschetwergow hart.

Konjews Stimme klang traurig. »Das geht nicht, Genosse. Sobald er drei Tage nicht gesehen wird, sendet eine uns unbekannte Person einen dicken Brief nach Moskau. Es ist Erpressung, ich weiß es . . . aber tun Sie mal etwas dagegen, wenn –« Er sprach nicht den Satz zu Ende, aber Tschetwergow verstand ihn auch so.

»Es ist ein schlimmes Leben, Ilja«, seufzte er. »Wir sind umgeben von Ratten und Wölfen! Gut, bauen wir dem Boborykin eine neue Hütte. Das Geld wird verbucht unter ›Anschaffung eines neuen Dorftraktors‹.«

»Und wenn eine Kontrolle kommt?«

Tschetwergow seufzte noch einmal. »Wer soll denn anders kontrollieren als ich, du Idiot?« rief er.

Befriedigt legte Konjew in Judomskoje den Hörer auf.

Die Verhandlung vor dem Gericht in Alma-Ata war kurz, wie es Genosse Gorodny gesagt hatte.

Innerhalb von fünf Minuten wurde Boris Horn wegen Mordes an dem Dichter der Nation und Stalinpreisträger Iwan Kasiewitsch Borkin zum Tode verurteilt. Da die Todesstrafe aber abgeschafft war — vor allem aber deshalb, weil man kräftige junge Männer zu bestimmten Arbeiten dringend brauchte —, wurde er zu lebenslanger Zwangsarbeit begnadigt.

Boris Horn nahm das Urteil gelassen hin. Es hatte ja keinen Sinn, sich aufzulehnen. Er hatte gemordet ... was ihn zu dieser Tat veranlaßte, überging das Gericht mit der zynischen Feststellung, daß der Werdegang eines Mädchens zur Frau natürlich sei und es Millionen Mordtaten gäbe, wenn alle so reagieren wollten wie Boris Horn.

Für Erna-Svetlana kam der Schuldspruch ebenfalls nicht überraschend. Sie hatte ihn erwartet, und sie ertrug ihn mit einer Festigkeit und einer Willenskraft, die keiner ihr zugetraut hatte.

Drei Monate hatte man auf den Prozeß warten müssen ... als die Verhandlungen begannen, lag auf dem Tisch des Volksrichters ein Zeugnis des Gefängnisarztes, daß die Erna-Svetlana Bergner schwanger sei und der Vater Boris Horn hieße.

»Sie standen ganz unter dem Einfluß des Mörders, Genossin«, sagte der Richter. Er war ein feister, alter Kommunist, der mit Tschetwergow seit zwei Monaten fast jede Nacht soff und sich in diesem Augenblick daran erinnerte, wie man sich eine solche hohe Freundschaft erhalten kann. »Ihr Wille zur Flucht aus der Sowjetunion entsprang seinem Kopf. Man könnte Sie als das zweite Opfer dieses Lumpen ansehen, zumal er Sie in Ihrer Wehrlosigkeit mißbraucht hat und das tat, wofür er einen anderen umbrachte. Ein sauberes Früchtchen!« Ehrliche Empörung verschleierte seine Stimme. »Die Anklage gegen Sie ist fallengelassen.«

Als man Boris aus dem Gerichtssaal führte, sah er sich noch einmal nach Erna-Svetlana um. Sie stand an der Tür und winkte ihm schüchtern zu. Ihr goldenes Haar lag offen über ihren Schultern. Wie ein Engel, den man wegschleppt aus dem Paradies, sah sie aus.

»Svetla«, stammelte er. »O Svetla —«

»Dawai!« brüllte der NKWD-Posten, der Boris mit dem Karabiner in den Rücken stieß. »Schau nicht zu den Weibern, Hund ...

Wo du hinkommst, sind Frauen so unerreichbar wie 100 000 Rubelchen ...«

Vor der Treppe des Gerichtes stand Erna-Svetlana und sah über das Leben der Straße zu ihren Füßen. Tausende von Menschen fluteten vor ihr vorbei ... Mongolen, Kasaken, Kalmücken, Russen, Sojoten, Chinesen, Kirgisen, Tataren und Rotarmisten aller Völkerstämme. Frauen in bunten Kopftüchern und weiten Bauernröcken oder in eleganten Großstadtkleidern mit Hüten, wie sie Svetlana noch nie gesehen hatte. Autos wanden sich hupend durch die Menge, Eselskarren ratterten vorüber ... still, wie nach dem Rhythmus einer unhörbaren Musik, schwankten zehn Kamele, hoch beladen mit Säcken und Ballen, an der Treppe vorbei.

Menschen – Menschen – Menschen –

Sie würden auch vorübergehen, wenn Svetlana schreien würde: Hört doch! Bleibt doch stehen! Dort drinnen hat man meinen Boris zu lebenslanger Zwangsarbeit verurteilt!

Sie ging um das große Gerichtsgebäude herum ... stundenlang, immer rund herum, als sei in ihr ein Karussell, das sie antrieb. Erst gegen Abend öffneten sich die großen Eisentüren an der Rückseite des Hauses. Drei schwere Lastwagen fuhren heraus.

Auf ihren Ladeflächen standen dichtgedrängt und bewacht von einigen Rotarmisten mit angelegten Maschinenpistolen neunzig der Verurteilten. Frauen und Männer, sogar halbe Kinder, die mit großen, ungläubigen, noch nicht begreifenden Augen in die beginnende Dunkelheit starrten und sich aneinander festklammerten, um bei den Kurven nicht umzufallen.

Erna-Svetlana lehnte sich gegen die weiße Wand des riesigen Gebäudes und suchte nach dem Gesicht Boris'. Die Wagen fuhren langsam ... sie mußten aus dem Tor in die Hauptstraße einbiegen und verringerten ihre Geschwindigkeit.

Im letzten Wagen sah sie ihn endlich. Boris lehnte mit dem Rücken an dem Aufbau des Führerkastens ... er ragte mit seiner hohen Gestalt einen ganzen Kopf weit aus der Menge der anderen Verurteilten heraus.

Erna-Svetlanas Arme fuhren weit vor, als der Wagen an ihr vorbeirollte.

»Bor!« schrie sie. »Bor! Ja ljublju!« (Ich liebe dich).

Der Kopf Boris' zuckte herum. Er sah die neben dem Wagen herrennende Svetlana und streckte beide Hände nach ihr aus.

»Svetla!« schrie er grell über den Motorenlärm hinweg. »Vergiß mich nicht! Zieh unser Kind groß und sage ihm, daß sein Vater immer an es denken wird!«

Die Wagen fuhren schneller. Mit wehenden goldenen Haaren, den Rock mit beiden Händen über die Knie haltend, rannte Svetlana neben dem Wagen her, keuchend, stolpernd ... sie warf sich vor und hob den Kopf immer wieder zu Boris empor, der vorgebeugt auf sie herunterstarrte.

»Bor — ja ljublju!« schrie sie grell, mit letzter, keuchender Kraft.

»Wjätschnij! Wjätschnij!« (Ewig, ewig) schrie Boris zurück.

»Bor!!«

Sie stürzte noch einige Schritte voran, dann blieb sie stehen, mitten auf der Straße, mit hocherhobenen Armen, ein lebend gewordener Aufschrei.

Noch einmal sah sie den Kopf Boris' aus der Menge auf dem Wagen ragen, sie sah seine Arme, winkend, als gehe es zu einer Reise fort ... dann ratterten die schweren Wagen in die Nacht hinein ... in die Unendlichkeit des Vergessens ...

Ein alter Mann, es war ein Kirgise, blieb bei Svetlana stehen und legte ihr die Hand auf die zuckende Schulter.

»Komm, Tochter«, sagte er leise. »Du kannst bei mir weinen und schlafen. Ich habe einen Sohn in Perwo-Uralsk. Ich habe fünf Wochen geweint. Ich kenne es ...«

Willenlos ließ sich Erna-Svetlana führen. Sie spürte nicht die Hand des alten Mannes, der ihre schlaffe, kalte Hand ergriff und sie mitzog ... sie sah nicht die anderen Menschen oder die Häuser, an denen sie vorbeigingen.

Sie sah nur das schmale, blasse Gesicht Boris' und hörte seinen Schrei über das Lachen der Rotarmisten und das Donnern der Motoren hinweg.

»Ewig — ewig —«

Und es war herrlich, zu begreifen, was Ewigkeit bedeutete.

Liebe —

Am Fuße des riesigen, wilden Altai-Gebirges, des gewaltigen Felsenriegels zwischen Südsibirien und der Mongolei, liegt die Stadt Ust-Kamenogorsk.

Sie ist eine Stadt wie alle anderen Städte dieser Gegend, halb russisch, halb mongolisch, ein Schmelzkessel aller asiatischen Völkerrassen und ein Gewirr von Sprachen, Dialekten und Kulturen. Nur eines ist gemeinsam: Der bolschewistische Gedanke und die Bilder von Stalin und Lenin an den Wänden aller Behördenzimmer, in den staatlichen Läden und an den Fassaden der öffentlichen Gebäude.

Und noch etwas hebt die kleine Stadt Usk-Kamenogorsk aus den anderen Städten am Altai heraus ... südlich von ihr, bereits in den Vorläufern des gewaltigen Bergmassivs, liegen die großen Straflager der Verurteilten, die riesigen Gruften der lebenden Toten ... umgeben von drei Meter hohen, fast endlos scheinenden Holzmauern, deren einzige Unterbrechung die Tore und die wie auf Stelzen stehenden hölzernen Wachttürme sind. Auf ihnen stehen die Rotarmisten hinter den Maschinengewehren, von ihnen kreisen in der Nacht die Scheinwerfer über die Baracken der Lagergruppen und über die staubigen Appellplätze.

Lager III/2398 . . . eine Zahl, die keiner kennt auf dieser Erde.

Um dieses Lager herum liegen die steinernen Baracken der Wachmannschaften, die Magazine, die Küchen, die Lagerhallen, die Gruben, in denen man auf russische Art die Kartoffeln und den Kapusta einlagert. Sogar ein Bordell hat man eingerichtet . . . im amtlichen Sowjetjargon heißt es schlicht: Wohnhaus der Küchenhilfen. Es sind junge mongolische oder halbmongolische Mädchen, breithüftig, drall und flachgesichtig, die den Rotarmisten Vergessen schenken und die Trauer wegnehmen, hier am Rande von Mütterchen Rußland einige tausend elende Gestalten zu bewachen.

Menschen, die nur aufrecht gehen wie Menschen, aber die aussehen wie Gespenster oder die grausamen Geister aus der Unterwelt, wie sie Zar Iwan im Wahnsinn auf sich zukommen sah.

Eine unter diesen lebenden Leichen war Boris Horn.

Gleich nach seiner Ankunft im Straflager Ust-Kamenogorsk war er von der Lagerärztin untersucht worden. Nackt mußte er vor ihr stehen . . . sie betastete seine Muskeln wie bei einem Hengst, sie klopfte seine Brust und seinen Rücken ab, betrachtete den gebräunten Körper mit sichtlichem weiblichem Wohlgefallen und sagte mit leisem Bedauern, pflichtgemäß und merklich zögernd:

»Rabota! Rudnik!« (Arbeit! Bergwerk!)

Boris kam in Baracke V, Lager II. Oberleutnant Sergeij Pantalonowitsch Kaljus befehligte es, ein junger Offizier, der Kiew als Unteroffizier mit erobert hatte und der die Deutschen glühend haßte, weil es in der *Prawda* stand und für ihn alles richtig war, was von Moskau aus in diesen Winkel der Welt gebracht wurde.

Er betrachtete Boris, der nach dem Empfang armseliger, zerlumpter Wäsche und Kleider, die von einem Gestorbenen stammten, sich auf seiner Holzpritsche einrichtete, und warf den schmalen Kopf in den Nacken.

»Ein deutsches Schwein bei uns!« sagte er so laut, daß sofort alle in der Baracke schwiegen und hinüberstarrten zu Boris. »Wirklich — ein Deutscher!« Sergeij Pantalonowitsch Kaljus sah sich zu den anderen um. »Wenn hier echte Russen leben, wissen sie, was zu tun ist!«

Mit knallenden Schritten verließ er die Baracke. Die vier Soldaten, die an der Tür mit angelegten Maschinenpistolen standen, folgten ihm klappernd. Nie betritt ein sowjetischer Soldat oder Offizier allein eine Baracke von Verurteilten . . . wo es ein paarmal geschehen war, kam niemand mehr heraus. Trotz allen Suchens fand man nicht einen Krümel des Verschwundenen ... es geht das Gerücht, daß die Arbeitskommandos den Körper in winzigen Teilen in den Taschen hinaustrugen in den Altai und dort in der Wildnis, in den Wäldern, im Bergwerk oder auf den Feldern verstreuten.

So etwas sprach sich herum in ganz Rußland, von Lager zu Lager. Es wird in Rußland nie mehr ein Lager geben, in dem ein Soldat allein durch die Baracken geht ...

Die anderen Verurteilten schwiegen, bis Oberleutnant Kaljus die Baracke verlassen hatte. Dann spuckte der Barackenälteste aus und kam auf Boris zu.

»Keine Angst, Bruder«, sagte er so, daß es alle verstanden. »Wir haben nur einen Feind ... und das ist die Menschheit jenseits des Zaunes! Wir hier in der Hölle sind ein Fleisch und ein Gedanke!« Er hielt Boris die breite, schwielige Hand hin, Zeugnis von jahrelanger Arbeit im Bergwerk. »Willkommen, Boris, bei den Toten.«

Mit bebender Hand schlug Boris ein. Er sah sich um ... Gesichter wie aus einem Gruselbuch ... bärtig, verfallen, schmal oder aufgedunsen, faltig oder wie Pergament.

»Wer seid ihr?« fragte er.

»Alles Lebenslängliche, Bruder.«

»Politische?«

»Idioten und Mörder ... die ganze Skala der Menschheit. Wer bisher nicht wußte, was der Mensch ist, der lernt es hier sehen und erkennen.« Er setzte sich auf das untere Bett und sah zu Boris empor. »Wie hat Genossin Kolzwoskaja dich eingestuft?«

»Bergwerk.«

»Ein Teufelsweib, was, Bruder?«

»Ich habe sie nicht angeschaut.«

»Sie aber dich, mein Junge. Sie ist aus auf Männer, die noch Kraft in den Knochen haben. Laß dir erzählen, was hier los ist. Ich bin jetzt sieben Jahre hier und habe viel gesehen. Wenn du Glück hast und dich nicht dumm stellst, kannst du mit ihr schlafen!«

»Nie!« sagte Boris fest.

»Hört euch den Idioten an!« rief der Barackenälteste. »Die Kolzwoskaja hat Gefallen an ihm, und er will nicht!« Er sprang vom Bett auf und packte Boris an den Schultern. »Hör einmal zu, du Edeljunge: Wenn die Kolzwoskaja will, daß du bei ihr schläfst, dann tust du es! Für uns, mein Junge! Sie gibt dir Brot, Butter, Wurst, Schüsseln mit Kasch, Hirse und Sojabohnen in Tomatentunke. Sie gibt dir sogar Wodka, um dich bei Laune zu halten und dir Kraft in die Lenden zu zaubern! Sie gibt dir alles, wenn du wie ein Hirsch bist ... und die ganze Baracke hier kann von dir leben!

Hörst du ... die ganze Baracke rettest du vor dem Tode, uns allen gibst du einige Wochen, oder Monate oder gar Jahre mehr Leben, wenn du kein Idiot bist!«

»Ich habe eine Frau, die ein Kind bekommt«, schrie Boris.

»Wir alle haben Frauen und Kinder, und wir kröchen ins Bett der Kolzwoskaja, wenn sie uns nur winkte ...« Der Barackenälteste legte den Finger unter Boris' gesenkten Kopf und schob ihn empor. Als Boris in die Augen des Mannes schaute, wußte er, daß es kein Scherz war, was er sagte.

»Wenn du nein sagst, bringen wir dich um, du Heiliger — hast du verstanden?«

»Ja —«, sagte Boris heiser. Seine Kehle war trocken wie nach zehn Stunden Wüstenwanderung.

»Und was sie dir gibt, bringst du mit und gibst es uns?!«

»Ja —«

»Das ist ein Schwur, uns allen gegenüber.«

»Ja —«

»Nun gut.« Der Barackenälteste entfernte sich zur Tür. »Jetzt bleibt uns nur übrig, zu warten, ob die Kolzwoskaja ausgehungert genug ist, sich an dich zu erinnern ...«

In der Nacht, der ersten im Lager III/2398 von Ust-Kamenogorsk, lag Boris auf seinem Holzbett und starrte schlaflos an die Decke. Er hatte Angst vor dem Morgen. Ein Sanitäter war gekommen und hatte ihn zur Typhusuntersuchung zur Kapitänsärztin bestellt. 9 Uhr morgens ...

Es war der gleiche Tag, an dem Erna-Svetlana als Hilfskraft in die Lagerwäscherei kam.

Zehn Tage lang war sie in Alma-Ata herumgeirrt, nachdem sie die Nacht bei dem Kirgisengreis verbracht hatte, auf einem Fellbett, wie sie in den Jurten stehen. Sie lief von Behörde zu Behörde, sie ging sogar zum NKWD, hinein in die Höhle des Löwen, und wurde vom Genossen Gorodny mit dünnen Worten abgefertigt.

»Boris Horn? Boris Horn?« sagte er, als müsse er sich erst erinnern. »Wissen Sie, Genossin ... es gehen mir täglich hundert Namen durch die Finger. Wie soll ich mich da an einen Boris Horn erinnern?«

»Sie wissen auch nicht, wo Boris hingekommen ist?«

»Nein, Genossin.«

»Aber wer weiß es denn? Einer muß es doch wissen? Er kann doch nicht einfach verschwunden sein, und keiner weiß, wohin!«

»Warum nicht? Es geschieht viel Wundersames in Mütterchen Rußland. Aber ich kann Ihnen nicht helfen.« Gorodny hob die Schultern und nahm demonstrativ die *Prawda* von der Tischplatte, um darin zu lesen.

Verstört, hilflos, ängstlich stand Erna-Svetlana eine Stunde später vor Stephan Tschetwergow. Sie hatte lange gezögert, zu ihm zu gehen, aber die Angst um Boris trieb sie schließlich in das Büro des tatarischen Distriktkommissars.

»Boris ist in Ust-Kamenogorsk«, sagte er gemütlich und rauchte eine seiner süßen chinesischen Zigaretten. »Ein Lager am Rande der Welt. Es gibt dort Bleibergwerke, in denen die Menschen bei lebendem Leib zu Mumien werden. Es hat keinen Zweck, auf ihn zu warten ... begnadigt wird er nicht! Es ist Anweisung ergangen, Boris Horn als Mörder Borkins besonders zu ›betreuen‹. Du weißt, was das heißt?«

»Ja.«

»Du bekommst ein Kind von ihm?«

»Ja. Deshalb will ich in seiner Nähe sein.« Sie sank auf einen Stuhl und schlug die Hände vor die Augen. »Sie haben soviel Macht, Genosse Tschetwergow«, schluchzte sie. »Sie kennen soviel Menschen ... kann ich nicht zu Boris nach Ust-Kamenogorsk?«

»Unmöglich!« Tschetwergow schüttelte den Kopf. »Das Lager ist streng bewacht. Nur ganz schwere Fälle kommen hinein ...«

»Ich soll Boris nie wiedersehen?« sagte Erna-Svetlana leise. Als sie den Kopf hob, erschrak Tschetwergow. Ihre Augen waren leer, starr und fast ohne Farbe.

»Nie —«, antwortete Tschetwergow stockend.

Wortlos sah ihn Svetlana mit diesen toten Augen an. Dann sank sie vom Stuhl auf den Dielenboden, als habe ihr Körper keine Knochen mehr und falle in sich zusammen.

Tschetwergow ließ sie liegen und griff zum Telefon. Er rief den Genossen Gorodny an und sprach fünf Minuten mit ihm.

Boris Horn ist weg, dachte er dabei. Aber auch Svetlana kann gefährlich für uns werden, wenn sie zu sprechen anfängt. Sie weiß genausoviel wie Boris, und es sind Dinge, die man in Moskau nicht gerne hört.

»Gut, Gorodny«, sagte Tschetwergow ins Telefon. »Sorge dafür, daß sie irgendwie in die Hilfsbaracke kommt. Als Küchenmädchen oder Wäscherin, von mir aus auch ins Bordell! Sie macht alles, nur um bei Boris zu sein. Ich schicke sie nachher zu dir.«

Eine halbe Stunde später war Erna-Svetlana wieder bei dem Genossen Gorodny. Er empfing sie jetzt höflicher, ließ ihr einen Fruchtsaft holen und betrachtete sie vor allem genauer. Fürs Bordell ist sie zu schmächtig, dachte er. Ich weiß nicht, was das alte Schwein von Tschetwergow an ihr findet. Sie ist dürr wie eine Bohnenstange, nur die Haare sind herrlich. Aber die vollgefressenen Kerle in Ust-Kamenogorsk wollen ja keine Haare haben, sondern etwas Handgreiflicheres. Hol's der Teufel — irgendwo wird man sie schon unterbringen müssen.

So kam Erna-Svetlana in das Lager III/2398 und wurde von einem dicken Frauenzimmer mit geschlitzten Augen, der Vorsteherin der Wäscherei, mit einem bösen Blick empfangen.

»Lieblingskind aus Alma-Ata?« sagte sie, als sie die Papiere studiert hatte. »Von der Zentrale eingewiesen? Willst wohl ein bißchen spitzeln, was?« Die Dicke warf die Papiere auf den Tisch und stemmte die Hände in die fetten Hüften. »Du weißt anscheinend nicht, wo du bist. Hier im Lager gibt es keine Gesetze mehr von draußen ... wir haben unsere eigenen Gesetze! Hier gibt es keinen Stalin und keine NKWD, keine Rote Armee und keine Norm ... hier gibt es nur das Gesetz des Überlebens. Und wenn du jetzt anfängst, hier herumzuschnüffeln und es nach Alma-Ata meldest, bist du eines Tages in der Mistgrube erstickt. Verstanden?«

Erna-Svetlana wich zur Wand zurück. Das verzerrte, fette Gesicht der Wäschereileiterin flößte ihr Grauen ein.

»Aber ich will doch nur —«, stotterte sie mit versagender Stimme.

»Du willst gar nichts! Ich will! Das allein ist hier wichtig! Ich will! Ich, Olga Puronanskija. Und damit du es im voraus weißt: Anzeigen bei den Offizieren geht nicht. Sie alle waren bei mir im Bett. Es gibt hier niemanden, der dir helfen würde, wenn du den Mund aufmachst! Verstanden?«

»Ja, Olga Puronanskija.«

»Man nennt mich gosposha!« (Herrin)

»Ja, gosposha —«

»Gut.« Die Dicke lächelte schwach. Kleines, blondes deutsches Biest, dachte sie. Ich kriege dich klein wie eine blutarme Wanze. Hier spionieren für die Genossen in Alma-Ata! Das hat es in Ust-Kamenogorsk noch nie gegeben. Und erst recht nicht im Lager III/2398! »Du kannst sofort anfangen«, sagte sie im Kommandoton. »Du kommst zum Kesselkommando! Melde dich bei der Vorarbeiterin.«

»Ja, gosposha.«

Erna-Svetlana ging die Gassen zwischen den Baracken entlang. Sie roch frisches Brot ... die Bäckerei. Sie sah die große Küchenbaracke. Ein hoher gemauerter Schornstein wies ihr den Weg zur Wäscherei. Sie lag neben dem Kesselhaus für die Heizung. Aber alle Wirtschaftsbaracken standen außerhalb des hohen Holzzaunes, hinter dem der Bereich des Straflagers begann.

Bevor sie das Kesselhaus betrat, blieb Erna-Svetlana stehen und sah hinüber zu den hohen Holzpalisaden. Dort lebt Boris, dachte sie. Dort irgendwo, in einer dieser Baracken, hat er sein Bett ... dort schläft er, dort ißt er, dort träumt er von Erna-Svetlana und dort wird er sterben, wenn er nicht im Bleiberg vor die Hunde geht oder sich aus Verzweiflung den Schädel an der Barackenwand einrennt oder in das Feuer der Rotarmisten auf den Wachttürmen rennt.

In der Wäscherei sah die Vorarbeiterin das junge, schmächtige Mädchen erstaunt an, als sie sich meldete.

»Zur Kesselkolonne?« fragte sie.

»Ja.«

»Weißt du, was das bedeutet?«

»Nein!«

»Alle drücken sich vor dieser Kolonne. Nur die ganz schweren Fälle, die Bestrafungen oder die Weiber, die Olga auf dem Magen liegen, kommen dahin. Zehn Stunden mußt du in den Waschdämpfen stehen ... Tag um Tag ... zehn Stunden im feuchten Dunst, bis du selbst ganz aufgeweicht bist und einer Wasserleiche gleichst. Was hast du der fetten Olga getan?«

»Nichts. Ich bin eben erst angekommen aus Alma-Ata.«

»Aha!« Die Vorarbeiterin lächelte breit. »Die Olga hat Angst. Alles, was neu kommt, kann ein Spitzel sein. Olga verschiebt nämlich Wäsche.«

»Wäsche?«

»An die Nomaden, ja. Wäsche von Toten. Täglich sterben im Lager fast dreißig oder vierzig Männer. Diese Sachen läßt sie von uns mitwaschen und verkauft sie. Der Lagerleitung meldet sie: Wäsche war schadhaft und zerfiel bei der Wäsche. Und die Lagerleitung glaubt es, denn die Offiziere und Olga ... na, du wirst es noch sehen. Das hier ist ein fröhliches Leben, wenn du einem der Offiziere gefällst.«

Svetlana schüttelte den Kopf. Etwas wie Vertrauen zu der Vorarbeiterin hatte sie erfaßt. »Ich habe meinen Mann im Lager. Ich bin schwanger ...«

»Ach so.« Die Vorarbeiterin zog Svetlana mit sich fort in eine Ecke der Waschhalle. Sie setzten sich auf einen großen Schemel und sahen hinüber zu den dampfenden Kesseln, in denen die Wäsche kochte und vor denen einige halbnackte Mädchen und Frauen standen und in der Lauge rührten ... immer rund, wie Maschinen, wie aufgezogen, mit langen, hölzernen Knüppeln. Sie sahen mit ihrer weißen, aufgedunsenen Haut in den Kochschwaden wie tanzende Gespenster aus.

»Deine Kolonne«, sagte die Vorarbeiterin.

Svetlana nickte. Angst und ersticktes Weinen drückten ihr die Kehle zu. »Ob ich ihn einmal sehen kann?« fragte sie nach einer ganzen Weile Schweigens.

»Deinen Mann? Vielleicht, wenn er draußen in der Halle bei den Leichen liegt. Alle drei Tage kommt ein Lastwagen und fährt die nackten Leiber weg. Irgendwo im Altai soll eine riesige unterirdische Höhle sein, wo man sie einfach hineinkippt wie leere Konservendosen. Meistens müssen wir den Toten die Sachen ausziehen, damit Olga ihr Geschäftchen machen kann. Bestimmt wird sie dich auch dazu nehmen.«

Svetlana fröstelte es, trotz der ungeheuren feuchten Hitze, die in der großen Waschhalle lag. Sie faltete die Hände und schloß die Augen. Laß es nie zu, mein Gott . . . laß es nie zu . . .

Die Vorarbeiterin stieß Svetlana an. »Betest du?«

»Ja . . .«

»Hier hilft kein Gott mehr –«

»Er wird es tun, denn er ist überall.«

»Es gibt ihn außerhalb von III/2398. Draußen vor dem Tor steht ein großes Schild, das wir nicht sehen: Eintritt für Gott verboten! Es ist mit Knochen geschrieben, die man mit Blut zu Buchstaben aneinanderleimte.«

Erna-Svetlana sah langsam auf. Der Blick der Vorarbeiterin war starr und geradeaus gerichtet, so, als blicke sie durch die Mauern des Kesselhauses hindurch in eine unendliche Ferne.

»Wer bist du?«

»Eine begnadigte Strafgefangene.«

»Und vorher?«

»Professorin für neuere Philosophie in Leningrad.«

Eine starke Schelle gellte durch die Halle. Zischend strömte aus den geöffneten Hähnen die heiße Lauge in einen großen Auffangbehälter. Die Kessel wurden abgelassen . . . die zweite Kolonne, die Spülerinnen, wartete schon an den langen Trögen mit kaltem, fließendem Wasser, das von einer Naturquelle mit langen Rohren in die Halle geleitet wurde.

»Komm«, sagte die Vorarbeiterin. Sie stand auf und zog Erna-Svetlana mit sich empor. »Komm! Wenn Olga kommt – und sie wird kommen –, mußt du schon am Kessel stehen. Ich zeige dir am Abend dein Bett und deinen Schrank.«

Fünf Stunden stand Erna-Svetlana am Kessel und rührte. Sie bemerkte Olga nicht, die kurz hineinschaute und zufrieden nickend wieder ging. Und sie sah auch Boris nicht, der aus dem Lager hinausgeführt wurde zu der Kapitän-Ärztin Wanda Kolzwoskaja.

Zwei Bewacher mit Maschinenpistolen begleiteten ihn bis zur Tür des Lagerlazaretts . . . dort blieben sie zurück und ließen den Gefangenen allein eintreten.

Sie lachten und drehten sich eine Zigarette.

Andreij Boborykin bekam seine neue Hütte.

Genauer gesagt erschien eines Tages bei ihm Ija Sergejewitsch Konjew und sagte:

»Ich habe Nachricht vom Genossen Tschetwergow, du alter Gauner! Du sollst deine Hütte neu bauen und dann die Kosten bei mir einreichen. Aber versuche nicht, uns übers Ohr zu hauen. Das wäre Sabotage an staatlichen Geldern und kostet dich 10 Jahre Lager! Wir werden alles genau nachprüfen.«

»Wie ist es mit einem Vorschuß, Ilja?«

Konjew verzog das Gesicht. »Vorschuß ist eine westlich-dekadente Einrichtung . . .«

»Ab und zu sind sie auch nachahmungswürdig«, stellte Boborykin fest.

»Stell einen Antrag in Moskau, Andreij . . .«

Knurrend entfernte sich Boborykin und begann, von den Bauern mit Traktoren dicke Baumstämme an den Rand seines Sumpfes schleppen zu lassen. Dann lieh er sich ein starkes Pferd, jagte alle weg und zog die Stämme einzeln über unbekannte Wege weiter in den Sumpf hinein. Er hatte sich eine neue, etwas größere Insel inmitten des Schilfes und schwappenden Bodens gesucht, weiter entfernt vom Waldrand und schwerer für Minenwerfer und leichte Artillerie zu erreichen. Vor allem begann er, sein Haus gegen Fliegereinsicht zu tarnen, indem er Bäume und Büsche über das Dach zog und wie unter einem großen grünen, wogenden Baldachin wohnte.

Konjew, der den Bau betrachten wollte, um die Kosten abzuschätzen, verirrte sich im Sumpf und wurde in letzter Minute vor dem Versinken gerettet.

»Du neugieriger Affe!« schrie Boborykin, als er Ilja Sergejewitsch aus dem Sumpf gezogen hatte und mit ihm auf einem Baumstumpf saß. »Was machst du hier? Spionieren, was? Nein, Brüderchen . . . diesesmal bekommt ihr den Andreij nicht mit euren Kanönchen und Fliegerchen . . . diesesmal ist es aus mit den Überraschungen.«

In Judomskoje erwartete man in den nächsten Tagen den neuen Pächter der Datscha Borkins. Es sollte ein berühmter Kommunist sein, der einige Sinfonien über die Kolchosen, eine Oper über das Plansoll und einige Hymnen auf die Partei komponiert haben sollte. Er lebte bisher außerhalb Moskaus, am Rande von Babuschkin, wo die Wälder beginnen und die Liebespaare des Sonntags in den Büschen kichern.

Konjew und Marussja, die in der herrenlosen Zeit die Datscha mit drei anderen Knechten verwalteten, hatten die Einfahrt mit Girlanden geschmückt und neue Blumen in die Blumenkästen auf der Veranda gepflanzt, als der neue Herr mit einem großen Auto vorgefahren kam.

Er war ein wenig dick, aufgedunsen und kurzsichtig, kletterte aus dem Auto, besah sich die Girlanden und die Blumen und winkte Konjew zu.

»Girlanden sind westliche Begrüßungsmethoden«, sagte er mit rauher Stimme. »Weg damit!«

»Genosse Stalin wird überall mit Girlanden und Blumen empfangen«, protestierte der erbleichende Konjew.

»Ich bin nicht Stalin, sondern Piotr Alexandrowitsch Tagaj«, sagte der neue Herr der Datscha. »Ich liebe nichts Auffälliges. Ich will nur meine Ruhe haben.«

»Dann wird es eine laute und aufregende Zeit«, flüsterte Konjew seiner Marussja zu. »Ich vermute, sie haben ihn von Moskau abgeschoben, damit er hier unbemerkt verfault.«

»Ich bin müde von der Reise.« Piotr Tagaj wischte sich über die ergrauenden Haare. »Ich komme morgen zu Ihnen, Genosse Konjew, um die Formalitäten zu erledigen. Ich danke Ihnen.«

»Und das Fest?« fragte Konjew nach einem Rückenpuff seiner Marussja.

»Welches Fest?«

»Es ist in unseren Gegenden so üblich, daß ein neuer Datschaherr uns ein Fest zur Freude seines Einzuges gibt. Genosse Borkin tat es auch . . .«

»So? Hm!« Tagaj stülpte die Unterlippe vor. Er sah aus wie ein küssender Schimpanse. »Ich habe dazu keine Zeit. Aber ich werde in der stolowaja von Judomskoje ein Klavierkonzert mit eigenen Werken geben.«

Konjew und Marussja fuhren mit ihrem Pferdewagen zurück zu ihrer Hütte. »Nie!« sagte Konjew laut, als er außer Hörweite der Datscha war. »Nie! Mit eigenen Werken?! Wenn seine Musik so ist, wie er aussieht, bricht unsere ganze Kultur in Judomskoje zusammen.«

»Wie alt bist du?« fragte die Kolzwoskaja.

Sie saß auf einer Art Sofa am Fenster, beobachtete ein Reagenzglas, das über einem Bunsenbrenner in einem Klammergestell hing und in dem eine trübe Flüssigkeit zu kochen und zu brodeln begann. Boris Horn stand vor ihr an der Tür, an das Holz gedrückt, als könne er ihr entfliehen, wenn er sich durch die Tür preßte.

»Einundzwanzig Jahre, Kapitän.«

»Wie jung!«

Sie musterte Boris so eingehend und frech, daß er spürte, wie Röte in sein Gesicht stieg. Er nahm allen Mut zusammen und trat einen Schritt vor.

»In einem Jahr werde ich hier aussehen wie hundert Jahre. Das wissen Sie.«

»Darum bist du ja auch hier.«

»Was wollen Sie von mir?«

»Ich will mit dir sprechen. Weiter nichts.« Wanda Kolzwoskaja nahm mit einer Klammer das Reagenzglas aus der Bunsenflamme und hielt es gegen das Sonnenlicht, das durch die Gardine in den Raum flutete wie ein goldener Fluß. »Ich dachte es mir ... er simuliert«, sagte sie zu sich selbst. »Ich werde ihn für diesen Betrug in die tiefste Bleisohle stecken.«

Sie legte das Reagenzglas weg und löschte den Bunsenbrenner. Boris biß die Lippen aufeinander.

»Er hat bestimmt nur ein paar Tage Ruhe gewollt«, sagte er heiser.

Die Kolzwoskaja fuhr herum. »Wer?«

»Der, von dem Sie sprechen. Der arme Hund, der simuliert, um ein paar Tage lang der Hölle dort unten im Berg zu entfliehen. Er ist ein Mensch wie Sie und ich ... weiter nichts. Ein Mensch! Es ist so unverständlich niedrig, daß Menschen sich gegenseitig so behandeln ...«

»Oho!« Die Kolzwoskaja setzte sich wieder auf das Sofa. »Kleine defätistische Propagandareden?«

»Ich habe nichts mehr zu verlieren, Kapitän. Ich bin ein Lebenslänglicher.«

»Ich weiß.« Die Ärztin nickte. »Ich habe deine Papiere studiert. Darum ließ ich dich rufen. Du kanntest Natascha Trimofa?«

»Ja.« Boris riß die Augen auf. Die Kolzwoskaja sah hinaus auf die Lagergassen. Ihr schwarzes, ungepflegtes Haar leuchtete in der Sonne wie poliertes Ebenholz. Sie war nicht hübsch ... aber ihr etwas grobes, breites Gesicht war interessant ... es war wie eine Brücke, die in Asien begann und in Europa endete.

»Hatte sie einen schweren Tod?«

»Einen grausamen. Gasbrand ...«

»Und sie starb, um dir zu helfen?«

»Ja. Sie bereitete die Flucht vor. Und wir wären durchgekommen, wenn der Bär nicht gewesen wäre.«

Die Kolzwoskaja nickte wieder. »Chotschesch kuschatj?« fragte sie. (Willst du essen?)

»Nein«, sagte Boris. Er dachte an seine Barackengenossen und an ihre Worte: Wenn sie dir etwas gibt, bring es mit. Schwöre, daß du es mitbringst. Und wenn du bei ihr geschlafen hast, nimm mit, was du kriegen kannst. Oft nimmt sie einen wie uns nur einmal oder zweimal ... dann kommt ein neuer Transport mit frischeren Männern. »Ich habe keinen Hunger«, sagte er rauh.

»Ich vergifte dich nicht.«

Sie griff seitlich in einen kleinen Schrank neben dem Sofa und schob eine hölzerne Platte auf den Tisch. Sie war mit einigen Broten und Wurststücken belegt, mit Käse und zwei Birnen.

Sie hat alles vorbereitet, durchfuhr es Boris. Er wich wieder bis zur Tür zurück und starrte die Ärztin an.

»Ich habe eine Frau, die ein Kind bekommt«, sagte er heiser vor Erregung. Es war ihm, als habe er keinen Speichel mehr im Mund und die Kehle wäre ausgetrocknet und sandig.

»Ich hatte, mußt du sagen.« Die Stimme der Kolzwoskaja war gleichgültig, fast nüchtern. »Wer hier ist, hat nichts mehr. Er träumt nur noch von draußen. Aber von Träumen wird man nicht satt . . .«

»Vielleicht nicht der Körper. Aber die Seele —«

»Die Seele!« Die Kolzwoskaja dehnte sich auf dem Sofa. Ihre Brüste spannten die grüne Bluse. Sie waren rund und groß und paßten nicht zu den schlanken Hüften und langen Beinen. »Das Schönste am Menschen ist nicht das Unsterbliche, sondern das, was sterblich ist. Das müßtest du mit deinen 21 Jahren schon erkannt haben. Mit dem Glauben an die Seele kannst du ein Märtyrer werden . . . mit dem Glauben an den Körper aber wirst du ein Artist des Lebens.«

»Bis man abstürzt —«

»Im Angesicht des Triumphes! Gibt es Schöneres! Natascha Trimofa sagte einmal —« Sie stockte und blickte Boris wieder mit ihren schwarzen Augen an, die schräg in dem eurasischen Gesicht standen. Aber es war ein anderer Blick als vorhin . . . weicher, weniger gierig, fast melancholisch. »Natascha! Sie war meine Freundin, Boris. Wir haben in Kasan zusammen Medizin studiert.«

»So?« sagte Boris hilflos. Er empfand plötzlich weniger Angst vor der Kolzwoskaja und trat wieder in das Zimmer hinein.

»Später ging sie zu den Partisanen . . . sie wurde berühmt. Und nun dieses Ende! Eine Bärentatze . . . auf der Flucht aus Rußland. War sie verrückt, Boris?«

»Nein. Sie hatte die Schnauze voll!« sagte Boris Horn grob.

»Das haben wir alle.« Die Kolzwoskaja lächelte, als sie Boris' erstaunten, ja irritierten Blick sah und die Sprachlosigkeit, die sich seiner bemächtigte. »Du staunst, mein Junge? Sage nicht, daß du auf einmal eine Seele in mir entdeckst! Bloß das nicht! Wenn du das sagst, jage ich dich in die tiefste Sohle des Berges! Wie den Simulanten dort.« Sie zeigte auf das erkaltete Reagenzglas. »Warum ißt du nichts? Du mußt doch Hunger haben bei dem Fraß im Lager.«

»Es leben Tausende davon.«

»Sie vegetieren! Aber du sollst essen und leben.«

»Warum?« Boris sah die Kolzwoskaja starr an. Ihre Blicke trafen sich wie zwei Schwerter ... selbst das Klirren hörten sie – unhörbar in ihren Herzen. »Wollen Sie es machen wie auf den großen Sowchosen, wo man die Bullen starkfüttert?!«

»Du bist ein Idiot, Boris.« Die Ärztin erhob sich und ging mit kleinen, gleitenden Schritten zu einem alten bemalten Schrank. Sie öffnete die obere Tür, holte eine Flasche Wodka hervor und zwei Gläser. »Wenn du nicht der Schützling meiner Natascha wärest, hätte ich dich längst weggejagt wie einen räudigen Hund. Ich will dir helfen, Boris.«

Die Kolzwoskaja kam auf ihn zu. Sie hielt die beiden Gläser mit dem Wodka in den Händen und lächelte. Jetzt sah sie fast schön aus, gefährlich und tierhaft. »Trink ein Glas. Das verändert die Welt.«

»Ich würde umfallen davon. Ich kenne keinen Schnaps mehr.«

»Du sollst umfallen, mein Junge.«

»Was wird Oberleutnant Kaljus sagen?«

»Kaljus! Er ist ein Floh, der herumhüpft und denkt, er sei ein Elefant! Er wird dich vorerst nicht wiedersehen.«

»Nicht wiedersehen?«

»Trink!« Das war ein harter Befehl. Die Ärztin hielt Boris das Wodkaglas hin. Gehorsam nahm er es, setzte es an die Lippen und trank es in einem Zug aus. Er hatte das Gefühl, zerspringen zu müssen, er rang nach Luft, warf die Arme empor, und Tränen schossen in seine Augen.

»Meine Kehle«, stammelte er. »Sie ist verbrannt ...«

Die Kolzwoskaja lachte laut und setzte sich zurück auf das Sofa. »Nimm Platz, Junge«, sagte sie und zeigte auf einen Stuhl. »Und iß endlich. Iß dich kugelrund.« Sie beugte sich zu ihm vor. Ihre Brüste zeichneten sich von der dünnen grünen Bluse ab. Boris biß die Zähne fest zusammen, daß seine Gaumenmuskeln schmerzten.

Aber er aß. Er aß die ganzen Brote auf, die ganzen Wurstscheiben, die beiden Birnen. Er schämte sich, daß er es tat, aber er hatte nicht die Kraft, mit dem Essen aufzuhören ... er aß, aß und spürte, wie die Speise in seinen leeren Magen rann und das Gefühl des Sattseins durch seinen Körper zog wie eine wundervolle Trägheit, wie eine Sommermüdigkeit, die einen überfällt, wenn man in der Sonne liegt und in die ziehenden weißen Wolken am blauen Himmel starrt.

»Satt?« fragte die Kolzwoskaja, als der Holzteller leer war.

»Ja. Danke.«

»Sprechen wir jetzt vernünftig weiter, Boris. Natascha Trimofa war Chirurgin, ich bin Internistin. Natascha hat in Kasan meinen Vater operiert und ihn gerettet, als die anderen Holzköpfe von Parteiärzten ihn aufgegeben hatten. Sie war eine blendende Ärztin, die Natascha. Damals habe ich ihr versprochen, wo und wann es auch immer sei, ihr zu helfen, wenn sie einmal mich brauchen würde. Ich glaube, das ist heute geschehen. Sie kann mich nicht mehr bitten ... aber ihr Tod für dich ist eine Bitte, die mehr als alle Worte sagt.« Sie sah Boris mit geneigtem Kopf an. »Hast du sie sehr geliebt?«

»Nein.«

»Nicht?« Die Kolzwoskaja sprang auf. Ihre Augen glühten zornig. »Du hast sie nur getäuscht, hingehalten?!«

»Sie hat nicht mir geholfen, sondern Erna-Svetlana.«

»Wer ist Erna-Svetlana?«

»Meine Frau ...«

Die Kolzwoskaja wandte sich ab und sah durch die Gardine hinaus auf die Lagergasse. »Sie tat es wirklich nur aus Menschenfreundlichkeit?« fragte sie fast ungläubig.

»Und weil ich Borkin erschlagen habe, der sie geschändet hatte.«

Die Kolzwoskaja fuhr herum. »Borkin hat Natascha ...?« schrie sie fast.

»Ja. Sie sagte es mir selbst.«

»Und du hast ihn umgebracht?! Du hast Natascha gerächt?! Du hast diesen Sauhund umgebracht mit deinen Händen?! O Boris – ich möchte dich dafür küssen! Hat Natascha dich nicht dafür geküßt?«

»Ja –«

Die Kolzwoskaja hob die Hand und streichelte Boris über das bleiche Gesicht. Es war ein zärtliches, fast mütterliches Liebkosen. »Ich werde dich retten, mein Junge ... Es wird keiner sagen, daß ich undankbar bin ...« Sie nahm sein Gesicht zwischen ihre Hände, küßte ihn auf den zitternden, verkniffenen Mund und lächelte ihn an. »Du hast die Cholera, Boris«, sagte sie, als spräche sie ein Kosewort. »Du wirst in die Isolierstation kommen.«

»Wenn sie es merken, Kapitän?«

»Nenn mich Wanda, Boris.«

»Bei der nächsten Kontrolle –«

»Sie gehen an der Isolierbaracke vorbei. Sie haben eine schreckliche Angst vor Bazillen, Viren und allen Ansteckungen. Sie zittern vor dem Wort ›Sarasa‹ (Infektion) wie vor dem leibhaftigen Teufel. Wer hinter dem Wort Sarasa liegt, ist in Sicherheit.« Die Kolzwoskaja lachte und sah Boris tief in die flackernden Augen. »Küß mich«, sagte sie plotzlich leise. »Komm ... stell dich nicht an ... küß mich!«

Sie schloß die Augen, schob den Kopf vor und reichte Boris ihren Mund. Ihre Lippen waren leicht geöffnet, rot und voll. Ihr Atem strich heiß über sein Gesicht.

»Komm«, flüsterte sie noch einmal.

Da küßte er sie, widerwillig, hart, brutal fast. Er umfaßte sie, drückte sie an sich ... sie waren fast ein Körper. Mit geschlossenen Augen, den Kopf weit zurückgeworfen, mit offenen Lippen, als sei der Mund gewaltsam aufgerissen worden, stöhnte sie auf und hing in Boris' Armen.

»Du Tier ...«, sagte sie heiser. Aber es war keine Beschimpfung, es war eine Liebkosung. »O du wildes Tier. Ich werde Natascha ein Denkmal setzen, daß ihr Tod dich zu mir geführt hat!«

Zwei Stunden später wurde der Strafgefangene und Lebenslängliche mit der amtlichen Nummer 23 919 auf einer zugedeckten Trage von zwei Sanitätern aus dem Zimmer der Kapitän-Ärztin Wanda Kolzwoskaja weggetragen in das Lagerlazarett.

Die Ärztin ging neben der zugedeckten Trage, ein Mundtuch um den Kopf, mit Gummihandschuhen. Alle, die den kleinen Zug kommen sahen, wichen ihm aus, flüchteten fast aus der Nähe oder drückten sich in achtbarer Entfernung an ihm vorbei. Auch Oberleutnant Sergeij Pantolonowitsch-Kaljus wandte sich ab und eilte einen anderen Weg, als er die Bahre sah.

Cholera! Die Geißel Asiens! Der Tod, gegen den es keinen Widerstand gab.

Die Bahre wurde in den Flügel IV getragen, in das Zimmer 4, auf dessen Tür in großer roter Schrift das Wort SARASA stand. Infektion!

In dieses Zimmer wagte keiner einzutreten. Nur die Kolzwoskaja betrat es mit einer jungen Sanitätsgehilfin. Bevor Boris Horn eingeliefert wurde, hatte sie das Zimmer 4 ausräumen lassen. Die Typhusfälle, die es bisher belegt hatten, wurden auf die Nebenzimmer verteilt. Zimmer 4 wurde nur für den einen Cholerakranken reserviert.

Als die Tür sich hinter der Trage geschlossen hatte und die Kolzwoskaja allein im Zimmer 4 war, riß sie die Decke von dem Körper Boris'. Sie lächelte ihm zu, kniete an der Bahre nieder und küßte ihn leidenschaftlich.

»Hier wirst du bleiben«, sagte sie leise. »Du wirst der längste Lazarettinsasse werden, der je in einem russischen Lazarett gelegen hat.«

»Ich habe Angst«, sagte Boris ehrlich.

»Solange ich hier Ärztin bin, brauchst du sie nie mehr zu haben.«

Vor dir habe ich Angst, wollte er schreien. Vor dir, du Satan von einem Weib. Aber er biß die Lippen aufeinander und starrte an die Decke. Sie war weiß getüncht, das ganze Zimmer war weiß ...

es roch nach Chlor oder Jodoform. Das Zimmer war steril gemacht worden.

»Wie soll das alles weitergehen?« fragte er kopfschüttelnd.

»Wie in einem Roman, den uns keiner glaubt. Wir betrügen die Welt und uns ...« –

Als Boris Horn nicht wieder zurück ins Lager kam, kratzte sich der Barackenälteste den Kopf.

»Sie hat ihn einfach dabehalten«, sagte er wütend. »Das ist in den ganzen Jahren noch nicht vorgekommen! Jetzt frißt er die schönen Sachen allein!«

»Er hat die Cholera!« sagte einer vom Arbeitskommando. »Er liegt auf Isolierstation.«

»Die Cholera!« Der Barackenälteste lachte schrill. »Wenn der die Cholera hat, will ich die Pest haben ...«

Vier Tage arbeitete Erna-Svetlana in der Lagerwäscherei an den Kesseln, als Olga sie wegholte, zusammen mit drei anderen Mädchen.

In diesen vier Tagen hatte Olga Puronanskija die Neue aus Alma-Ata genau beobachtet und beobachten lassen. Wenn sie wirklich als Spitzel in das Lager gekommen war, benahm sie sich gut und zäh und verbarg ihren Auftrag mit einer wunderbaren Energie.

Jeden Tag stand sie acht oder sogar zehn Stunden an den Kesseln und drehte die kochende Wäsche. Ihre Haut wurde rot und blasig, dann schrumpfte sie zusammen und wurde gelb wie Hühnerhaut. Aber sie klagte nicht, sie ruhte sich nicht aus, sie machte sogar den alten Trick der anderen Mädchen nicht nach, sich eine halbe Stunde auf der Latrine auszuruhen und ›frische Luft‹ zu schnappen.

»Was will sie bloß bei uns?« fragte Olga Puronanskija die Vorarbeiterin der Wäscherei. »Umsonst hat man sie doch nicht mit einer so dicken Empfehlung uns auf den Hals gehetzt.«

»Sie sehen vielleicht Gespenster, gosposha«, sagte die Vorarbeiterin. »Ich weiß, warum sie hier ist. Ihr Mann ist drinnen im Lager. Nur um ihn ab und zu sehen, schuftet sie hier.«

»Ihr Mann!« Olga lachte höhnisch. »Du glaubst das Märchen, Eselin!«

»Er heißt Boris Horn.«

»Ein Name! Ich kann dir tausend Namen nennen! Glaubst du, nur um den Kerl zu sehen, arbeitet sich eine Frau so krumm?«

»Diese Frau – ja.«

Nachdenklich ging Olga Puronanskija weg und holte die vier Mädchen aus dem Kesselhaus.

»Ich habe eine schöne Arbeit für euch«, sagte sie gehässig und musterte Erna-Svetlana von der Seite. Sie hat einen kleinen Bauch, dachte sie dabei. Sollte es wahr sein mit der Schwangerschaft? Ich werde sie morgen zu der Kolzwoskaja schicken. Ich muß es wissen. »Ihr werdet hinübergehen in das Lazarett und die Wäsche holen.« Sie schob die Oberlippe empor und lächelte. Es war mehr ein Fletschen und sah abscheulich aus. »Aber ziert euch nicht, ihr Gänse. Und wenn ihr euch vor dem Gestank des Eiters oder Blutes ekelt, dann riecht an euch herunter ... ihr stinkt fast ebenso!«

Die Mädchen gingen hinüber zu dem Lagerlazarett. Ein Sanitäter empfing sie und wies hinein in die langgestreckte Steinbaracke.

»Ihr wißt ja, wo die Sachen liegen«, sagte er gleichgültig. »Aber vier Weiber sind zuwenig. Wir haben neunundsechzig Abgänge. Ihr müßt dreimal gehen.«

Erna-Svetlana schob die Schultern hoch. Sie fror plötzlich. Neunundsechzig Tote an einem Tag ... wie mochte es hinter den hohen Holzpalisaden aussehen? In welch einer Hölle lebte Boris?

Sie ging mit gesenktem Kopf den langen Gang entlang. Sie sah nicht, wie die anderen Mädchen in zwei Zimmern verschwanden, wo die schmutzige Wäsche aufbewahrt wurde. Sie ging weiter, immer den Gang entlang, vorbei an den vielen Türen, hinter denen Skelette erlöst wurden.

Vor einer Tür blieb sie stehen. SARASA stand in roter Schrift darauf. Infektion.

Wäsche, dachte Erna-Svetlana. Ach ja, ich soll hier ja Wäsche holen. Sie sah sich um; die anderen Mädchen waren nicht mehr da. Auch in der Infektionsabteilung wird es schmutzige Wäsche geben, dachte sie. Ich darf hier nicht herumstehen ... ich muß ja Wäsche holen.

Sie hob die Hand und legte sie auf die Klinke der Tür.

Noch einmal las sie die flammend rote Schrift. SARASA.

Dann drückte sie die Klinke herunter.

Das Zimmer war fast leer, kahl, trostlos. Nur ein einzelnes Bett stand an der Rückwand. Das Fenster war verhangen. Das Halbdunkel verstärkte noch die Leere des Raumes. Es roch nach Desinfektionsmitteln und abgestandener Luft.

Erna-Svetlana sah hinüber zu dem Bett. Sie war an der Tür stehengeblieben. Von dem Kranken sah sie nur ein paar dunkle Haare. Er lag auf der Seite und schlief, die in einem weißen Bezug steckende Decke bis über die Augen gezogen.

»Ist hier Wäsche?« fragte Svetlana zaghaft. Sie blickte sich um. Die Kahlheit des Zimmers war bedrückend. Nicht einmal ein Stuhl ist hier, dachte sie. Und er liegt ganz allein ... vielleicht ist er schon tot. Er bewegt sich gar nicht.

Sie wollte die Tür wieder schließen, als sie mit Schwung aufgestoßen wurde und gegen ihre Brust prallte. Wanda Kolzwoskaja stand auf der Schwelle, mit flammenden Augen und geballten Fäusten, als sie sah, daß jemand trotz der warnenden Buchstaben auf der Tür das Zimmer betreten hatte. Sie blickte hinüber zu dem schlafenden Mann, stieß den Kopf zur Seite und zischte Erna-Svetlana an.

»Raus, du Luder!«

»Ich wollte nur schmutzige Wäsche —«

»Raus!«

Die Ärztin faßte Svetlana an den Schultern und warf sie fast aus dem Zimmer auf den Flur. Dann schloß sie leise die Tür, damit Boris nicht erwachte, und wandte sich zu dem Mädchen um, das zitternd an der Wand stand.

»Mitkommen!«

»Gosposha —«

»Siehst du nicht die Schrift auf der Tür? Oder kannst du Aas nicht lesen?«

»Doch. Aber Olga Puronanskija sagte uns, daß wir —«

»Ich werde diese Olga sprechen! Mitkommen!«

Sie stieß Svetlana vor sich her bis an das Ende des Ganges. Dort war das Ordinationszimmer der Kolzwoskaja. Sie schob das Mädchen in das Zimmer und setzte sich mit verkniffenem Gesicht auf den Stuhl. Sie musterte Svetlana, wie nur eine Frau eine andere Frau mustern kann, und schob die Augenbrauen verwundert hoch.

»Du bist schwanger?«

»Ja.«

»Was machst du dann in Ust-Kamenogorsk? Bist du die Frau eines Soldaten?«

»Nein. Mein Mann ist im Lager.«

»Lebenslänglicher?«

»Ja.« Erna-Svetlana nickte. Plötzlich weinte sie. Sie wunderte sich selbst darüber. Seit Wochen hatte sie keine Tränen mehr gehabt ... es war, als sei sie ausgetrocknet gewesen. Selbst die Qual in der Wäscherei des Lagers, die langen Nächte, in denen sie auf der Holzpritsche der Mädchenbaracke lag und an die Decke starrte, die in Griffhöhe über ihr war, weil man ihr das oberste Bett gegeben hatte, alles Leid, das in Gedanken und körperlich auf sie zukam, vermochte nicht, Tränen zu erzeugen. Und jetzt weinte sie ... sie floß fast weg ... ihr schmales, wie zwischen zwei Riesenhänden flachgedrücktes, blasses Gesicht war naß von Tränen.

Wanda Kolzwoskaja ließ sie weinen. Sie zündete sich eine Zigarette an, eine Papyrossi mit langem Pappmundstück, das sie zweimal eindrückte.

»Politisch?« fragte sie, als sich Erna-Svetlana auf einen Stuhl setzte, weil sie spürte, wie ihre Beine weich wurden, als lösten sich auch die Knochen in Tränen auf.

Svetlana schüttelte den Kopf. Sie würgte an den Worten.

»Er hat einen Mann erschlagen ... Meinen djadja ... djadja hat mich ...« Sie stockte und ließ den Kopf auf die Brust sinken. Die Kolzwoskaja schob die Unterlippe vor. Mit bebenden Fingern zerdrückte sie die kaum angerauchte Zigarette auf der Tischplatte. Eine wilde Erregung kroch in ihr empor und jagte das Blut wie rasend durch das Herz und die Adern.

»Wer bist du?« fragte sie rauh.

»Erna-Svetlana Bergner aus Judomskoje ...«

Die Kolzwoskaja atmete ein paarmal tief.

»Und dein – dein Mann?« Das Wort war wie ein zäher Brei, der im Halse steckenblieb und auf den Lippen festklebte.

»Boris Horn –«

»Boris –«, wiederholte sie heiser. Erna-Svetlana sah zu der Ärztin hinüber. Der Klang der Stimme machte sie stutzig.

»Kennen Sie ihn, gosposha?«

»Wie soll ich gerade deinen Boris kennen?« Die Kolzwoskaja lachte. Aber es klang gequält und rauh. »Hier laufen 3000 Boris' herum!« Sie beugte sich vor und sah Erna-Svetlana mit bösen, funkelnden Augen an. »Was wolltest du in dem Isolierzimmer? Was hat man dir erzählt?!«

»Ich suchte schmutzige Wäsche.«

»Lüge nicht!«

»Auf Ehr und Gewissen, gosposha!«

»Was erzählt man draußen von mir?«

»Ich habe nichts gehört. Doch ja –«

»Was?!«

»Sie sollen sehr streng sein.«

»Das ist nicht wahr.« Die Kolzwoskaja zündete sich wieder eine Zigarette an. »Ich bin ein Satan!«

Verstört erhob sich Svetlana von dem Stuhl. Sie wich an die Wand zurück, kreuzte die Arme über der Brust und starrte die Ärztin an, als erblicke sie wirklich einen Teufel.

»Kann ich gehen?« fragte sie mit kläglicher Stimme.

»Nein!«

»Was wollen Sie noch von mir?«

»Ich will wissen, was du hier willst! Warum bist du nach Ust-Kamenogorsk gekommen?«

»Um bei Boris zu sein.«

»Du wirst ihn nie sehen!« sagte die Kolzwoskaja gehässig.

»Vielleicht doch. Wenn er zur Arbeit herausmarschiert ... wenn er zurückkommt ... Vielleicht habe ich Glück und er bekommt ein Kommando in der Küche ... Ich will ihn ja nicht sprechen, er soll gar nicht wissen, daß ich hier bin ... Nur sehen will ich ihn ... von weitem sehen ... sehen, daß er lebt ...« Sie weinte wieder und wischte sich mit beiden Händen die Tränen von dem eingefallenen, schmalen Gesicht.

»Vielleicht ist er schon tot?« sagte die Ärztin. Svetlana zuckte zusammen.

»Das kann nicht sein.«

»Warum?«

»Seit sechs Wochen sehe ich mir jeden Toten an, der aus dem Lager kommt. Wir müssen sie ja ausziehen, hat die Puronanskija befohlen. Boris war nicht dabei.«

»Du wartest umsonst. Es wäre besser, du gingest zurück nach Judomskoje. Sorge für dein Kind, heirate einen anderen Mann, krieg noch zehn andere Kinder ... so vergißt man am besten einen Mann, der als Lebenslänglicher genauso tot ist wie ein Toter.«

»Ich werde nie einen anderen lieben als Bor«, sagte Erna-Svetlana. Es war ein so tiefes Geständnis, daß es wie ein kalter Strom durch den Körper der Kolzwoskaja zog.

»Du bist eine blöde Gans«, sagte sie. »Lache dir einen Soldaten an ... Ich will dir einen besorgen, der dein Kind großzieht wie sein eigenes.«

Svetlana schüttelte den Kopf. Ihre goldenen Haare flogen um ihr Gesicht wie eine Woge feinstgesponnener Schleier. Sie hat herrliches Haar, dachte die Ärztin voll giftigen Neides. Ich werde der Olga Puronanskija sagen, daß sie dem Weibsstück die Haare abschneidet. Mit einem kahlen Kopf, glatt wie eine Billardkugel, soll sie herumlaufen, daß die Männer über sie lachen und ihr verdammter Stolz im Herzen zerbricht unter dem Spott der Umwelt.

»Ich will nicht«, sagte Svetlana laut.

»In Ust-Kamenogorsk hat keiner etwas zu wollen!« Die Kolzwoskaja erhob sich brüsk. »Entweder du gehst zurück nach Judomskoje oder ich verheirate dich mit einem mongolischen Soldaten! Du kannst wählen!«

»Gosposha —«, stotterte Svetlana entsetzt.

»Geh!« sagte die Kolzwoskaja hart.

»Ich liebe Boris!« schrie Erna-Svetlana. Die ganze Not ihres Herzens, die ungeheure Qual der vergangenen Wochen lag in diesem Aufschrei. »Er ist das einzige, was mir geblieben ist!«

»Selbst das ist zuviel für dich!« Die Ärztin sah Svetlana mit einem Haß an, vor dem diese zurückwich und hinter dem Rücken nach der Türklinke tastete. »Du bist ein Nichts! Vergiß das nicht! Ein Nichts! Eine Null! Du hast hier keinen Willen, kein Herz, kein Gefühl, keine Sehnsucht, keine Gedanken ... du hast nur die Luft zum Atmen. Und auch die drehe ich dir ab, wenn du nicht gehorchst. Hast du verstanden, du trächtige Hündin?«

»Ja, gosposha«, stammelte Erna-Svetlana. Sie hatte die Klinke gefunden und drückte sie herunter. Dann wirbelte sie herum und rannte aus dem Zimmer, den Gang hinab, mit fliegendem Rock, vorwärtsschnellenden Beinen, als würde sie verfolgt von diesen hassenden Blicken, der harten, mitleidlosen Stimme und dem Grauen der drohenden Worte.

Unbeweglich saß die Kolzwoskaja hinter ihrem Schreibtisch und sah auf die offene Tür. Gedanken, so grausam, daß sie selbst davor zitterte, durchjagten sie.

Nie wird sie Boris wiedersehen, schwor sie sich. Und wenn ich sie von Olga Puronanskija umbringen lasse. Für 1000 Rubel tut die Olga alles. Es kann ein Unfall sein, wenn sie in die brodelnde Lauge fällt und unter der kochenden Wäsche erstickt.

Wanda Kolzwoskaja nahm sich vor, schon an diesem Tage mit Olga zu reden.

Verstört lief Erna-Svetlana aus der großen Lazarettbaracke hinaus auf den weiten Platz, rannte hinüber zu dem Kesselhaus und stolperte dort außer Atem in die Arme der Puronanskija.

Bevor sie etwas sagen konnte, fühlte sie ein heißes Brennen im Gesicht. Erst dann begriff sie, daß sie ins Gesicht geschlagen worden war. Sie taumelte zurück und hielt sich an einem mit Stroh umwickelten Wasserrohr fest.

»Wo warst du?« schrie Olga. »Alle anderen sind schon da ... und du kommst eine halbe Stunde später und ohne einen Krümel Wäsche?! Na, warte, du faules Luder! Hast wohl mit den Soldaten hinter den Baracken herumgehurt, was?« Sie hob die Faust und wollte Svetlana wieder schlagen, aber diese streckte beide Arme empor und wehrte den Schlag ab.

»Ich war bei der Ärztin«, schrie sie Olga an. Es war eine Auflehnung, die wie ein Gegenschlag wirkte. Verwundert ließ die Puronanskija die Faust sinken und rang nach Luft.

»Du bist doch eine Spionin«, keuchte sie. »Du hast der Wölfin gemeldet, was wir mit den Kleidern der Toten machen, was? Gestehe es! Du hast uns verraten!« Das Gesicht Olgas war verzerrt. Sie sah wie eine Medusenmaske aus ... selbst die Schlangen waren vorhanden ... ihre glanzlosen Haare schlängelten sich um das feiste Gesicht.

Erna-Svetlana schüttelte den Kopf. »Ich habe nichts verraten! Warum glaubt ihr bloß alle, daß ihr verraten werdet?!«

»Weil es in Rußland von Verrätern stinkt! Was wollte die Kolzwoskaja von dir?«

»Sie will mich zwingen, wegzugehen.«

»Endlich ein kluger Gedanke von diesem Weib! Aber du kannst nicht gehen, was?«

»Nein.«
»Du bist von Alma-Ata hier eingesetzt, was?«
»Ich muß bleiben wegen Boris.«
»Boris! Boris!« Olga Puronanskija lachte ordinär. »Etwas Besseres fällt denen in Alma-Ata auch nicht ein! Ich habe nie an diesen Boris geglaubt! Es gibt ihn nicht.«
»Er ist hier im Lager. Dort ... in den Baracken.« Sie zeigte zu dem riesigen Holzzaun hin, über den der Rauch aus den vielen Barackenschornsteinen schwebte.
»Und du bist hier ... jenseits der Baracken ... Was willst du von ihm?«
»Ihn sehen —«
»Und nur, um ihn zu sehen, stehst du jeden Tag zehn Stunden an den Kesseln?«
»Ja —«
»Das glaubt dir keiner!«
»Weil ihr alle nicht wißt, was Liebe ist.«
»Liebe!« Olga Puronanskija spuckte aus. »Es soll Frauen geben, die zehn Kinder haben und immer noch nicht wissen, was es ist. Geh mir weg mit diesen idiotischen Reden ...«
Sie winkte zu den Kesseln hin und ging hinaus.

Als Boris aus seinem Schlaf erwachte und sich auf den Rücken drehte, sah er die forschenden Augen Wanda Kolzwoskajas über sich. Zuerst erschrak er, aber dann lächelte er.
»Gut geschlafen?« fragte sie. Er nickte und richtete sich auf. Dabei fiel die Decke von ihm ab ... er lag mit bloßem Oberkörper im Bett. Das Gesicht der Kolzwoskaja wurde steinern. Sie hob die Hand und strich leicht über die dichtbehaarte Brust. Das Darüberhinweggleiten der Fingerspitzen erzeugte in ihr ein Gefühl, als zuckten Stromstöße durch ihren Körper.
»Du hast geträumt, mein Liebling?«
»Nein. Ich habe fest geschlafen. Es ist das erste richtige Bett seit einem halben Jahr.«
Die Kolzwoskaja zog die Fingerspitzen zurück. Sie zwang sich, die nackte Brust Boris' nicht zu sehen und starrte an ihm vorbei gegen die getünchte Wand.
»Hast du nicht erzählt, daß du eine Frau hast?« fragte sie. Boris beugte sich vor.
»Du hast Nachricht von ihr?!« Er umklammerte ihren Oberarm. Sie biß die Zähne aufeinander, um nicht aufzuschreien. Wie stark er ist, durchfuhr es sie. Wie Schraubstöcke sind seine Finger. Nie, nie gebe ich ihn der kleinen, gelben Katze wieder. Er ist der einzige Mann unter diesen tausenden Gerippen und uniformierten Halbaffen. Ich brauche ihn wie ein Süchtiger sein Morphium.

»Ja«, sagte sie.
»Wo ist sie?!« Boris sprang aus dem Bett. Tief atmend sah die Kolzwoskaja an ihm empor.
»Du liebst sie noch immer?«
»Sie bekommt ein Kind von mir.«
»Sie ist tot!« sagte die Kolzwoskaja hart.
Boris senkte den Kopf. Es war, als habe das Wort ›tot‹ ihn allen Haltes beraubt. Er sank auf das Bett zurück und stützte den Kopf in beide Hände. Er fühlte nicht, wie die Ärztin über seine Haare strich, wie ihre zitternden Finger über seine Arme tasteten, über seine Brust, über den gebeugten Rücken, kosend, werbend, heiß, mit feuchten, schwitzenden Innenflächen der Hände.
»Svetlanaschka . . .«, sagte Boris leise.
Die Hände der Kolzwoskaja zuckten zurück, als habe sie sich verbrannt. Ihre Augen funkelten.
»Sie starb im Straßengraben«, sagte sie. »Ein Mann vom NKWD erinnerte sich daran. Man fand sie eines Morgens kalt und erfroren in der Gosse. Keiner wußte, wer sie war, bis Genosse Tschetwergow sie identifizierte.«
»Meine arme Svetlanja . . .« Boris schloß die Augen. Er legte sich zurück auf das Bett und blieb so, mit geschlossenen Augen, liegen. »Laß mich allein . . .«, sagte er, als er wieder die Hände der Ärztin auf seiner Brust spürte.
»Das Leben gehört den Lebenden, Boris.«
»Sie war herrlich und rein wie ein Engel«, stöhnte er.
»Bis Iwan Kasiewitsch Borkin kam«, sagte die Kolzwoskaja gehässig.
»Ich habe es mit Blut weggewaschen . . . Sie war wieder rein!«
»Die Moral eines Mörder! Natascha Trimofa mag dich als einen Helden angesehen haben — für mich bist du ein kleiner Mörder. Aber ein schöner Mörder! Ist es nicht verrückt, daß man einen Mörder lieben kann?«
»Geh!« sagte Boris voller Qual.
»Ich bringe dir einen Tee. Einen Tee mit Wodka.« Boris schüttelte den Kopf.
»Ich möchte zurück ins Lager —«
»Du bist verrückt.« Die Kolzwoskaja umarmte Boris. Sie drückte ihr Gesicht gegen seine Schulter und küßte ihn. »Man wirft sein Leben nicht wegen eines Mädchens weg.« Sie faßte seinen Kopf mit beiden Händen und drehte ihn zu sich herum. »Ich habe schon einen Plan, wenn du als ›geheilt‹ entlassen werden mußt. Ich werde dich als Sanitäter anfordern . . . Stephan ist ein alter Mann. Er wird es im Bergwerk drei Wochen aushalten, dann ist die Stelle frei für dich. Ich werde sagen, Stephan habe die Kranken bestohlen . . . es wird mir keiner widersprechen.«

»Du bist der größte Satan, der geschaffen werden konnte«, sagte Boris ehrlich.

»Ich bin es!« Ihre Wangen glühten. Ihr schönes, unerhört leidenschaftliches Gesicht glänzte. Sie erhob sich von dem Bett, rückte den verrutschten Rock gerade, stopfte die Bluse in den Rockbund und strich sich mit beiden Händen über die Haare. Es war wie das morgendliche Recken einer Katze, ungezähmt und wundervoll. Als sie die Hände von den Haaren nahm, strich sie mit ihnen über ihre Brüste. »Ich komme wieder«, sagte sie schweratmend. »Ich werde die Tür abschließen.«

»Laß mich zurück ins Lager!« Boris sprang auf. Er ballte die Fäuste. »Ich kann dich nicht mehr sehen!«

»Es ist nur der erste Schmerz.« Sie lächelte Boris an. Es war ein grausames Lächeln. »So eine kleine Dirne kann man schnell vergessen —«

Sie schloß die Tür hinter sich. Voll ohnmächtiger Wut stand Boris mitten im Raum. Es war nichts da, was er ihr hätte an den Kopf werfen können. »Satan!« brüllte er ihr nur nach. »Satan! Satan!«

Dann ging er zu seinem Bett, riß es auseinander, zertrümmerte das Gestell, zerfetzte mit den Händen die Seegrasmatratze und zerriß die Decke, das Bettuch, den Bezug, das Kissen. Es war eine völlig sinnlose Arbeit, aber sie beschäftigte seine Wut und verminderte den Druck in der Brust, von dem er dachte, er zersprenge den ganzen Körper.

Die Kolzwoskaja stand draußen vor der Tür und hörte das Zerstörungswerk. »Stephan!« schrie sie durch den Gang. »Stephan! Wo bist du Mistbock?!«

Der alte Sanitäter sah aus einem Zimmer. »Kapitän?« rief er. »Was ist?«

»Rote Farbe! Pinsel! Lauf schon, du fauler Hund!«

Fünf Minuten später malte sie quer über die ganze Tür mit leuchtend roter Farbe das Wort: Dlja shisni!

Lebensgefahr!

Niemand in Rußland würde jemals wieder dieses Zimmer betreten ...

In Judomskoje und Alma-Ata saßen sowohl Ilja Sergejewitsch Konjew wie auch Stephan Tschetwergow mit dicken, heißen Köpfen hinter ihren Tischen und starrten Löcher in die von Machorkaqualm bläulich gefärbte Luft.

Vertrauliche Mitteilungen waren aus Moskau gekommen. Beamte aus der Kremlverwaltung hatten es zuerst Tschetwergow brieflich und dann auch telefonisch unter Beschwörungen größter Diskretion mitgeteilt: Genosse Josef Wissarionowitsch Dschugaschwili, der sich Stalin nannte, war schwer erkrankt. Er hatte einige Schwächeanfälle bekommen ... über eine Stunde lang lag er ohne Besinnung auf dem Sofa seines Arbeitszimmers, um sich herum die Genossen Malenkow, Chruschtschow und Molotow und zwei Ärzte, die um ihren Kopf arbeiteten und doch nichts weiter wußten, als festzustellen: Das Herz ist verbraucht.

Tschetwergow hatte daraufhin sofort Konjew angerufen.

Ilja Sergejewitsch reagierte nicht sofort. »Was soll's, Brüderchen?« fragte er. »Der Alte geht, und ein anderer kommt. Hier bei uns ändert sich nichts.«

»Sind Sie vom letzten Geist verlassen, Konjew?« stöhnte Tschetwergow. »Haben Sie denn schon den Fall Borkin vergessen?«

»Borkin? Was hat denn der mit dem Tod des Genossen Stalin zu tun?«

»Noch ist er nicht tot, Konjew.« Tschetwergow klopfte mit der Faust auf den Tisch. »Wir haben gute Ärzte. Die russische Medizin ist allen anderen überlegen! Aber wenn Stalin wirklich stirbt ... Bedenken Sie: Borkin war ein Freund Stalins. Wir haben Boris Horn, Natascha Trimofa, Svetlana Bergner, den Idioten Fedja, die geile Sussja und Boborykin – na sagen wir es milde – belästigt! Wegen Borkin! Um Stalin in den Hintern zu kriechen! Um Moskau nicht aufzuregen! Und jetzt kann das alles gegen uns ausgewertet werden, wenn Malenkow oder Chruschtschow die Nachfolger werden. Man wird uns Stalintreue vorwerfen.«

»Mist«, sagte Konjew ehrlich. »Aber wieso soll das, was dreißig Jahre lang richtig war, auf einmal falsch sein?«

»Eine solch dusselige Frage können auch nur Sie stellen! Als Lenin starb, war auch alles falsch. Dann mußte Trotzki weg. Dann wurden Tuchatschewskij und seine Offiziere zu Verrätern und liquidiert. Jagoda hielt sein Genick hin ... es ging wie am laufenden Band. Wenn wir uns nicht bald umstellen, Ilja Sergejewitsch, sind wir die nächsten.«

Konjew begann, kalt zu schwitzen. Genickschuß dachte er, ist etwas Unschönes. Und nur, weil man das tat, was man tun mußte. Es ist wirklich schwer, in Mütterchen Rußland zu leben.

»Was verstehen Sie unter umstellen, Genosse?« fragte Konjew schwach.

Tschetwergow kaute an seiner Unterlippe. Die Angst vor den kommenden neuen Herren im Kreml saß ihm im Nacken.

»Zunächst abwarten. Und dann das Gegenteil tun von dem, was wir bisher getan haben! Ist nicht der neue Pächter der Datscha auch ein Freund Stalins?«

»Piotr Alexandrowitsch Tagaj? Aber ja.« Konjew runzelte die Stirn. Er dachte daran, daß der geizige Tagaj noch immer nicht sein

Einzugsfest gegeben hatte, sondern lediglich einen schrecklich sauren Wein hinüber zum Hause Konjews geschickt hatte mit dem Bemerken, er solle es sich gut schmecken lassen.

»Was macht er?« fragte Tschetwergow.

»Er frißt vor Geiz seinen eigenen Dreck. Ein widerlicher Kerl, Genosse.«

»Wenn Stalin wirklich sterben sollte, werde ich sofort zu Ihnen kommen.« Tschetwergow schöpfte wieder etwas Hoffnung. »Vielleicht ist es eine gute Empfehlung für Moskau, wenn wir diesen Tagaj von der Datscha jagen als Konterrevolutionär. Wir werden es schon drehen, Konjew.«

»Ich verlasse mich ganz auf Ihr Genie, Genosse Tschetwergow«, sagte Konjew unterwürfig.

Olga Puronanskija fühlte sich durchaus nicht wohl, als sie zu der Ärztin Kapitän Wanda Kolzwoskaja gerufen wurde.

»Was will sie von mir?« forschte sie den alten Stephan aus. »Was hat sie gesagt?«

»Nichts«, sagte der alte Sanitäter. Er hustete heftig und spuckte blutigen Schleim in die Ecke der Waschhalle. Tuberkulose, hatte er schon vor einem halben Jahr festgestellt und war zu der Kolzwoskaja gerannt. Mit dem Satz: Wir sind hier kein Erholungsheim, sondern ein Straflager! — war er aus dem Ordinationszimmer geflogen. Nun beobachtete er sich mit einem fast wissenschaftlichen Interesse und wunderte sich, wie lange ein 68jähriger Mann mit einer offenen Lunge weiterleben konnte.

»Sie muß doch 'was gesagt haben«, bohrte die Puronanskija weiter.

»Das Aas soll kommen!« hat sie gesagt.

So kam Olga Puronanskija zu Wanda Kolzwoskaja, ein wenig schüchtern, ein wenig ängstlich und vor allem äußerst vorsichtig.

Die Ärztin saß auf einer Kante des Tisches, als Olga in das Zimmer trat. Sie hielt ein blitzendes Instrument in der Hand, einer Geburtszange ähnlich, mit großen, schaufelförmigen Enden. Verwirrt und plötzlich voller Angst starrte Olga auf das unheimliche Instrument.

»Was spricht man da im Lager der Soldaten von dir?« sagte die Kolzwoskaja und ließ die Zange auf und zu klappen. Es gab einen metallischen, schnappenden Laut, der Olga durch alle Glieder fuhr.

»Was soll man sagen, Kapitän?« fragte sie heiser.

»Du sollst die Syphilis haben? Stimmt das?«

»Eine Verleumdung ist das!« schrie die Puronanskija. »Wer hat's gesagt?! Ich erwürge ihn!«

»Wir haben sieben neue Fälle ins staatliche Hospital nach Ust-

Kamenogorsk schicken müssen. Man will dort wissen, wo die Infektionsquelle sitzt.«

»Ich bin es nicht!« schrie Olga wieder. Sie wich zurück, als Wanda Kolzwoskaja von der Tischecke sprang und auf sie zukam, das schreckliche Instrument vorstreckend. »Seit einem Jahr schlafe ich mit Sergeij Pantalonowitsch Kaljus, und er hat nie etwas gemerkt!«

»Wer die Lues schon hat, merkt so etwas auch nicht. Los, zieh dich aus!«

»Genossin Kapitän ...« Olga begann zu zittern. »Ich schwöre ...«

»Ausziehen!« schrie die Kolzwoskaja.

Olga nestelte an ihrer Bluse herum. Sie öffnete die Knöpfe und schloß sie wieder.

»Was habe ich Ihnen getan, Genossin Kapitän!« fragte sie demütig. »Es stimmt nicht alles, was Ihnen diese Erna-Svetlana erzählt haben mag.«

Die Kolzwoskaja riß die Augenbrauen hoch. »Was ist mit Svetlana?«

»Sie spioniert ... ich weiß es. Wie kommt man in Alma-Ata sonst dazu, ein kleines, dummes Mädchen so gut zu behandeln?! Sie erzählt Ihnen nicht nur von mir, sondern sie berichtet auch über Sie nach Alma-Ata!«

»Du siehst Gespenster, Olga.« Die Ärztin ging zurück zu ihrem Schreibtisch. Olga hatte ihre Bluse ausgezogen und das Hemd heruntergestreift. Ihre dicken, schweren Brüste hingen bis zum Gürtel des Rockes. Es sah nicht schön aus, sondern beleidigte den letzten Rest von Ästhetik, der der Kolzwoskaja noch geblieben war. »Zieh dich wieder an«, sagte die deshalb. »Aber ich untersuche dich mit den größten und schmerzhaftesten Instrumenten, wenn du nicht genau zuhörst.«

»Ich höre, Genossin Kapitän.«

Olga rückte das Hemd hoch und zog die Bluse wieder an. Die Kolzwoskaja sah auf das Instrument in ihrer Hand.

»Svetlana muß weg!«

Olga hörte verblüfft mit dem Zuknöpfen auf. »Wenn das so einfach ginge ...«

»Ein Unfall! Hast du nie daran gedacht?«

»Sie ist nie allein. Entweder ist sie in der Halle oder die Vorarbeiterin ist bei ihr.«

»Kann sie nicht einmal stolpern und in die kochende Lauge fallen?«

Olga Puronanskija riß die Augen auf. »Aber dann ist sie ja tot!«

»Na und?« Die Kolzwoskaja lächelte breit. »Hast du dich noch nicht an den Anblick von Toten gewöhnt, Olga? Gestern waren es neunundsechzig. Soll ich die Kleider nachzählen lassen? Geh — und überleg es dir . . .«

Verwirrt, wie benommen verließ Olga die Lazarettbaracke.

Vor dem langgestreckten Bau blieb sie stehen und sah über das Lager hinweg. Auf den Wachttürmen froren die Milizsoldaten und schlugen die Arme gegen den Körper. Eine Kolonne hohlwangiger Sträflinge wälzte dicke Felssteine die Straße zum Lager hinab. Die Bauleitung für Straßenwesen in Ust-Kamenogorsk hatte angeordnet, daß der Zufahrtsweg befestigt werden sollte, damit die Transportwagen, die neue Sträflinge herbeibrachten, im Frühjahr und Herbst nicht mehr im Schlamm steckenblieben.

Ein mongolischer Soldat, der mit einem kleinen Trupp an Olga vorbeimarschierte, winkte ihr zu.

»Bis heute abend, Mütterchen!« rief er fröhlich.

»Kommst du, um die Windeln zu wechseln?« schrie Olga ordinär zurück. Der Mongole lachte grell, trat einigen Sträflingen, die stehenblieben und zu Olga hinüberstarrten, in das Gesäß und brüllte: »Dawai! Dawai!«

In die kochende Lauge stoßen, dachte sie voll Grauen. Sie sah schon die goldgelben Haare inmitten der brodelnden Wäsche flattern und untergehen in den springenden Kochblasen. Sie hörte den hellen Schrei Erna-Svetlanas und sah ihre großen, blauen Augen weit aufgerissen.

Zu allem war Olga Puronanskija fähig, aber nicht zu einem Mord mit den eigenen Händen. Sie setzte sich auf eine Holzbank und starrte vor sich hin. Wen kann ich dafür nehmen? dachte sie angestrengt. Wer könnte sie in die Lauge stoßen und hinterher auch den Mund halten, daß es niemand erfährt?!

Sie saß fast eine halbe Stunde auf der Bank, als wage sie nicht, ohne einen festen Gedanken wieder in das Kesselhaus zu gehen. Sie saß da und zählte die Namen aller Mädchen und Frauen ab, die bei ihr arbeiteten.

Es war keine unter ihnen, die so etwas tun würde. Aber alle wären bereit, wenn es heißen würde: Stoßt die Puronanskija in den Kessel. Olga seufzte tief auf.

Wanda Kolzwoskaja beobachtete sie vom Fenster ihres Zimmers aus. Als sich Olga erhob und wegging, lächelte sie zufrieden.

Gegen Abend klopfte Olga wieder bei der Ärztin an. Sie sah verstört aus, blaß und wie aufgeweicht.

»Erna-Svetlana ist verschwunden«, sagte sie stockend.

Die Kolzwoskaja fuhr herum. »Idiotin!« schrie sie. »Wie kann sie verschwinden? Wo ist sie hin?« Sie fuhr auf Olga zu, packte sie an der Schulter und schüttelte sie hin und her. Bleich ließ es die Puronanskija mit sich geschehen. Sie bewunderte die tierische

Kraft, die in dem mittelgroßen Körper der Ärztin steckte. »Sie kann doch nicht einfach weg sein!« schrie Wanda Kolzwoskaja.

»Doch. Alle Sachen sind weg. Der Schrank ist leer. Sie ist weg aus Ust-Kamenogorsk. Vielleicht zurück nach Alma-Ata? Ich ahne Schwierigkeiten, Genossin Kapitän.«

»Durch deine Unvorsichtigkeit! Ich werde dich dem Kommandanten melden! Hinaus!« Sie ohrfeigte Olga aus dem Zimmer und sank dann neben der Tür in einen alten Korbsessel.

Wenn eine Kontrolle kommt, muß Boris weg sein, dachte sie fieberhaft. Aber wohin? O Gott, wohin?!

Plötzlich sah sie die Winzigkeit ihrer Macht ... sie reichte von der Lagerbaracke bis zur Lazarettbaracke ... eine Strecke von 250 Metern vielleicht. Mehr nicht. Was dahinter und davor lag, daneben und seitlich war für sie ebenso unerreichbar wie den lebenden Gerippen die Freiheit außerhalb des hohen Holzzaunes. Eine Macht von Zimmer zu Zimmer, die ausreichte, Tausende von Menschen in den Bergwerken verrecken zu lassen, aber doch zu klein, einen einzelnen Menschen, den man liebte, zu verstecken.

Die Kolzwoskaja kniff die Augen zusammen. Ein wahnsinniger Gedanke nahm Besitz von ihr und überdeckte alle anderen Überlegungen. Sie erhob sich ruckartig, verließ das Zimmer und ging mit schnellen, weitausgreifenden Schritten den langen Gang der Baracke hinab. Die Sträflinge, die auf dem Flur standen und nicht rechtzeitig zur Seite traten, wurden von ihr mit Fausthieben zur Wand geschleudert.

Am Ende der Baracke lagen ein kleines Labor und die Medikamentenstelle. Die Laborantin, eine junge Komsomolzin der Sanitätsbrigade Ust-Kamenogorsk, sprang auf, als die Kolzwoskaja in das Zimmer stürmte.

»Laß mich allein!« fuhr die Ärztin das junge Mädchen an. Ehe es antworten konnte, war es schon aus dem Raum geschoben. Dann schloß die Kolzwoskaja ab und sah sich um. In den langen Holzständern standen Reagenzgläser ... Reihe hinter Reihe, beschriftet mit kleinen Schildern, die man daran geklebt hatte. Die Forschungsstelle des staatlichen Hospitals Ust-Kamenogorsk legte Wert auf diese peinliche Genauigkeit. Sie holte jede Woche die Reagenzgläser ab, um im Institut damit zu arbeiten. Denn nirgendwo gibt es eine solche Ansammlung von Erkrankungen wie in den Straflagern ... es sind Fundgruben für medizinische Forschungspräparate.

Der Blick Wanda Kolzwoskajas glitt über die kleinen Schilder an den gläsernen Rippen.

Tuberkuljoss — Tuberkulose
Shelltucha — Gelbsucht
Gnojnik — Eiterbeule

Abstriche, konzentrierte Aufschwemmungen, herausgeschnittene Gewebe ... eine Galerie des Leides und des Todes.

Die Kolzwoskaja griff nach einem Reagenzglas, auf dessen Schildchen stand, daß in ihm der Eiter von Furunkulosekranken enthalten war. Dieses Glas, das mit einem dicken Wattestopfen verschlossen war, steckte sie in ihre Rocktasche, schloß die Tür wieder auf und verließ das Labor.

In ihrem Zimmer stellte die Ärztin das Reagenzglas auf ihren Tisch und nahm eine Spritze aus dem Schrank. Sie setzte eine dicke Nadel ein, zog ein wenig von dem Eiter der Furunkel in den Glaskörper auf und schob dann die gefüllte Spritze in die Tasche ihres weißen Kittels, den sie vom Haken nahm und anzog.

»Stephan!« schrie sie in den Gang hinaus. Der alte Sanitäter kam hustend aus einem Zimmer gestürzt, einen blutigen Verband in der Hand.

»Kapitän?!«

»Geben Sie dem Mann in Nummer 4 eine Rauschgiftnarkose. Ich komme gleich.«

»Ich verbinde gerade, Kapitän. Noch fünf Minuten. Der Mann verblutet sonst.«

»Laß ihn krepieren!« schrie die Kolzwoskaja. »Geh in Zimmer 4 und gib die Narkose!«

Stephan nickte, warf die blutigen Binden in eine Ecke und rannte zu seinem Medikamentenschrank, riß die Narkosemaske heraus, eine kleine Flasche mit Äther und rannte den Gang entlang zu Zimmer 4. Er stutzte, als er die rote Schrift ›Lebensgefahr‹ sah, aber als er sich umblickte, sah er die Ärztin schon auf sich zukommen. Er riß die Tür auf und rannte in das Zimmer, auf das Bett zu, wo Boris verwundert den Kopf hob und sich aufrichtete.

»Liegenbleiben!« brüllte Stephan ihn an. »Hinlegen! Und nicht rühren!«

Er stülpte Boris die Narkosekappe über die Nase und riß den Korken von der Flasche.

Die Kolzwoskaja betrat das Zimmer. Mit starrem Gesicht ging sie zum Bett, legte ihre rechte Hand auf den Arm Boris' und nickte ihm zu.

»Keine Angst«, sagte sie mit einer Zärtlichkeit in der Stimme, daß Stephan eine Sekunde vergaß, weiter den Äther zu träufeln. »Es geschieht dir nichts!«

Und während sie mit der rechten Hand den Arm streichelte,

umklammerte sie mit der linken Hand die Spritze in der Rocktasche. Die Spritze mit dem Eiter von Furunkeln.

»Was soll das?« sagte Boris schwach, schon hinüberdämmernd. »Was geschieht mit mir?«

Wanda Kolzwoskaja antwortete nicht. Sie nahm die Spritze aus der Tasche.

»Geh hinaus, du Mißgeburt«, sagte sie zu Stephan. »Ich brauche dich nicht mehr –«

Eine Weile saß sie allein am Bett Boris'. Er atmete ruhig in der Narkose. Sein breiter Brustkorb hob und senkte sich wie ein Blasebalg.

Die Kolzwoskaja zögerte. Sie hielt die Spritze in der Hand und konnte sich nicht überwinden, diesen starken, gesunden Körper mit dem Eiter zu entstellen. Verzweifelt suchte sie in diesen Augenblicken nach anderen Möglichkeiten, Boris trotz kommender Kontrollen in ihrem Lazarett zu lassen.

Es fiel ihr keine Lösung ein. Eine russische Kontrolle ist eine Abart des Todesurteils. Wer sie überlebt, kann behaupten, neu geboren zu sein. Wanda Kolzwoskaja kannte das ... sie schlug die Decke zurück und tastete den Oberschenkelmuskel Boris' ab. Dann stieß sie die Hohlnadel in das Fleisch und drückte langsam den Eiter hinein. Aber bei der Hälfte der Spritze hörte sie auf und riß die Nadel wieder heraus.

Unbewußt, in der Narkose, hatte Boris aufgestöhnt. Dieses Stöhnen ließ die Kolzwoskaja zusammenschaudern. Sie sah Boris röchelnd im Bett liegen, den ganzen Körper mit ekeligen Furunkeln übersät, das Blut verseucht, sterbend ... durch eine kleine Spritze, die ihn retten sollte.

Etwas wie Panik ergriff die Ärztin. Sie warf die Decke wieder über den Körper, steckte die Spritze in die Tasche und rannte aus dem Zimmer zurück in das als Operationsraum hergerichtete Verbandzimmer. Dort suchte sie mit fliegenden Händen nach dem wertvollen amerikanischen Penicillin, von dem einige Ampullen sogar bis nach Ust-Kamenogorsk gekommen waren. Wanda Kolzwoskaja hatte es nie benutzt. »Für die Sträflinge ist es zu schade«, sagte sie einmal. »Es ist einfacher, hundert zu begraben, als hundert neue Ampullen zu bekommen.« Für die Milizsoldaten und Offiziere gab sie das Penicillin nicht heraus mit der Begründung: »Solange wir eigene Mittel haben, können wir auf die kapitalistischen Arzneien verzichten!« Der tiefere Grund allerdings war, daß sie mit dem Penicillin nichts anzufangen wußte ... die beiliegenden Beschreibungen waren in englischer Sprache. Die Kolzwoskaja aber konnte kein Englisch ... sie wußte nicht einmal, ob man das neue Mittel intramuskulär oder intravenös injizieren mußte.

So lagen die wertvollen Ampullen in einer Ecke des Medikamentenschrankes herum und warteten auf den Ablauf der Verfallzeit. Das war auch das einzige, was die Kolzwoskaja verstand ... das Datum, an dem sie die Ampullen in den Mülleimer werfen konnte.

In dieser Stunde aber überwand sie alle Scheu vor der weißlichen Flüssigkeit. Sie wühlte sich durch die ›Lagerapotheke‹, bis sie ganz hinten die drei flachen Schachteln mit dem Aufdruck ›Depot-Penicillin‹ fand, riß sie an sich, nahm einen Sterilkasten mit Spritzen und Nadeln und rannte zurück in das Zimmer 4 mit der schreienden roten Türschrift: ›Lebensgefahr!‹

Vorsichtig zog die Kolzwoskaja eine Spritze Penicillin auf. Sie hatte sich entschlossen, das fremde Mittel intramuskulär zu injizieren ... wenn es falsch war, konnte es nicht viel schaden. Ein Mittel aber, das nicht in die Vene gehört und doch dort gespritzt wird, kann zur Katastrophe werden.

Zwei große Ampullen voll jagte sie Boris in beide Oberschenkel ... eine Menge, die genügt hätte, acht Menschen gegen Staphylokokken zu immunisieren. Erst als sie die Spritzen leer hatte, kamen ihr Bedenken. Aber sie fegte sie mit dem lapidaren Satz fort: Zuviel ist hier besser als zuwenig. Das beruhigte sie einigermaßen ... aber sie blieb am Bett sitzen, als erwarte sie eine spontane Reaktion des amerikanischen Wundermittels, als lauere sie wirklich auf ein Wunder, das sich vor ihren Augen vollziehen sollte.

Langsam erwachte Boris Horn aus seiner Äthernarkose. Er schlug die Augen auf, würgte etwas und sah das Gesicht der Kolzwoskaja über sich, lächelnd, wie in Nebeln schwebend, mit großen Augen und einem leuchtenden Mund.

»Was habt ihr mit mir gemacht?« sagte er leise. »Mir ist so schlecht ... das Blut ist wie Feuer ... Ich verbrenne ja innen ...«

»Es geht gleich vorbei«, sagte die Kolzwoskaja stockend. »Keine Angst, Boris —«

Sie starrte auf sein Gesicht, auf die Augen, auf die Hände, die unruhig über die Decke tasteten.

»Es wird immer heißer!« stöhnte Boris. Er warf die Decke mit den Beinen zur Seite ... plötzlich richtete er sich auf, griff sich mit beiden Händen an die Kehle und rang nach Luft.

»Ich verbrenne!« stöhnte er laut. »Was habt ihr mit mir gemacht? Was habt ihr mit mir gemacht?! Oh! Oh!«

Wanda Kolzwoskaja umklammerte ihn, drückte sein heißes Gesicht an ihre Brust und streichelte über seine schweißnassen Haare.

»Boris«, stammelte sie. »Boris ... Ich wollte nur ... Ich wollte —«

Sie weinte plötzlich. Röchelnd lag Boris in ihren Armen ... seine Haut wurde rot ... es war, als dränge das Blut von innen durch die Poren, als verbrenne er wirklich, als zuckten die Flammen schon unter der Haut.

Da ließ sie den Körper zurückfallen auf das Bett, warf die restlichen Ampullen auf den Boden und zertrat sie in sinnloser Wut. Sie zerstampfte das Glas und die milchige Flüssigkeit, daß die Dielen dröhnten, immer und immer wieder trat sie darauf herum, mit verzerrtem Gesicht und aufgerissenem Mund, als wolle sie laut schreien und könne es nicht, weil sie erstickte.

Dann warf sie sich wieder neben den röchelnden Boris auf das Bett, umarmte ihn, legte ihr Gesicht an seine Schulter und weinte. Zwischen Wildheit und Schmerz hin und her gerissen, biß sie in die Kissen und wartete darauf, daß der stöhnende Mann in ihren Armen starb ...

Weder die Vorarbeiterin der Lagerwäscherei noch die anderen Mädchen wußten, daß Olga Puronanskija zum erstenmal Angst vor ihrer eigenen Grausamkeit bekommen hatte und nun ein tiefes Geheimnis mit sich herumtrug.

Sie hatte Erna-Svetlana nicht in den Waschkessel und in die kochende Lauge stoßen können, aber sie hatte das Mädchen weggeschafft ... zum anderen Ende des Lagers, wo die Küchen lagen und die eigene Bäckerei. Dort besaß Olga einen Freund, der als Natschalnik in der Bäckerei arbeitete, einen dicken Weißrussen mit dem merkwürdigen Namen Jossif Kaledin. Er war vor zehn Jahren als Deportierter nach Ust-Kamenogorsk gekommen, weil er sich geweigert hatte, das Ablieferungssoll seiner privaten Bäckerei um 45 Prozent zu erhöhen. Man legte dies als reaktionär aus und schickte ihn in das Altai-Gebirge mit der Absicht, ihn dort verfaulen zu lassen.

Als er in Ust-Kamenogorsk ankam, suchte man gerade einen guten Bäcker ... so kam er sofort wieder an den Backtrog und den Brotofen, verstand es, mit heimlich gebackenen Kuchen und Torten den Kommandanten zu begeistern und erhielt nach vier Jahren die Befähigung, die Lagerbäckerei zu leiten.

Jossif Kaledin steckte Erna-Svetlana dorthin, wo sie am wenigsten mit anderen Menschen in Berührung kam ... sie wurde Putzfrau des Natschalniks.

»Wenn die Kolzwoskaja merkt, daß Svetlana gar nicht geflüchtet ist, sondern hier arbeitet, können wir uns einen Strick um den Hals binden«, sagte Olga Puronanskija zu ihrem Freund Jossif.

»Keine Angst, golobuschka (mein Täubchen)«, sagte Jossif Kaledin. »Ich werde sie gut verstecken.«

»Vielleicht brauchen wir sie noch einmal.« Olga Puronanskija beugte sich zum Ohr Kaledins vor und flüsterte ihm zu. »Sie ist aus Alma-Ata eingewiesen worden! Verstehst du?«

»Bin ich ein Idiot, Olgaschka?« Jossif lächelte und zwinkerte mit den Augen. »Mütterchen Rußland hört mit vielen Ohren, und es lächelt mild, wenn man richtig bläst . . .«

Zufrieden ging Olga zurück zu ihrer Wäscherei. Jossif ist ein kluger Mann, dachte sie. Fast ein Philosoph. Wenn wir alle frei wären, könnte es schön sein, seine Frau zu sein.

Während die Mädchen arbeiteten und die Schlafbaracke verlassen war, räumte sie den Spind Erna-Svetlanas leer, verstaute die wenigen Sachen in einen Korb und trug ihn hinüber zur Bäckerei. Dann rannte sie zu Wanda Kolzwoskaja und berichtete atemlos von dem Verschwinden des Mädchens.

Sie wußte nicht, daß sie damit eine Panik auslöste, an deren Ende ein stöhnender Mann lag, geimpft mit Eiterbazillen und einer achtfachen Menge Penicillin, und eine Ärztin, die zum erstenmal in ihrem Leben etwas wie Reue spürte oder mehr noch — eine wilde Verzweiflung vor dem, was sie getan hatte.

Still, wortlos, mit leeren Augen tat Erna-Svetlana in der Baracke Jossif Kaledins ihre Arbeit, wie sie vordem wochenlang an den dampfenden Waschkesseln gestanden hatte. Sie putzte, sie flickte, sie kochte den abendlichen kapusta und kasch und heizte die kleine banja, wenn der dicke Jossif eine tägliche Sauna nahm.

Nur frühmorgens, wenn die Kolonnen aus dem Lager wegzogen zu den Bergwerken, und abends, wenn die Kolonnen müde, mit schleifenden Schritten und sich gegenseitig festhaltend, wieder ins Lager getrieben wurden, stand sie hinter der verschlissenen Gardine am Fenster und sah hinaus auf die Straße, die an der Bäckereibaracke vorbeiführte. Sie suchte unter den Hunderten Gesichtern ein Gesicht . . . sie suchte unter den Hunderten gekrümmten und gequälten Gestalten eine Gestalt . . . sie tastete mit den Blicken die Reihen ab . . . jeden Morgen und jeden Abend . . .

Aber sie sah Boris nicht.

Nach drei Wochen glaubte sie wirklich, daß er nicht mehr lebte . . .

An einem Abend zog eine spürbare Unruhe durch den ganzen Lagerbereich von III/2398.

In der Offiziersbaracke hörte man erregte Stimmen . . . die Milizsoldaten standen in Gruppen herum und tuschelten . . . die Lagerältesten und Spitzel flüsterten es sich zu . . . in der Küche brannte zum erstenmal seit sechs Jahren die Hirsesuppe an. Aber niemand wurde deswegen bestraft . . .

Durch das Lager zog das Gespenst eines Gerüchtes, lähmend, Schrecken verbreitend auf der einen Seite . . . Hoffnung erzeugend auf der anderen Seite. Keiner wußte, wer das Gerücht mitgebracht hatte, keiner wußte, ob in ihm ein Quentchen Wahrheit enthalten war.

Im Kreml liegt der große Stalin im Sterben...

Oberleutnant Sergeij Pantalonowitsch Kaljus war der erste, der darauf angesprochen wurde. Ein Spitzel näherte sich ihm und strich nahe an ihm vorbei.

»Stalin verreckt!« sagte er leise. »Wir müssen uns umstellen, Genosse...«

»Ich habe nichts davon gehört!« sagte Kaljus ebenso leise.

»Das ganze Lager spricht davon.«

»Eine reaktionäre Parole! Wir werden den, der sie aufbrachte, liquidieren.«

Kaljus ging schnell weiter und verschwand in der Offizierskantine. Hauptmann Perwuchin vom Sicherheitsdienst Ust-Kamenogorsk hielt einen lautstarken Vortrag, was geschehen würde, wenn Malenkow der Nachfolger Stalins würde, und was geschähe, wenn Chruschtschow sich an die Spitze der Sowjetunion schob.

»So oder so«, sagte er mit bewundernswerter Logik, »wird alles anders. Es kann vorkommen, daß eine Reihe unserer Häftlinge« — er sagte vornehm Häftlinge und nicht mehr Sauhunde — »voll rehabilitiert wird. Eine große Zahl ist hier wegen Diffamierung des stalinistischen Kurses. Ich schlage vor, die Akten schnellstens durchzusehen und diejenigen Häftlinge in einem Seitenblock abzusondern, die alle Aussicht haben, als freie Sowjetbürger wieder in den Schoß unserer Gemeinschaft zurückzukehren.«

»Blödsinn«, sagte Oberleutnant Kaljus laut. Alle Köpfe fuhren zu ihm herum. Erstaunte, empörte, entsetzte, schadenfrohe Blicke musterten ihn. Hauptmann Perwuchin galt als einer der kommenden Männer, wenn Stalin gestorben war. »Ihr glaubt diesen Blödsinn mit Stalins Tod?«

»Überall spricht man davon! Auch in der Stadt! Es geht wie ein Steppenfeuer im Sturm über das Land!«

»Und Radio Moskau sendet Tanzmusik!« Kaljus tippte lachend an seine Stirn. »Ihr seid alle hysterisch und solltet euch von der Kolzwoskaja ein Spritzchen geben lassen.«

»Man verschweigt es, um das Ausland zu täuschen«, schrie Hauptmann Perwuchin.

»Dann schweig du auch!« Kaljus ging an die Theke. »Einen Wodka doppelt!« bestellte er laut in die Stille hinein. »Solange es Wodka gibt, ändert sich wenig in Rußland!«

Was Sergeij Pantalonowitsch Kaljus nicht wußte, das wußte in Alma-Ata der flinke und immer auf dem neuesten Stand der Dinge bleibende Genosse Stephan Tschetwergow. Seine Telefonverbindung mit Moskau war sicher und glaubwürdiger als alle amtlichen Berichte und Dementis.

Es war nachts 2.45 Uhr, als das Telefon bei Ilja Sergejewitsch Konjew in Judomskoje klingelte. Marussja fuhr mit einem Schrei aus dem Bett.

»O heilige Mutter von Kasan!« stammelte sie. »Um diese Zeit – es muß etwas Schreckliches sein.«

»Laß die reaktionären Ausrufe, Weib!« sagte Konjew. Er griff nach dem Telefon und stellte es auf das Bett. Dann nahm er den Hörer ab und sagte zunächst einmal laut: »Ruhe!«

»Wo bist du, Ilja?« fragte Tschetwergow.

»Im Bett! Denkst du, ich fange Ratten, wie ihr in Alma-Ata?«

»Stalin liegt im Sterben . . .«

»Heilige Mutter von Kasan!« sagte Konjew erschüttert.

Marussja grinste. »Reaktionär!« sagte sie zufrieden. Sie bekam einen gut gezielten Tritt und fiel jammernd aus dem Bett.

»Was ist das bei dir?« fragte Tschetwergow, der den Krach hörte.

»Ich habe nur mein Täubchen ermahnt, Genosse.«

»Was soll nun werden, Konjew?«

»Abwarten, Genosse Tschetwergow. Anderes können wir nicht tun. Es kommt darauf an, wer an die Stelle von Stalin tritt. Vielleicht wird es ein Karussell, und wir können gar nicht so schnell ›Hurra‹ und ›Nieder‹ brüllen, wie sie im Kreml sich abwechseln. Man kennt das ja noch vom Tode des Väterchens Lenin her. Wer damals Trotzki den Bart streichelte, wurde von der anderen Seite ins Genick geschossen.«

»Auf jeden Fall behalte Piotr Alexandrowitsch Tagaj im Auge. Wir haben nichts, was wir anbieten können, außer der Datscha. Und es findet sich immer ein Freund, der sie gebrauchen kann.«

»Ich werde morgen früh zu Piotr Alexandrowitsch gehen.«

»Morgen!« Tschetwergow hieb auf den Tisch. »Sofort! Wenn morgen der große Stalin tot ist, muß alles vorbereitet sein. Zieht Malenkow in den Kreml ein . . . dann warte ab und trink ein Täßchen Tee mit Tagaj . . . ist es Chruschtschow, dann tritt ihm in den Hintern und jage ihn in die Steppe hinaus.«

»Wie Sie befehlen, Genosse«, sagte Konjew müde.

»Ich befehle nichts . . . ich rate nur. Du bist alleiniger Herr deiner Handlungen.«

»Es wird alles zum Wohle des Volkes geschehen.« Konjew gähnte, legte den Telefonhörer auf, stellte den Apparat zurück auf den wackeligen Stuhl, rollte sich zur Seite und schlief weiter.

Nur Marussja blieb wach und saß im Bett.

Stalin tot . . . war das möglich? Sie schlug – nach einem scheuen Seitenblick auf den schnarchenden Konjew – schnell drei Kreuze über der Brust und legte sich dann hin.

Ob es besser wurde in Rußland?

Ob es mehr Vieh gab?
Ob die Norm herabgesetzt wurde?
Ob es . . .
Es waren viele Wünsche, mit denen Marussja einschlief.

In diesen Wochen war Wanda Kolzwoskaja gealtert. Zwei scharfe Falten hatten sich in die Mundwinkel eingegraben. Man wagte kaum noch, sie anzusprechen . . . die neuen Transporte wurden im Schnellverfahren untersucht . . . die Ärztin sah die nackten Sträflinge überhaupt nicht mehr an, sondern starrte vor sich auf den Boden. »Arbeit! Bergwerk! Arbeit! Bergwerk!« Wie eine gut geölte Maschine spuckte sie die beiden Worte aus sich heraus.

Das Zimmer Nr. 4 wagte wie bisher niemand zu betreten. Die Scheu war sogar so groß, daß jeder auf dem Gang sich schnell an der Tür mit der flammenden Aufschrift ›Lebensgefahr‹ vorbeidrückte, als könne ihn aus diesem geheimnisvollen Zimmer eine tödliche Gefahr anspringen.

»Wer liegt eigentlich in dem Zimmer?« fragte jeder neue Kranke, der von Stephan ein Bett bekam.

»Ein einzelner Mann. Mehr weiß ich auch nicht!«

»Und was hat er?«

»Den Hintern an der gleichen Stelle wie ihr . . .«

Wanda Kolzwoskaja sah jede freie Minute nach dem Befinden Boris'. Die Furunkulose war nicht zum Ausbruch gekommen. Bis auf ein allgemeines Unwohlsein, ein heftiges Erbrechen und eine allergische Rötung der Haut hatte sich nichts gezeigt. Das Wunder, auf das sie gewartet hatte, war eingetreten.

Was zurückblieb, war eine allgemeine Schwäche. Die Kolzwoskaja schaffte an Essen heran, was sie bekommen konnte, ohne aufzufallen. Nachdem die akute Gefahr vorbei war und das Verschwinden Erna-Svetlana Bergners keine Kontrolle ausgelöst hatte, fuhr sie zweimal in der Woche mit einem alten Auto oder einem Lagertransportwagen in die Stadt Ust-Kamenogorsk und kaufte ein: Fleisch, Butter, Wurst, frisches Obst, starken Krimwein, Eier. Ihr ganzes Gehalt gab sie dafür hin. Sie kaufte sogar ein Hemd und Unterwäsche für Boris, einen gestreiften Schlafanzug und ein Paar neue, dicke Schuhe.

Boris hatte die Infektion und die hohe Dosis des Penicillins gerade überstanden und begann, die ersten Schritte im Zimmer zu gehen, schwankend, als sei er betrunken, angetan mit dem Schlafanzug, den ihm die Kolzwoskaja geschenkt hatte, als die Nachricht vom Todeskampf Stalins durchsickerte.

Wanda Kolzwoskaja hörte es von Hauptmann Perwuchin, der seit Wochen wie ein geiler Kater um sie herumstrich und sich bemühte, die Aufmerksamkeit der Ärztin durch Freundlichkeit oder großen Schneid zu erregen. So ließ er eines Abends eine Kolonne von 500 Sträflingen, ein wildes Reiterlied singend, am Fenster der Kolzwoskaja vorbeitraben, als sei es eine Kavalleriebrigade.

Als die Ärztin daraufhin das Fenster schloß und das Licht im Zimmer abdrehte, ließ er die 500 Gerippe auf dem Bauch über die Straße kriechen, durch das Lagertor, durch die Lagergassen bis vor die Baracken.

»Er hat einen Schlaganfall bekommen«, berichtete er. »Er ist halbseitig gelähmt!«

»Das kommt vor«, antwortete ihm die Kolzwoskaja. »Aber das ist noch keine Todesursache. Es gibt Männer, die laufen seit Jahren mit einem gelähmten Gehirn herum und krepieren nicht.«

In ihrem Zimmer aber dachte sie sehr über diese vage Meldung nach. Sie wurde von den gleichen Gedanken gequält wie Tschetwergow und Konjew und Tausende anderer Sowjets: Es wird vieles anders sein, und die ehemaligen Feinde werden ausschwärmen wie Hornissen und panischen Schrecken verbreiten. Es wird schwer sein, jemanden zu finden, der sagt: Ich stehe dir bei! Es wird nur Gegner geben und Speichellecker.

Am 5. März 1953 unterbrach der Moskauer Rundfunk seine Sendungen. Lähmende Stille lag über ganz Rußland. Das Unfaßbare war Wahrheit geworden: Josef Stalin war gestorben.

Es war, als habe in Rußland der Begriff der Unsterblichkeit einen Riß bekommen.

Ein Monument war gestürzt.

Atemlos lauschte die Welt nach Moskau, nach dem Kreml, hinter dessen dicken Mauern tiefstes Schweigen lag.

Nicht so schweigsam war Stephan Tschetwergow, der eine halbe Stunde nach dem festgestellten Tode Stalins bereits die interne Telefonnachricht besaß und dazu die Meldung: Nachfolger wird Malenkow sein. Aber dicht auf dem Fuße folgt Chruschtschow. Genossen, orientiert euch auf Chruschtschow!

In Judomskoje rollte die erste Aktion an. Noch war das amtliche Bulletin aus Moskau nicht veröffentlicht, als die erste Tat des ›Neuen Kurses‹ von dem fleißigen Ilja Sergejewitsch Konjew ausging. Er rückte mit vier starken Männern ab zur Datscha und warf den verblüfften und sehr konsternierten Tagaj aus dem Bett.

»Sachen packen, du Stalin-Hinternlecker!« schrie Konjew. Es tat ihm in der Seele gut, denn Tagaj hatte noch immer nicht das Einzugsfest gegeben, war geizig, bot nie einen Wodka an, was sogar Borkin getan hatte, und benahm sich ganz wie ein Bourgeois ... hochmütig, verschlossen und sich absondernd von der proletarischen Klasse. »Deine Zeit ist um!« brüllte Konjew genußvoll.

Piotr Alexandrowitsch Tagaj setzte sich im Bett hoch, während seine Frau Darja die Decke bis zum Kinn zog, damit der wilde Konjew nicht ihren Busen sehen konnte.

»Was fällt Ihnen ein?« schnaubte der Komponist Tagaj. »Sind Sie schon am frühen Morgen besoffen?!«

Über Konjews bestimmt nicht schönes Gesicht zuckte es konvulsivisch. Daß es ein Mann wagte, ihn besoffen zu nennen, der noch nie einen Wodka ausgegeben hatte, kränkte ihn mehr als alles andere.

»Raus!« brüllte er. Er faßte die Decke Tagajs und seiner Darja und zog sie weg. »Sachen packen und weg von der Datscha! Geht zurück, woher ihr gekommen seid! In einer Stunde marschiert ihr ab!«

»Ich werde mich sofort in Moskau beschweren!« schrie Tagaj. Jetzt kam die große Minute des Ilja Sergejewitsch. Er baute sich vor dem vor Wut rot gewordenen Komponisten auf, spuckte auf den Boden und sagte mit breitem Grinsen:

»Väterchen Stalin ist tot! Mausetot!«

Darja stieß einen spitzen Schrei aus, und Tagaj erblaßte so plötzlich, wie er rot geworden war. Konjew genoß dieses Schauspiel mit einer fast perversen Lust.

»Das — ist — nicht — wahr —«, stotterte Tagaj.

»Wenn ihr faulen Hunde euch nicht so lange im Bett herumlümmeln würdet, hättet ihr es am Radio gehört. Seit einer halben Stunde spielen sie klassische Musik von Borodin und Mussorgskij.«

Tagaj sprang aus dem Bett. Er rannte im Nachthemd ans Radio und stellte es an. Nach einigem Knacken und Rauschen und Knattern hörte man die tragischen Klänge einer Sinfonie. Tagaj sah auf die Uhr. Dabei zitterte seine Hand, als habe er Schüttelfrost.

»Was wollen Sie von uns, Genosse?« fragte er leise.

»Sie verlassen sofort die Datscha! Stalin hat sie Ihnen gegeben ... Sie müssen warten, ob Malenkow oder Chruschtschow sie Ihnen auch gibt.«

»Mein Gott — Chruschtschow!« sagte Darja unvorsichtig, Tagaj bedachte sie mit einem bösen Blick. Konjew riß die Augen auf.

»Sie stehen nicht gut mit Genossen Chruschtschow?«

»Er mag meine Musik nicht recht«, sagte Tagaj ausweichend. »Er hat ein anderes Stilgefühl!«

»Dieses Stilgefühl wird aber in Zukunft maßgebend sein!« schrie Konjew voller Wonne. »In einer Stunde sind Sie weg von der Datscha! Verstanden?!«

Unter den ängstlichen Blicken der Tagajs verließ er die Datscha. Zu Hause erwartete ihn bereits Marussja. Tschetwergow hatte wieder angerufen. Das amtliche Bulletin war herausgekommen. Stalin war offiziell tot! Zu Ehren des Toten hatten sich Millionen

Arbeiter und Bauern spontan verpflichtet, das tägliche Soll um 25 Prozent zu erhöhen.

Konjew rief sofort in Alma-Ata an. »Was ist das, Genosse?« rief er entsetzt. »Jetzt, wo er tot ist, sollen wir noch mehr arbeiten. Ich dachte —«

»Denken, Konjew!« Die Stimme Tschetwergows war müde. »Wer denkt denn hier?! Sorgen Sie dafür, daß Judomskoje ebenfalls melden kann, daß die Bauern spontan und aus Trauer arbeiten.«

»Die Genossen erschlagen mich, wenn ich es ihnen sage!«

»Wir wollen der Welt ein Beispiel geben, wie der Tod unseres Helden die ganze Nation aufreißt und zusammenschweißt! Wir wachsen über uns selbst hinaus in unserem Schmerz . . .«

»Sind Sie krank, Tschetwergow?« fragte Konjew ängstlich.

»Ich wünsche eine spontane Reaktion!« schrie Stephan Tschetwergow. »Ende!«

Langsam legte Ilja Sergejewitsch Konjew den Hörer zurück. Er sah Marussja an, die neben ihm stand und an der Schürze herumwrang.

»Was ist, Iljascha?«

Konjew schüttelte den Kopf, als sei er ins Wasser gefallen und schleuderte die Tropfen ab wie ein Hund.

»Ich glaube, es ändert sich gar nichts«, sagte er unsicher. »Es sind immer welche da, die eine Schraube noch fester drehen.«

Der Tod Stalins, offiziell bekanntgegeben, erzeugte auch in Ust-Kamenogorsk eine spürbare Umstellung.

Dem weisen Rate Hauptmann Perwuchins folgend, begann der Kommandant, Oberst Denikinow, die Stalingegner abzusondern und in einer erst vor drei Monaten erbauten Steinbaracke zu sammeln, wo sie ein sauberes Bett bekamen und eine doppelte Verpflegungsmenge. Die Baracke war als ›Kulturzentrum Ust-Kamenogorsk‹ gedacht gewesen. Hier sollten Schulungen stattfinden und kommunistische Kameradschaftsabende. Oberst Denikinow winkte ab und sagte: »Erst den neuen Kurs abwarten!« So zogen siebenhundert Sträflinge in das schöne, große, neue Haus mit den breiten Fenstern und einer für Ust-Kamenogorsk geradezu märchenhaften Toilette mit Wasserspülung.

Allerdings tauchte bei der Aussonderung der Stalingegner eine kleine Schwierigkeit auf, die ausgerechnet dem sehr still gewordenen Oberleutnant Kaljus passierte: Der Sträfling Boris Horn war nicht greifbar.

»Was hat er?« fragte Kaljus. Er sah erst jetzt aus der Liste, daß Boris seine bisherige Haftzeit nur im Lazarett zugebracht hatte und überhaupt nur wenige Tage unten im Berg gearbeitet hatte.

»Seit wann liegt bei Ihnen ein Sträfling länger als drei Tage, Genossin Kolzwoskaja?! Bisher waren sie entweder arbeitsfähig oder tot! Kann ich den Burschen mal sehen?!«

»Bitte!« Die Kolzwoskaja hob die Schultern. Sie knöpfte ihren weißen Arztkittel zu, nahm aus einer Steriltrommel eine weiße Haube und ein Mundtuch, band es um, stülpte die Mütze über die Haare und zog sich lange, gelbe Gummihandschuhe an. Oberleutnant Kaljus runzelte die Stirn.

»Was soll das, Genossin?!«

»Sie wollten den Kranken sehen ... bitte, kommen Sie!«

Zögernd folgte ihr der Oberleutnant über den langen Gang bis zur Tür des Zimmers 4. Dort blieb er stehen und starrte auf die rote Beschriftung.

SARASA.

Und darunter, quer über die ganze Tür: DLJA SHISNI!

Die Kolzwoskaja erfaßte die Klinke, nachdem sie das Mundtuch zurechtgerückt hatte. Kaljus hielt ihre Hand fest.

»Was hat er denn?«

»Eine hochvirulente Infektion! Einmal einatmen kann schon den Tod bedeuten. Wir haben noch kein Gegenmittel ...«

Oberleutnant Kaljus wich von der Tür zurück. »Lassen Sie zu, Genossin Kolzwoskaja. Es ist ja nur meine Pflicht, mich nach der veränderten Lage genau zu erkundigen. Wahrscheinlich wird Boris Horn auch entlassen ...«

»Entlassen?« Das Gesicht der Kolzwoskaja versteinerte sich. »Man kann einen Todkranken nicht entlassen.«

»Er wird in ein staatliches Hospital kommen. In eine Spezialbehandlung!«

»Dort weiß man genausowenig wie hier! Es gibt noch keine Mittel!«

»Es ist Befehl, Genossin!« Oberleutnant Kaljus hob die Schultern mit den breiten Schulterstücken. »Man wird die wegen Stalingegnerschaft Verurteilten bald wie rohe Eier behandeln. Der Wind dreht sich.«

Er grüßte und verließ schnell den Gang und die Tür, hinter der eine unheilbare Krankheit verborgen war. Die Kolzwoskaja blieb wie vor den Kopf geschlagen zurück und hielt noch immer den Griff der Tür in der Hand.

Er wird entlassen ... Es war alles umsonst ... Die Mühen, die Sorgen, die schlaflosen Nächte, die geheimen Träume, der bestialische Kampf gegen das Mädchen Erna-Svetlana, der Betrug gegenüber einer Welt, in der der eine den anderen zerfleischt. Es war alles umsonst ...

Sie ließ die Klinke los und ging zurück in ihr Zimmer. Dort warf sie die Kappe, das Mundtuch und die Gummihandschuhe auf die Erde und setzte sich an das Fenster. Durch die Gardine sah sie, wie die zur Begnadigung vorgesehenen Gefangenen in Gruppen zu dem neuen Haus geführt wurden ... schwankende Gerippe, halb verhungert, im Bergwerk entnervt, ausgelaugt von Tuberkulose, Dystrophie, Furunkulose. Männer, die zu keiner Regung mehr fähig waren, weder zu Freude noch zu Schmerz, Knochen, mit Haut überspannt ... Menschen, die durch ein einziges Wort der Kolzwoskaja: »Arbeitsfähig!« das Gesicht und das Wesen eines Menschen verloren.

»Was wird sein, wenn Boris entlassen wird?« dachte sie. Wie kann ich hier weiterleben, umgeben von Haß und Ekel, Rache und Kriecherei? Muß ich noch grausamer werden, um alle menschlichen Regungen in mir zu ersticken und zu verlernen, über mich selbst nachzudenken? Ein ganzes Leben lang ... vergessen durch Grauen ...

Ihre Ohnmacht, zu handeln, versetzte sie in Wut. Sie trommelte mit den Fäusten auf die Stuhllehne. Ihre Haare flogen ihr in das gerötete Gesicht. Als sie ihren Kopf voll wilder Schönheit im Spiegel sah, ergriff sie eine Haarbürste und warf sie in das Glas. Klirrend zerbarst der Spiegel, fast im gleichen Augenblick, in dem Oberst Denikinow ins Zimmer trat.

»Nanu?« sagte er verblüfft. »Der Spiegel war doch noch gut.«

Die Kolzwoskaja fuhr wie ein gereizter Panther herum.

»Können Sie nicht anklopfen?« fauchte sie.

»Das habe ich getan. Aber Sie überhörten es durch Ihr rhythmisches Trommeln.« Oberst Denikinow grinste. »Ich dachte, Sie hätten sich eine Trommel gekauft. Erschüttert Sie der Tod Stalins so sehr, Genossin?«

»Bitte gehen Sie!« Die Kolzwoskaja keuchte. Sie spreizte die Finger, als wolle sie sich auf den Oberst stürzen und ihm das Gesicht zerkratzen.

Denikinow verbeugte sich knapp. »Sofort, Genossin. Ich bin nur gekommen, um Ihnen mitzuteilen, daß die Lagerleitung Sie der militärärztlichen Zentrale zur Verfügung stellt. Weiteres werden Sie aus Moskau erfahren.«

Wanda Kolzwoskaja wich zum Fenster zurück und starrte den Oberst an.

»Ich habe immer meine Pflicht getan!« sagte sie rauh.

»Wir haben festgestellt, daß unter den zur Entlassung bereitgestellten Inhaftierten über 70 Prozent arbeitsunfähig sind, aber von Ihnen als gesund in das Bergwerk geschickt wurden.«

»Es war meine Norm!« schrie die Kolzwoskaja. »Sie wußten es ja so gut wie alle anderen!«

»Ich wußte von nichts.« Oberst Denikinow zog sein Koppel

gerade. »Die Entscheidungen der Lagerärztin waren unantastbar. Sie tragen allein die Verantwortung!«

Ohne einen Gruß verließ er das Zimmer.

Wanda Kolzwoskaja lehnte an der Wand. Sie ballte die Fäuste, schleuderte sie vor und hieb mit ihnen durch die Luft.

»Hund!« schrie sie grell. »O du Hund!« Und dann leiser, vergehend in ein Weinen: »Ich wollte es ja nicht ... Aber keiner liebt mich ... keiner ... keiner ...«

In Alma-Ata entwickelte Tschetwergow nach der amtlichen Bestätigung vom Tode Stalins eine rege Tätigkeit. Abgesehen von den ›spontanen Trauerbeweisen‹, die er in ganz Kasakstan organisierte und die Konjew sehr Kopfzerbrechen machten, denn seine Bauern waren eher bereit, vor Freude zu flaggen, als eine Sonderschicht zu Ehren des großen Väterchens zu machen, ließ sich der Distriktsowjet alle Listen kommen von Sträflingen, die in den letzten drei Jahren wegen antistalinistischer Umtriebe verurteilt worden waren und die unter Umständen noch leben konnten.

Um die Akte Boris Horn kümmerte er sich besonders. Er fuhr zum NKWD und versuchte, den Totschlag an Borkin als ›Ausdruck tiefster Verachtung gegen einen schleimigen Stalinfreund‹ hinzustellen.

»Es war eine rein politische Tat, Genossen!« rief Tschetwergow voller Überzeugungskraft. »Dieser Boris ist ein Vorkämpfer des neuen Kurses, der jetzt in Moskau an die Spitze kommt! Er erkannte früher als wir, daß das Ansehen unserer Partei durch die stalinistische Vetternwirtschaft ruiniert wurde! Er hatte einen weiten Blick, das Brüderchen Boris!«

Der NKWD in Alma-Ata saß kopflos da. In wörtlicher Hinsicht zudem, denn der Leiter der politischen Polizei hatte sich erschossen, als er erfuhr, daß hinter Malenkow breit und behäbig lächelnd Chruschtschow wartete.

»Es geht alles von Moskau aus«, sagte der Kommissar hilflos zu Tschetwergow. »Warten wir ab, wie der Fall Boris Horn verläuft.«

»Was hat Moskau damit zu tun?« stöhnte Tschetwergow. »Ihr seid zu träge, Genosse! Damals wurde Brüderchen Boris hurtighurtig eingesperrt ... nun geht hin und holt ihn ebenso hurtig auch wieder aus Ust-Kamenogorsk zurück! Der Wind hat sich gedreht, Genosse.« Er wischte sich den perlenden Schweiß von der Stirn. Wenn in Moskau bekannt wurde, daß Boris Horn und mit ihm der ›Fall Borkin‹ die größte Blamage Tschetwergows gewesen war, würde kein Hund mehr in Alma-Ata und ganz Rußland sein Bein an Tschetwergows Hosenbein hochheben ... so völlig armselig würde er sein. »Wir haben uns geirrt ... dafür sind wir arme Menschlein. Aber noch kann man diese Irrtümer reparieren und so gut tapezieren, daß sie keiner sieht. Auch Moskau nicht. Man muß nur schnell handeln. Laßt den Boris Horn frei.«

»Wenn er noch lebt ...« Der Kommissar des NKWD wiegte den Kopf. »In Ust-Kamenogorsk ... Genosse, das ist ein faules Ei. Dort war bis gestern die Kolzwoskaja Lagerärztin! Die war erst zufrieden, wenn sie den Tod feststellen konnte.«

»Aufhängen, das Aas!« sagte Tschetwergow in ehrlicher Empörung.

»Wir haben sie zur Sanitätszentrale nach Moskau zurückbeordert.«

»Bravo! Und nun gebt Boris heraus.«

»Wir wollen sehen. Ich spreche nachher mit dem Lager III/2398. Wenn er noch lebt —«

»Machen Sie mich nicht unglücklich, Genosse!« Tschetwergow tupfte sich wieder den Schweiß vom Gesicht. »Ich habe drei Kinderchen und ein liebes Frauchen ... Boris muß wieder her! Er ist mein Aushängeschild gegen Stalin!«

»Ich wünschte, ich hätte auch eins, Genosse.«

Eine Stunde später sprach Tschetwergow telefonisch mit Ilja Sergejewitsch Konjew in Judomskoje.

»Alles in Ordnung, Ilja?«

»Alles, Genosse. Piotr Alexandrowitsch Tagaj ist bereits auf der Wanderschaft. Mit sieben Arbeitern und Bäuerinnen machen wir die Datscha sauber. Tagaj hat gehaust wie eine Sau! Aber wenn wir hier fertig sind, wird keiner mehr die Datscha wiedererkennen. Wir polieren sie wie ein Diadem.«

»Gut so, Ilja. Man wird uns loben!«

»Gott geb's.«

Und Tschetwergow war so großzügig, den reaktionären Ausdruck Gott zu überhören.

Drei Tage später, nachdem es in guteingeweihten Kreisen bekanntgeworden war, daß Malenkow regieren und einen weicheren Kurs einschlagen würde, kamen Hauptmann Perwuchin und Oberleutnant Sergeij Pantalonowitsch Kaljus stiefelknallend in die Lazarettbaracke.

Wanda Kolzwoskaja hatte sie schon vom Fenster aus kommen sehen. Sie erwartete die Offiziere in aufrechter Haltung, fast herausfordernd mit vorgerückter Brust und flammenden Augen. Eine gefangene Tigerin, die dressiert werden soll.

»Kapitän!« sagte Hauptmann Perwuchin scharf. »Wir haben den Befehl, den Gefangenen Boris Horn nach Alma-Ata zu schicken.«

»Holt ihn euch!« sagte die Kolzwoskaja. Sie lächelte. Ihr weißes

Gesicht leuchtete zwischen den roten Lippen. »Er liegt auf Zimmer 4.«

»Danke!« Perwuchin grüßte. Immer korrekt, auch wenn die Kolzwoskaja seit zwei Tagen abgehalftert war.

Vor Zimmer 4 blieb er stehen. Kaljus, der die Tür mit der roten Schrift kannte, grinste leicht.

»Was soll das?« fragte Perwuchin. Die alte Scheu vor dem Wort SARASA (Infektion) machte auch ihn unsicher.

»Da liegt Boris Horn.« Kaljus hob die Schultern.

»Was hat er?«

»Darüber kann nur die Kolzwoskaja was sagen.«

Hauptmann Perwuchin reckte den Kopf. Dann drückte er die Klinke herunter und betrat das Zimmer. Im Bett fuhr Boris hoch und starrte auf die eintretenden Offiziere.

Das Ende, dachte er blitzschnell. Der Betrug Wandas ist bekanntgeworden. Jetzt werden sie mich erschießen! Er blieb im Bett sitzen und sah den beiden Offizieren in die Augen, die an der Tür stehen blieben.

Leb wohl, Erna-Svetlana, dachte Boris. Dann aber lächelte er. Sie ist ja schon tot, dachte er. Ich werde sie jetzt endlich wiedersehen. Ein Wort des alten Pfarrers von Neuenaue fiel ihm ein: Das Leben ist nur eine Vorbereitung auf die Seligkeit.

»Ich bin bereit«, sagte er laut. Hauptmann Perwuchin zuckte zusammen.

»Was haben Sie, Genosse Horn?« fragte er, an der Tür stehenbleibend.

»Eine Furunkulose.« Boris Horn schlug die Decke zurück. Auf seinem linken Oberschenkel glänzten drei dicke, rotumränderte Geschwüre.

»Und sonst?«

»Sonst weiß ich nichts.«

Perwuchin sah Oberleutnant Kaljus an. »Ist Furunkulose ein Hinderungsgrund?«

»Nein! Sie kann überall ausgeheilt werden.«

»Und — und das andere?«

»Wir müssen die Kolzwoskaja fragen.«

Hauptmann Perwuchin wandte sich wieder zu Boris, aber er blieb immer noch an der geöffneten Tür stehen.

»Wir werden Ihnen Sachen zum Anziehen bringen lassen. Und dann warten Sie, bis man Sie holt, Genosse.«

»Sachen ...« Boris Horn sprang aus dem Bett. Trotz der Schmerzen seiner Furunkel ging er ein paar Schritte. Schnell wichen Perwuchin und Kaljus zurück.

»Bleiben Sie stehen!« brüllte Perwuchin.

»Was habt ihr mit mir vor?« stotterte Boris.

»Sie kommen weg, nach Alma-Ata!«

»Nach Alma —« Boris schluckte. »Was soll ich in Alma-Ata ...?«

»Sie werden begnadigt, Genosse Boris.«

Es war, als risse in Boris das Herz auseinander. Er wankte ... er griff um sich, tastete sich zur Wand und stützte sich an ihr ab. Vor seinen Augen drehten sich die Köpfe der beiden Offiziere wie rasend rotierende Monde. Er wollte sprechen, aber seine Stimme war weg ... er rang nach Atem, nach einem Laut, nach einem einzigen Ton. Schließlich stöhnte er.

»Be ... be ... begnadigt ...«

»Machen Sie sich fertig.« Perwuchin grüßte und verließ schnell das unheimliche Zimmer. Kaljus folgte ihm wie ein Schatten. Auch ihm war unbehaglich.

An seinem Bett fiel Boris in die Knie. Er breitete die Arme aus und schlug mit dem Kopf gegen die Bettkante.

»Begnadigt ...«, wimmerte er. »Frei ... frei — und Svetla ist nicht mehr da. — Warum habt ihr mich nicht sterben lassen ...«

Olga Puronanskija kam mit fliegendem Rock zu ihrem Geliebten, dem Bäckermeister Jossif Kaledin, gerannt. Atemlos ließ sie sich auf den Stuhl fallen, der in einem Zimmer neben der Backhalle stand und in dem Kaledin seine Abrechnungen fertigmachte. Ihr mächtiger Busen wogte wie ein Meer in der Sturmflut. Kaledin betrachtete wohlwollend dieses Naturschauspiel und grinste zufrieden und mit dem Stolz des Besitzers.

»Was ist denn so Eiliges, golobuschka (mein Täubchen)?«

»Es werden vierhundertsiebenundachtzig Mann begnadigt«, sagte sie außer Atem. »Ich habe sofort mit Kaljus gesprochen. Ein Boris Horn ist auch darunter!«

»Boris Horn? Nie gehört? Wer ist'n das?«

»Der Mann unserer Erna-Svetlana! Ich habe nie geglaubt, daß es ihn gibt. Nur zufällig frage ich danach, weil mir es einfiel. Aus einer Laune heraus. Und da sagt der Kaljus: Ja, der ist auch dabei! — Hei, bin ich doch bald umgefallen! So erschrocken bin ich.«

»Und wenn es ein anderer Boris ist? Boris gibt es wie Sonnenblumen auf den Feldern.«

»Aber keinen Boris Horn. Soll ich es Svetlana schon sagen?« Olga wedelte sich mit einem Taschentuch frische Luft zu. Kaledin schüttelte den Kopf.

»Das hat Zeit, golobuschka. Eine gute Nachricht ist wie Medizin ... man soll sie tropfenweise geben. Dann wirkt sie besser.«

Er wollte seine Jacke nehmen, aber er kam nicht mehr dazu, sie überzuziehen. Erna-Svetlana stürmte in das Zimmer. Ihre goldgelben Haare flogen um ihr blasses Gesicht, aber diese Blässe war durchzogen mit einem Leuchten, als würde die Haut von innen mit einer Lampe beschienen.

Sie hielt sich am Türrahmen fest, als sie Olga Puronanskija sah. »Sie werden freigelassen!« rief sie. »Hunderte werden freigelassen! Boris wird auch darunter sein! Er wird frei sein! Frei!«

Das letzte Wort war ein Schrei. Dann krallte sie sich an das Holz des Türrahmens fest, aber sie hatte keine Kraft mehr, sich festzuhalten. Jossif Kaledin fing sie auf und schleifte sie zu dem Stuhl, auf dem Olga gesessen hatte. Er ließ Wasser über ein schmutziges Handtuch laufen, bedeckte die Stirn Erna-Svetlanas damit und sah dann hilflos zu Olga hinüber, die mit wiegendem Kopf an der Tür stand.

»Steh nicht herum«, brummte er. »Tue etwas! Soll sie sterben, bevor sie ihren Boris wiedersieht?!«

»Dazu ist sie zu zäh.«

»Kümmere dich um sie. Ich laufe hinüber zum Lazarett. Vielleicht ist alles anders ...«

Er knöpfte seine Jacke zu und rannte aus dem Zimmer. Olga setzte sich neben Erna-Svetlana und legte ihren Arm um ihre Schultern. Sie sah auf den hohen Leib des Mädchens. Noch zwei, höchstens drei Monate, dachte sie. Was wird dann werden, wenn ihr Boris nicht bei den Begnadigten, wenn er längst tot ist und in einer der großen Gruben außerhalb des Lagers liegt?

Die Hand Erna-Svetlanas tastete nach dem feuchten Handtuch.

»Er muß dabei sein«, sagte sie leise.

»Gewiß. Gewiß.« Olga Puronanskija nahm das Tuch fort. Die Augen Svetlanas waren starr zur Decke gerichtet.

»Wir werden eine richtige, glückliche Familie sein ...«

»Glücklich.« Olga rümpfte die Nase. »Das Wort ist teurer als ein Edelstein ...«

Hauptmann Perwuchin holte Boris Horn aus dem gemiedenen Zimmer Nummer 4. Die Kolzwoskaja lag in ihrem Sanitätsraum auf der Untersuchungspritsche und trommelte mit den Fäusten auf das Holz. Oberleutnant Kaljus stand neben ihr, mit hochrotem Kopf, die Hände in den Uniformtaschen.

»Es ist unwürdig, Genossin«, sagte er hart. »Sie benehmen sich wie ein bourgeoises Liebchen.«

»Gehen Sie 'raus, Sie Hund!« schrie die Kolzwoskaja. »Sie haben nie geliebt!«

»Er war ein Sträfling! Ein Lebenslänglicher! Sie haben ihn versteckt! Sie haben Ihre Stellung als Ärztin mißbraucht ...«

»Mich haben sie mißbraucht! Mich!« schrie die Kolzwoskaja. »Die Parteidoktrin hat mich zu einer Maschine gemacht, die täglich Hunderte von Kranken als Arbeitsfähige ausspuckte ... Ich war nur ein Fließband der Diktatur –«

»Genossin!« schrie Oberleutnant Kaljus.

»Wollen Sie mich anzeigen? Das besorgt schon der fleißige Perwuchin! Was habe ich zu verlieren? Was?« Sie richtete sich auf. Ihre Bluse war aufgerissen ... Kaljus schluckte.

»Sie –«

»Ich? Ich bin Aas!«

»Sie sind wundervoll, Wandaschka ...«

Die Kolzwoskaja kniff die Augen zusammen. Sie ging zurück zu dem Medikamentenschrank. Kaljus verschlang sie mit den Augen. Es ist ein Wunder, dachte sie, daß ihm nicht der Speichel aus dem Mund tropft.

»Was wollen Sie noch hier?« sagte sie hart. »Sie haben Ihren Boris. Geben Sie ihm die Freiheit an der Seite seiner kleinen blonden Hure! Sie werden zehn Kinder bekommen, das blonde Schönchen wird fett wie eine ukrainische Bäuerin werden, sie werden wie die Karnickel leben und wie die Karnickel sterben ... aber lassen Sie mich allein!«

»Warum können Sie mich nicht lieben, Wandaschka?«

»Weil es mich ekelt, einen hirnlosen Kopf zu küssen!«

Oberleutnant Kaljus verfärbte sich. Er wollte etwas sagen, aber dann fuhr er mit der Hand durch die Luft, sich selbst das Wort abschneidend. Er drehte sich herum und verließ den Raum. Auf dem Flur hörte sie ihn schreien.

»Niemand verläßt mehr die Baracke! Niemand! Verstanden? Es kommen neue Befehle von Oberst Denikinow! Alles ist abzusperren!«

Die Kolzwoskaja setzte sich an das Fenster und sah durch die Gardine hinaus auf den großen Appellplatz. Hunderte von Häftlingen standen vor der Kommandantur herum. Sie redeten, die mongolischen Milizsoldaten verteilten Zigaretten unter ihnen, Oberleutnant Kaljus sprach mit einigen ... er lachte und klopfte ihnen freundlich auf die mageren Schultern, nicht zu fest, denn sie fielen um, wenn man sie antippte, so verhungert waren sie. Von der Küche herüber kamen einige Häftlinge. Sie trugen in großen Kübeln Brotstücke und Wurstscheiben.

»Eßt, Genossen!« rief Kaljus den staunenden Gefangenen zu. »Ihr habt noch einen weiten Weg vor euch. Die Freiheit ist strapaziös!« Er lachte, denn es sollte ein Witz sein. Aber niemand antwortete ihm.

So ändert sich das Leben, dachte die Kolzwoskaja. Der Tod eines einzigen Mannes verwandelt das Gesicht einer Nation! Die Getretenen werden zu Tretern, und die Herrschenden kriechen im Sand und machen aus Angst unter sich wie junge Hunde.

Welch eine Feigheit! Welch eine Widerlichkeit!

Sie wandte sich vom Fenster ab. Aber sie kam nicht dazu, sich ganz abzuwenden. Über den Platz kam Hauptmann Perwuchin. An seiner Seite ging ein großer, schwarzlockiger Mann, etwas hinkend und sich auf einen neuen Stock stützend. Er trug einen blauen, gezwirnten Baumwollanzug, wie ihn die Chinesen zu Millionen tragen. Es war ein neuer Anzug ... man sah noch die Falten und Kniffe, so, wie er zusammengelegt und in Stapeln transportiert worden war. In der anderen Hand trug er eine Schirmmütze.

»Boris«, flüsterte die Kolzwoskaja. Sie krallte die Finger in die verblichene Gardine und drückte das Gesicht in den nach Schmutz und Zigarettenrauch riechenden Stoff. »Boris ... warum habe ich dich nicht getötet ... dich und mich ...?«

Zu dem Sammelplatz vor der Kommandantur rannten Olga Puronanskija und Erna-Svetlana. Jossif Kaledin hatte die Nachricht zur Bäckerei gebracht, daß tatsächlich ein Boris Horn unter den Auserwählten sei. Ein Posten hatte es ihm gesagt, und außerdem ein Schreiber der Kommandantur. Der mußte es genau wissen, denn die Listen waren schon fertig.

»Boris«, stammelte Erna-Svetlana bei jedem Schritt vor sich hin. »Boris — Boris — Boris —« Ein Wort, im Gleichklang mit ihren laufenden Füßen, wie ein Motorengeräusch, monoton, antreibend, rhythmisch ... »Boris — Boris — Boris —«

Sie bogen um die Ecke der Kommandantur und kamen auf den großen Appellplatz. Vor den Gefangenen mit ihren hohlen Augen, den verfallenen Gesichtern, den ausgedörrten Leibern und Gerippen ähnlichen Körpern blieben sie stehen. Man starrte sie an, aber sie hatten das Gefühl, daß kein Blick sie aufnahm. Es waren leere Augen, starre Pupillen, glanzlose, gelbe Augäpfel, wie bei alten, verstaubten und vergilbten Wachspuppen.

»Boris!« schrie Erna-Svetlana grell über den großen Platz. »Boris — bist du hier?!«

Hauptmann Perwuchin zuckte zusammen, als der Mann neben ihm plötzlich herumfuhr und die Arme weit in die Luft warf. Dann erst hörte er die weibliche Stimme, ohne zu erfassen, was sie rief.

»Svetla!« brüllte Boris. Er warf den Stock und die Mütze weit von sich, er stürzte von der Seite Perwuchins weg, strauchelte, humpelte mit seinem dick verbundenen Bein, mit schmerzentstelltem Gesicht, zurück zu den stumpfsinnig Herumstehenden auf dem Appellplatz ... er brüllte und griff mit den Händen an seine Brust, als müsse er sich sein Herz in die Brust zurückdrücken. »Svetla —!«

In der Mitte des Platzes trafen sie sich. Wie von einer unsichtbaren Wand getrennt, blieben sie voreinander stehen und sahen sich stumm an.

Unbeweglich standen sie und sahen sich an. Dann, plötzlich, als sei er gefällt worden, sank Boris in die Knie und legte seinen Kopf an den hohen Leib Erna-Svetlanas. Er umfaßte sie und weinte, und unter seiner Stirn regte sich das Kind ...

»Wer will noch eine Scheibe Brot?!« schrie ein Soldat über die Totenköpfe hinweg. Die Kolonnen wandten sich um und strebten zur Kommandantur.

Eine Scheibe Brot war wichtiger als jede Erschütterung.

Drei Tage später verließen neunundsechzig ehemalige Häftlinge das Lager Ust-Kamenogorsk. In zwei Eisenbahnwagen wurden sie nach Alma-Ata gebracht, wo sie einige Leute des NKWD in Empfang nahmen und zunächst ins Gefängnis transportierten.

Auch Boris war unter ihnen, und Erna-Svetlana durfte mitfahren.

In Alma-Ata erschien Stephan Tschetwergow im Büro des NKWD. Sein Nachrichtendienst hatte blendend funktioniert ... schon zwei Stunden nach Eintreffen der neunundsechzig hatte er die Namensliste auf dem Schreibtisch liegen und kreuzte Boris Horn an.

Er rief sofort in Judomskoje an. »Es ist soweit, Ilja!« sagte er. »Boris und Svetlana sind wieder in Alma-Ata! Ist alles in Ordnung?«

»Alles! Die Datscha blitzt. Sie kommt mir fast westlich vor!«

Tschetwergow räusperte sich tadelnd und hängte ein.

Nun erschien er im Büro des NKWD, väterlich jovial, ganz Parteifunktionär, sich seiner Würde bewußt und stolz auf seine Intelligenz, den plötzlichen Umschwung mit Eleganz überlebt zu haben.

»Wo habt ihr mein Brüderchen Boris?« fragte er und bot dem Kommissar eine Zigarette an. Es waren wieder die hellen, süßen, chinesischen Zigaretten, die ihm seine tatarische Sekretärin besorgte. Der Kommissar roch an dem Tabak und inhalierte den Duft.

»Welches Brüderchen, Genosse Tschetwergow?«

»Boris Horn.«

»Der Deutsche?!«

Es war eine scharfe Frage. Tschetwergow wurde vorsichtiger. Noch war es nicht klar, wie die neue Moskauer Linie verlief. Daß sie weicher wurde, war bekannt ... aber die Abneigung gegen den Westen blieb, und die Abneigung gegen die Deutschen schien sich noch zu verstärken. Obacht, Obacht, Stephan, dachte Tschetwergow ... ramm dir keinen Balken ins Auge!

»Ich nenne ihn nur Brüderchen, weil er bei uns aufgewachsen ist! Er war ein guter Hirte. Und er ist ein großer Stalingegner.« Der Kommissar steckte sich die Zigarette an und sah dem ersten Rauch nach.

»Sie sind weit voraus, Tschetwergow . . .«

»Ein alter Kosak ist immer hart am Feind.« Tschetwergow grinste. »Wie ich sehe, haben auch Sie schon alle Stalinbilder aus den Diensträumen entfernt. Sie hätten sie umkränzen müssen, Genosse«, sagte er gehässig.

»Die Politik. Man kennt es ja, Genosse.« Der Kommissar sah seine Listen durch. Sein Zeigefinger mit dem Schmutzrand unter dem Nagel blieb an einem Namen hängen. »Ein Boris Horn ist mitgekommen. Aber er wird nicht sofort freigelassen.«

»Nicht?!«

»Erst gibt es ein eingehendes Verhör. Erst müssen die Akten genau überprüft werden. So viele denken jetzt, sie könnten uns betrügen. Sie kennen nicht unsere Gründlichkeit.«

»Boris hat seine Ehre gegen einen Stalinfreund verteidigt. Erinnern Sie sich an Iwan Kasiewitsch Borkin, den Dichter?«

»Nein.«

»Sie lesen wenig, Genosse?«

»Nur Akten von Verurteilten.«

»Eine etwas einseitige Lektüre, Brüderchen. Man wird zu schwermütig davon.«

»Aber sie bildet ungemein den politischen Blick.«

»Da haben Sie recht«, sagte Tschetwergow ehrlich.

Nach sechs Tagen holte Tschetwergow zusammen mit Erna-Svetlana in einem Wagen der Partei Boris Horn aus dem Gefängnis ab.

»Wir warten alle auf dich«, sagte er pathetisch und umarmte Boris, küßte ihn auf die eingefallenen, unrasierten Wangen und schob ihn in den Wagen neben Svetlana. »Konjew ist ganz verrückt vor Freude.«

»Ilja Sergejewitsch?« Boris sah Tschetwergow von der Seite an. »Was habt ihr mit uns vor?!«

»Muß man immer etwas vorhaben, wenn man freundlich ist?« fragte Tschetwergow beleidigt. »Wir wollen nicht vergessen, daß wir fühlende Menschen sind —«

Boris Horn legte den Arm um Svetlanas Schultern.

»Es ist direkt unheimlich, so etwas zu hören, wenn man aus einer Hölle kommt.«

»Vergessen, Brüderchen, vergessen.«

»Ich habe sie sterben sehen. Hunderte pro Tag.«

»Vergessen —«

»Wir haben gelebt wie die Ratten. Aber während die Ratten fett wurden an den Abfällen in der Küche, verhungerten wir.«

»Vergessen, Brüderchen, vergessen —«

»Man kann das nicht vergessen, Tschetwergow! Ein Tag wiegt in Ust-Kamenogorsk wie ein Jahr!«

»Du hast es überlebt. Jetzt wird das ganze große Sowjetvolk für dich sorgen!«

Boris schwieg. Er sah Svetlana an, die neben ihm saß und den Kopf auf seine Schulter gelegt hatte. Ihre Augen lächelten. Laß ihn reden, mochte es heißen. Wir sind wieder beisammen ... wir fahren hinaus in die Sonne. Was wollen wir mehr vom Leben? Du und ich und das Kleine, das sich unter dem Herzen bewegt und strampelt und tritt, als könne es sich mitfreuen über mein Glück. Wollen wir tatsächlich mehr vom Leben als uns?

Marussja hatte einen großen Mohnkuchen gebacken und sogar Butter über den heißen Kuchen gestrichen, als Konjew vom Fenster seines Hauses aus die Staubwolke in der Ferne aufsteigen sah.

»Sie kommen!« schrie er.

Er zerrte an seiner Jacke, stülpte die Mütze über den Kopf und brüllte unverständliche Flüche, als er beim Hinauslaufen über einen im Weg stehenden Schemel stolperte.

»Welch eine Aufregung«, sagte Marussja. »Erst bringt ihr sie weg und redet von deutschen Hunden, und jetzt hüpft ihr um sie herum wie Rüden um eine läufige Hündin!«

»Davon verstehst du nichts, du hirnloser Schlauch«, sagte Ilja Sergejewitsch Konjew und stellte sich draußen vor das Haus unter die Tür, um Tschetwergow und die Zurückkommenden zu empfangen.

Tschetwergow bremste scharf und hüllte damit Konjew in eine dichte Staubwolke. Die Rede fiel aus ... nur das Schwenken der Mütze sah man durch die wirbelnden Staubwolken. Dann stürzte Konjew hervor und hielt Boris und Svetlana die Hände entgegen.

»Durch mich grüßt euch das ganze Dorf!« schrie er. »Wir sind so stolz, daß es einem gelungen ist, aus Ust-Kamenogorsk lebend zurückzukommen.«

Tschetwergow schluckte und sah Konjew strafend an. Idiot, dachte er. Wenn du so weitermachst, landest du selbst dort! Er schob Konjew zur Seite und half der etwas unbeholfen werdenden Svetlana aus dem Wagen.

Marussja kam mit ihrem Mohnkuchen heraus. Als sie den Zustand Erna-Svetlanas sah, stellte sie den Kuchen weg auf eine Tonne, ergriff ihre Hand und zog sie in das Haus.

»Ein Glas Milch tut dir besser«, sagte sie. »Und ein Stündchen Schlaf. Es soll verwöhnt werden, das kleine Menschlein ...«

Boris Horn stand noch draußen vor der Tür und sah sich um. Der Weg war noch genauso staubig und führte vom Dorf weg in die Steppe und durch die Steppe hindurch bis Undutowa. In der Ferne sah man den Dorfwald ... rechts von ihm kamen die riesigen Sonnenblumenfelder, links ahnte man den Übergang in die Trockenzone und die Wüste, durch die die Händlerkarawanen aus Innerasien herüberkamen.

Er sah empor in den Himmel, der blau und gleißend war, betupft mit weißen Wolken und einigen Streifen, als sei der göttliche Pinsel ausgerutscht.

»Es ist unser Himmel«, sagte Boris leise. »Es ist wirklich Kasakstan ...«

Tschetwergow lachte meckernd und stieß Konjew in die Seite.

»Er denkt immer noch, er sei nicht zu Hause. Wenn er erst die Datscha sieht ...«

»Die Datscha?« fragte Boris.

»Die Bezirksregierung in Alma-Ata hat beschlossen«, sagte Tschetwergow feierlich, »bis zur endgültigen Entscheidung aus Moskau — die beantragt ist — dem Genossen Boris Horn die Datscha zur Bewirtschaftung zu übergeben. Natürlich mit der Verpflichtung der üblichen Kolchosennorm«, fügte er schnell hinzu, als er das länger werdende Gesicht Konjews sah.

Boris Horn starrte Tschetwergow an.

»Ihr habt doch etwas mit uns vor«, sagte er. »Oder dreht sich die Welt anders herum?!«

»Vielleicht, Brüderchen, vielleicht.« Konjew lachte. »Aber solange die Sonne oben ist, stimmt die Richtung!«

»Trinken wir einen Begrüßungswodka, Brüderchen«, sagte Konjew. »Die Regierung bezahlt ihn ...«

Tschetwergow sah Konjew giftig an. »Es wird uns eine Freude sein«, nickte er. »Da wir die Norm erhöht haben ...«

»Was haben wir?« fragte Ilja Sergejewitsch ungläubig.

»Der Tod Stalins hatte manche Mißwirtschaft auf dem Lande aufgedeckt. Wir müssen die Norm erhöhen, um mit der westlichen Welt Schritt zu halten. Das ist das Neueste aus Moskau, Genosse Konjew.«

»Welch freudige Nachricht!«

»Unser Staat wird stärker sein denn je!« rief Tschetwergow.

»Und unsere Rücken krummer.«

»Das ist das beste für euch.« Tschetwergow legte Boris den Arm um die Schultern. »Je näher man der Erde ist, um so weiter ist der Himmel!«

Sie gingen in die Hütte, wo Erna-Svetlana auf dem Sofa lag und warme Milch mit Mohnkuchen aß.

Was sich Konjew immer gewünscht hatte, wurde Wirklichkeit: Boris Horn gab ein Fest auf der Datscha.

»Das ist ein Mann«, lobte Ilja Sergejewitsch die Einladung vor seiner Frau Marussja. »Weißt du noch, wie der geizige Tagaj als Ersatz für Wodka uns ein Klavierkonzert in der stolowaja vorspielen wollte?! Ein Konzert für einen Wodka ... so kann auch nur ein Idiot wie Tagaj denken! Aber Boris ist ein richtiger Freund der arbeitenden Klasse: Er gibt ein Festchen mit Kasch, Borschtsch, einem Hammelbraten und vielen Schnäpschen! Sie haben schon geschlachtet! Und heiraten wollen sie auch ... noch diesen Monat! Das gibt ein neues Festchen!«

Er rieb sich die Hände, ging in die Banja, machte sich ein dampfendes Saunabad und lag dann faul und zufrieden und voller Vorfreude auf der Holzpritsche, schwitzend und grunzend.

Auf der Datscha war eigentlich nichts anders geworden. Die Korbmöbel Borkins waren noch da, der Papagei, die Nagaika, mit der ihn Boris erschlagen hatte, die Blumen auf der überdeckten Veranda ... nur die Hunde fehlten und der alte Fedja mit seiner vollbusigen Sussja. Neue Arbeiter waren gekommen, entlassene Sträflinge, junge Bauern, die aus den umliegenden Dörfern kamen und Söhne von Wolhyniendeutschen waren. Sie sahen scheel zu Boris auf, denn es ging zwischen Judomskoje und Undutowa das Gerücht, daß Boris Horn seine deutsche Art verraten und als guter Bolschewist sich seine Datscha mit diesem Verrat an seiner Abstammung erkauft habe.

»Seinen Vater haben die Russen erschlagen wie einen tollen Hund«, flüsterte man in den Dörfern rund um den Balchasch-See. »Aber der Boris hat es vergessen. Und wißt ihr noch, was man mit Vera Petrowna, der Mutter Svetlanas, gemacht hat? Es ist eine Schande, daß die Jugend alles so schnell vergißt!«

Sie hatten es nicht vergessen — aber sie kamen in einen Trubel und in eine ihnen fast unheimliche Freundlichkeit der Regierungsstellen hinein, die ihnen manchmal wie ein Traum erschien.

Die Datscha bekam eine neue Mähmaschine mit gekoppeltem Drescher und Binder, sie wurde Bullenstation, sie erhielt einige Eber und wurde Schweinezuchtanstalt ... Konjew konzentrierte alles auf die Datscha und überschüttete Boris und Svetlana mit immer neuen Freudenmeldungen.

Allerdings tat es Konjew nicht umsonst. Wenn alles auf der Datscha ist, bin auch ich immer auf der Datscha, hatte er bei Beginn seiner Aktion gedacht. Sie wird nie ohne Kontrolle sein — und wenn etwas falsch gemacht wird, ist es die Schuld von Boris! Wir geben ihm alles ... aber wir haben damit auch die Macht, ihm alles wieder zu nehmen, wenn der Wind sich wieder drehen sollte. Mütterchen Rußland ist launisch ... und der gute Russe baut sich immer ein Türchen nach draußen. Einmal wird vielleicht der fleißige Konjew auf der Datscha sitzen und walten wie ein kleiner Bojar! Wenn er daran dachte, konnte er die Augen schließen und glücklich lächeln. Marussja sah ihn dann immer kritisch an und schüttelte den Kopf.

»So blöd kannst auch nur du sein«, sagte sie grob und riß Konjew aus seinen Illusionen. »Solange Tschetwergow dein Freund ist, bleibst du immer die Matte, auf der sich die anderen ihre Stiefel wetzen.«

Das Fest auf der Datscha war herrlich.

Unter dem Schein von Lampions und Fackeln, Kerzen und Öllampen wurde der ganze gebratene Hammel aufgebaut. Konjew hielt eine Rede, die in dem Satz gipfelte: »Das Proletariat ist eine welterobernde Realität!« — dann soff er sich voll, tanzte wie ein dressierter Elefant um den ›Ehrentisch‹ und fiel gegen 1 Uhr nachts auf den Rasen. Dort blieb er liegen und schlief ein. Die Balalaika-Musik, die zwei Knechte spielten, bewirkte noch ein rhythmisches Zucken seiner Arme und Beine, bis auch dieses nachließ und er laut schnarchte wie ein Narkotisierter.

Auf einem Heuwagen, mit dem die Bauern aus Judomskoje gekommen waren, fuhr man ihn dann zurück zu seinem Haus.

Als der Morgen über der Steppe aufdämmerte und der Himmel streifig wurde, rötlich und dann blaupurpurn mit silbernen Streifen und Girlanden, saßen Erna-Svetlana und Boris auf der gedeckten Veranda und blickten in den kommenden Morgen.

Sie hatten sich an den Händen gefaßt. Svetlanas Kopf mit den langen, offenen, goldenen Haaren lag an Boris' Schulter. Sie saß weit vorn auf dem Stuhlsitz, denn ihr schwerer Leib machte ihr zu schaffen.

»Ich danke dir, Bor«, sagte sie leise.

»Wofür?« Boris legte den Arm um ihre schmalen Schultern und drückte ihren Kopf fester an sich. »Ich danke dir, Svetla.«

»Ich habe es gesehen«, sagte Svetlana. Ihre Stimme war kaum hörbar.

»Was hast du gesehen?«

»Du hast die Nagaika verbrannt —«

Boris schwieg. Als der Hammel an dem eisernen Spieß über dem Feuer brutzelte, hatte er, einem plötzlichen Einfall folgend, die Nagaika, mit der er Borkin tötete, aus dem Haus geholt und in die Flammen des Holzstoßes geworfen. Sinnend hatte er dann dabeigestanden und zugesehen, wie die Flammen den Griff erfaßten, wie die Lederriemen sich in Feuer auflösten und schließlich ein Häufchen Asche alles war, was übrigblieb von einer grausamen Vergangenheit.

»Du solltest es nicht sehen, Svetla«, sagte er leise.

Sie nickte und tastete nach seiner Hand. »Wir wollen auch nie mehr darüber sprechen.«

Über der Steppe stand die Sonne. Hellgelb, gleißend, schwimmend in einem Meer von flüssigem Gold. Vom Dorf her zogen die Rinder zu den Weiden, die Nachthirten kamen zurück von den Herden, die draußen in der Steppe blieben, von weit her hörten sie das Gerassel einiger Traktoren ... der leichte Wind brachte die Laute mit, zusammen mit dem Rauschen der Wälder von Undutowa.

»Am Sonntag heiraten wir«, sagte Boris.

»Und einen Monat später wird das Kind kommen –«

»Ich werde mit dir nach Alma-Ata fahren.«

»Warum? Hier soll es geboren werden. Hier, wo es seine Heimat haben wird. Ich will diese grausame Stadt nie mehr sehen. Und es soll nie heißen: Es kam in Alma-Ata zur Welt! Ich hasse diese Stadt, Bor. Ich will sie nie wiedersehen!«

Boris wollte etwas sagen, aber ein Reiter ließ es nicht zu. Er raste auf einem struppigen Panjegaul wie ein Teufel über die Anfahrtsstraße, jagte in den Hof und sprang vom Pferd, noch bevor es stand. Ein riesiger, struppiger Kopf ragte aus der Staubwolke heraus, und ein breiter Mund begann zu brüllen, als ginge die Welt unter.

»Brüderchen!« brüllte der unmenschliche Kopf. »Brüderchen Boris!«

»Boborykin!«

Boris und Svetlana sprangen auf und rannten die Treppe hinunter. Boborykin stand neben seinem flockenden Pferd und hatte die Arme ausgebreitet wie ein angreifender Bär.

»An mein Herz, ihr Lieben!« schrie er. »Ich habe es nicht glauben wollen! Das kostet eine Flasche Wodka für euren glücklichen Andreij ...«

Fünf Jahre gingen dahin.

Sie verflogen wie das fünfmalige Herbstlaub der Wälder, wie die Samen der Sonnenblumen oder die morgendlichen Tautropfen.

Auf der Datscha lief ein fünfjähriger Junge herum, der Rudolf hieß und Mischa gerufen wurde. In einem Sandkasten hinter dem Haus spielte er mit einem zweijährigen Mädchen, das Maria genannt wurde. Aber alle auf der Datscha riefen es Mascha, und sie hörte darauf und schüttelte ihre blonden Locken, die aussahen, als habe sie Erna-Svetlana von ihrem Kopf geschnitten und der Kleinen aufgeheftet.

Die Felder rund um die Datscha waren voll Getreide und Gemüse, das Vieh war gesund und kraftvoll, die Wälder gaben bestes Holz, denn es wurde sorgsam ausgewählt und geschlagen.

Auf der Steppe weidete eine Herde schönster Pferde, darunter Zweijährige, die das Renninstitut in Moskau bereits gemustert hatte und mit der höchsten Wertung belegte.

»Die Datscha ist ein Stolz der Sowjetmenschen«, sagte Ilja Sergejewitsch Konjew jedesmal, wenn eine Führung ausländischer Agrarier durch Kasakstan kam und hinaus zum Gute Boris' geführt wurde. »Hier zeigt sich der Aufbauwille unseres Volkes und die Kraft unserer Arbeit!«

In den Zeitungen, den Komsomolzen-Illustrierten und in der sowjetischen Wochenschau erschienen Bilder von den wogenden Kornfeldern Judomskojes, den wundervollen, über die Steppe galoppierenden Pferdeherden und den Mastochsen in den sauberen, weiß getünchten Ställen.

Die deutschen Bauern lächelten hinter der vorgehaltenen Hand. Was man auf den Bildern sah, war beste deutsche Bauernarbeit. Es war Tradition der Urväter, es war die Ausschöpfung von Boden und Natur, der Fleiß von Männern, die, in Rußland geboren, innerlich waren wie ihre Vorfahren aus dem Schwabenland, aus Hessen, dem Münsterland und den westpreußischen Ebenen.

Was in Moskau geschah, wurde in Judomskoje zwar mißtrauisch, aber sonst uninteressiert betrachtet. Stalin war seit fünf Jahren tot ... Malenkow war schnell gegangen, der Kugelkopf mit den bauernschlauen Äuglein von Väterchen Chruschtschow lachte von allen Plakaten und Titelbildern und hing in allen Amtsstuben vom Eismeer bis zum Schwarzen Meer, von der polnischen Grenze bis zum Kap Deschnew. Was hatte sich schon geändert, Genossen?

Stalin war verdammt worden ... man hatte es vorausgesehen.

Die Politik gegen den Westen wurde mal weicher, mal härter — man hatte es auch gewußt.

Man schoß die Hündin Laika in den Weltraum und eroberte den Weltruhm, als erster einen künstlichen Stern zu haben — man hatte es nicht anders erwartet, denn der Sowjetmensch ist der jahrhundertealte Träger der schöpferischen Intelligenz. So schrieben es seit Jahr und Tag die *Prawda* und die *Istwestija* und der *Komsomolza-Iljußtraza.*

Etwas Neues, Brüderchen? Njet!

Wir sind nur dabei, Lenin zu übertreffen und überrunden den dekadenten Westen.

Auch für Boris und Erna-Svetlana ging dieses Leben voran, als sei es gar nicht anders denkbar. Das einzige, was sie erschütterte, war der Tod Andreij Boborykins. Es war im Jahre 1957, mitten in seinen Sümpfen, wo er weiterhin gelebt hatte wie ein uralter Wasserbiber.

Eines Morgens war er auf Fischfang gegangen. Als er nach den ausgelegten Reusen suchte und sie aus dem Schilf zog, schnellte eine Otter vor und biß ihn in die Hand. Boborykin lachte laut, nahm die Otter hinter dem Kopf, trug sie zu einem Stein und zertrümmerte ihr das Gehirn. Dann nahm er sein Messer, erweiterte die Bißwunde und saugte das Blut ab, das er in weitem Bogen in den Sumpf spie.

Zwei Tage später kam er nach Judomskoje. Der Arm war dick aufgequollen, blaurot und steif. Stöhnend vor Schmerzen schwankte Boborykin zu dem neuen, jungen Distriktsarzt, der in dem Hause Natascha Trimofas wohnte.

»Dieses Aas«, röchelte er. »Oh, dieses Aas! Schneid den Arm ab, Doktor, sonst ist es zu spät!«

Es war zu spät. In der Nacht starb Boborykin schreiend vor Schmerzen an einer Sepsis, die niemand mehr aufhalten konnte.

Boris und Svetlana standen an seiner Holzpritsche im Arzthaus, als er mit fiebrigen Augen hinter einem Wald von Haaren noch einmal aufschaute und Svetlana ansah.

»Rosanja ...«, sagte er schwach. (Röschen) Dann streckte er sich und hieb mit beiden Fäusten noch einmal auf das Holz der Pritsche, als kämpfe er bis zum letzten Schlage mit dem Tod.

Sogar Konjew und Tschetwergow, der in diesen Jahren sehr gealtert war und aussah wie ein tatarischer Greis, waren bei dem Begräbnis dabei.

Eingenäht in seinen Bärenpelz, mit seinem Gewehr auf der Brust, wurde Boborykin in seinen geliebten Sumpf versenkt. Fast ehrfurchtsvoll sahen sie zu, wie der schwere Körper tiefer und tiefer sank, wie der widerliche, grünbraune Brei des Moores den Leib Boborykins aufsaugte und sich dann die Sumpfdecke schloß, leise gluckernd, als stoße ein riesiges Tier satt und zufrieden auf.

»Das schöne Gewehr«, sagte Konjew halblaut. Tschetwergow erwachte wie aus einer Verzauberung.

»Sie haben keinerlei Seele, Genosse«, sagte er tadelnd. »Wenn man sieht, wie ein Mensch der Natur zurückgegeben wird ...« Er räusperte sich. »So vergehen wir einmal alle, Brüder ...«

Konjew schwieg. An so etwas erinnert zu werden, erzeugte bei ihm Magenschmerzen.

Im Frühjahr 1958 wurde der Geburtstag eines neuen Mädchens auf der Datscha gefeiert. Svetlana hatte durchgesetzt, daß es Natascha hieß.

»Natascha Trimofa wollte uns retten und starb dafür«, sagte sie gleich nach der Geburt zu Boris. »Wir wollen das nie vergessen und immer daran denken, wenn wir unsere Natascha rufen. Was wären wir jetzt ohne sie?«

Ilja Sergejewitsch Konjew machte ein kritisches Gesicht, als Boris damit zu ihm kam.

»Du bist rehabilitiert, Genosse«, sagte er. »Aber Natascha gilt immer noch als Reaktionärin und Feind des Sowjetvolkes! Keiner hat sie rehabilitiert, denn sie konnte sich ja nicht mehr verteidigen! Nenne das Mädchen Axinia oder Marfa ... aber Natascha würde ich es nicht nennen.«

»Es laufen Hunderttausende von Nataschas in Rußland herum«, rief Boris. Konjew nickte mehrmals weise.

»Die Verbindung des Namens mit euch ist es, Genosse, was mich nachdenklich macht. Wenn nebenan der gute Piotr eine Tochter bekommt und sie Natascha nennt, ist alles gut. Aber du ... wir müssen alles vermeiden, was nach Provokation riecht.«

Aber die Beredsamkeit Konjews half nichts. Erna-Svetlana bestand auf dem Namen Natascha. Konjew trank vor Kummer drei hohe Wodkagläser auf der Veranda der Datscha und schrieb dann die Geburtsurkunde mit dem Namen Natascha aus.

Zwei Tage später kam Tschetwergow nach Judomskoje. Entgegen aller Gewohnheit besuchte er nicht das Mustergut, sondern ging zu Konjew, warf die neugierige Marussja aus dem Zimmer und verriegelte hinter ihr die Tür. Konjew saß mit sehr gemischten Gedanken und unheimlichen Gefühlen hinter dem Tisch und strengte sich an, die Betriebsamkeit Tschetwergows zu erraten.

»Nanu?!« war alles, was er sagen konnte. Tschetwergow fuhr mit beiden Händen durch die Luft und schnitt ihm alle Worte ab.

»Es ist wieder was los!« sagte er. »Es ändert sich wieder alles!«

Konjew schnellte empor. »Chruschtschow ist tot?« schrie er.

Tschetwergow schüttelte den Kopf. »Mitnichten, Genosse. Er konserviert und tötet alle Bazillen mit dem Schnaps. Aber ich habe gehört, daß Genosse Chruschtschow mit dem westdeutschen Bundeskanzler Adenauer etwas Ähnliches ausgehandelt hat wie damals Hitler mit Stalin. Die in Rußland lebenden Deutschen sollen zurück nach Deutschland! Wie sagten sie vor 20 Jahren: ›Heim ins Reich!‹« Tschetwergow lachte hämisch. »Es wird unseren Boris hart treffen ...«

»Boris?« Konjew wischte sich über die Augen. »Was hat Boris damit zu tun?«

»Er ist doch ein Deutscher, Ilja Sergejewitsch.«

»Aber er ist in Rußland aufgewachsen! Er ist mehr Russe als mancher, der auf dem Lehmofen einer Bauernhütte geboren wurde. Er hat ein Mustergut geschaffen. Er hat in allen Zeitungen gestanden, in der Wochenschau haben sie die Datscha gezeigt, Moskau hat seine Pferde gekauft für den internationalen Reitsport ...«

Er wollte weiter die Erfolge Boris Horns aufzählen, aber Tschetwergow zeigte mit beiden Zeigefingern an die Stirn. Auf dieses internationale Zeichen, gleich doppelt gegeben, verstummte Konjew.

»Wenn Boris Horn abziehen muß, bekommen wir die Datscha«, sagte Tschetwergow. »Begreifst du das nicht?!«

Ilja Sergejewitsch Konjew begriff sofort. Er ließ sich auf seinen Stuhl fallen und faltete andächtig die Hände. »Das ändert alles«, sagte er tief durchatmend. »Daran habe ich nicht gedacht. Natürlich ist Boris Horn ein Deutscher!«

»Aber die Ausreise ist freiwillig, Genosse.«

Konjew stülpte die Unterlippe vor. »Er wird nie freiwillig gehen.«

»Es ist Ihre Aufgabe, Boris zu überreden, nach Deutschland zu gehen.«

»Wo ich ihn erst mit allen Ehren empfangen habe?«

»Die Zeiten haben sich wieder geändert, Genosse. Es ist wie bei einem Karussell ... einmal kommt man wieder an der alten Stelle vorbei, und die alten Leute winken einem zu.« Tschetwergow setzte sich und rückte an Konjew heran. »Als Stalin starb, stand alles schief, Ilja Sergejewitsch. Vor allem Sie und ich. Aber wir hatten ein Köpfchen, wir zwei, und haben Boris so groß gemacht, daß wir uns hinter ihm verstecken konnten. Gut. Aber das ist vorbei. Jetzt kann er uns nichts mehr nützen, verstehen Sie? Im Gegenteil: Väterchen Chruschtschow wird eines Tages fragen: ›Warum ist der Deutsche noch auf der Datscha? Warum ist er nicht zurück in seine Heimat?‹ Und was wollen Sie da sagen, Konjew? Wir müssen ihn überzeugen, daß er ein Deutscher ist und nach Deutschland gehört. Wir müssen ihn an seine Eltern erinnern.«

»Das lassen wir lieber sein«, sagte Konjew weise.

»Hm, tja«, Tschetwergow sah an die Decke. »Versprechen Sie ihm goldene Ernten in Deutschland.«

»Ein besseres Gut als die Datscha kann er auf der ganzen Welt nicht bekommen.«

»Versprechen, Konjew, versprechen! Einhalten muß es die deutsche Regierung. Wenn sie es nicht kann – ist es unsere Schuld, Brüderchen?«

»Und wenn alles nichts hilft?«

»Wir werden sehen, Genosse.« Tschetwergow erhob sich und entriegelte die Tür. Marussja, die hinter ihr gelauscht hatte, entfloh auf dicken Strümpfen lautlos in die Küche und rührte in einem Kessel, der leer war. »Irgendwie werden wir es schaffen, daß Boris Horn sich darauf besinnt, ein guter Deutscher zu sein!«

Die Morgensonne schien grell über die Steppe, und Boris inspizierte die Pferdekoppeln, als Konjew zu ihm geritten kam und vor ihm absaß.

»Ich habe mit dir zu sprechen«, sagte er. »Amtlich, Genosse.«

»Und dazu kommen Sie heraus? Hat es nicht Zeit, bis wir uns heute abend auf der Datscha sehen?«

»Zeit hat es schon, Genosse. Nur möchte ich mit dir allein reden. Es ist wichtig und ernst, und Svetlana soll es nicht hören. Sie ist noch schwach durch das Kindchen.«

Boris lehnte sich gegen einen Baumstamm, der in die Erde gerammt worden war, um in der Weite der Steppe die Stelle zu markieren, wo die hölzernen Tränken standen und das Wasser aus einer gefaßten Quelle durch halbierte, ausgehöhlte Baumstämme heranfloß.

»Wenn Sie so rücksichtsvoll sprechen, Ilja Sergejewitsch, muß es etwas Wichtiges sein. Erwarten wir eine Kontrolle des Landwirtschaftsministers?«

»Wenn es das wäre, wäre ich nicht gekommen. Nein.« Konjew zog sein Gesicht in tiefe Kummerfalten. Er spielte seine Rolle vorzüglich. »Es ist etwas anderes aus Moskau gekommen. Eine Liste –«

»Eine Liste?«

»Eine neuerliche Erfassung aller deutschstämmigen Bauern in der Sowjetrepublik. Auch du mußt dich eintragen, Boris.«

Es war ein Trick, den sich Konjew in zwei schlaflosen Nächten ausgedacht hatte. Wenn sich Boris in eine fingierte Liste als Deutscher eintrug, konnte er später nie leugnen, einer zu sein. Über der Liste aber stand: Eintragung zum Abtransport nach Deutschland. Zwar würde Konjew diese Überschrift erst einsetzen, wenn sich Boris Horn eingetragen hatte ... aber auf solche Schönheitsfehler kam es im Interesse der großen Sache nicht an.

Boris Horn sah Konjew verblüfft an. »Was soll das, Konjew? Ich habe hier vom Sowjetstaat eine Datscha bekommen, ich habe Auszeichnungen ...«

»Befehl aus Moskau«, unterbrach Konjew. »Du kennst sie doch, die Befehle. Sie sind sinnlos, aber sie müssen befolgt werden. Keiner kennt sich da aus. Vielleicht braucht man es zu statistischen Zwecken? Wir sind groß in Statistik, du weißt es doch.«

»Wenn es so harmlos ist, warum kommst du dann extra heraus in die Steppe? Warum sagst du, es sei ernst?!«

Konjew biß sich auf die Unterlippe. Teufel, Teufel, dachte er. Man soll jedes Wort abwägen und erst denken, ehe man es ausspricht.

»Ernst ist es deswegen«, sagte er schnell, »weil man nie weiß, was sie in Moskau wollen. Adenauer war im Kreml ...«

»Wer ist Adenauer?« fragte Boris Horn.

»Liest du keine Zeitung?«

»Nur die Erzählungen. Ich lese nie die Politik. Ich habe mir geschworen, nie mehr zu lesen, wie wahnsinnig die Menschen sind, wenn sie sich in eine Idee verbohren. Die Welt ist groß, ein jeder von uns hat hier Platz und kann leben von dem, was die Erde ihm schenkt. Ich begreife es nicht, warum wir uns zerfleischen, wo wir die Möglichkeit haben, gemeinsam für uns alle zu arbeiten.«

»Wer begreift es, Brüderchen? In Westdeutschland rüsten sie, in Amerika rüsten sie, in England, in Frankreich . . . und auch wir rüsten und die Ungarn, die Polen, die Ostdeutschen, die Bulgaren. Alle, alle schaffen Waffen heran, stellen Atomraketen auf . . . man darf nicht denken, Genosse.« Konjew schwieg plötzlich. Er fuhr sich mit dem Zeigefinger zwischen Hals und Kragen. »Das sage ich nur dir, Boris. Und wenn es wirklich einmal böse kommt, ist es besser, als Deutscher in Deutschland zu sein.«

»In Deutschland?« Boris blieb abrupt stehen. »Was soll das heißen?« Er sah, wie Konjew auf seine Unterlippe biß und faßte ihn an den Rockaufschlägen. »Konjew, Sie verschweigen mir etwas! Sie wissen, was diese Listen sollen! Ich kann mich erinnern — damals war ich ein kleiner Junge — wie auch jemand Listen in das Haus meines Vaters brachte, die er ausfüllen mußte. Dann kamen wir weg . . . und was übrig blieb, war nur noch ich!«

»Es waren schlimme Zeiten, Brüderchen«, sagte Konjew philosophisch. »Aber heute ist das anders. Es wird keinen Krieg mehr geben, denn sie alle haben Angst vor den Atombomben. Es wird tatsächlich nur eine statistische Liste sein. Kommst du 'rüber und trägst dich ein?«

»Wenn es Befehl ist.«

»Es ist Befehl! Kommt ja aus Moskau.«

»Dann bis heute abend.«

»Schön, schön, Brüderchen.«

Konjew ritt wieder zurück nach Judomskoje. Er war mit sich sehr zufrieden. Der Trick war gelungen. Eigentlich war er doch ein toller und geistreicher Kerl, dachte er von sich selbst. Man hat das Zeug zum Diplomaten, nur versauert man hier in der Steppe von Kasakstan.

Boris stand an der eingefaßten Quelle und sah in das die ausgehöhlten Baumstämme hinabsprudelnde Wasser. Sie erfassen wieder alle Deutschen, dachte er voll Schrecken. Können wir denn nie zur Ruhe kommen?! Ist alle unsere Arbeit, die wir hier in Rußland tun, nichts gegen den Wahnsinn der Politik, gegen die Ideen in ein paar Hirnen?

Er dachte an Erna-Svetlana, die noch im Wochenbett lag, und an ihre Angst, wenn sie von dem Befehl aus Moskau erfahren würde. Und er beschloß, Svetlana nichts davon zu sagen.

Die Liste, über die Konjew später seinen verfänglichen Satz: Antragsliste zur Rückführung nach Deutschland setzte, ging am nächsten Morgen schon nach Alma-Ata. Tschetwergow staunte minutenlang, als er die Unterschrift Boris Horns neben der Eintragung las: Boris Horn, Erna-Svetlana Horn und drei Kinder, Rudolf, Maria und Natascha.

Wie hat dieser Konjew das nur gemacht, grübelte er. So ganz ohne Aufsehen, ohne Krach, ohne Gewalt?! Er wächst mir über den Kopf, der gute Ilja Sergejewitsch! Man muß ihn im Auge behalten, denn nichts ist schlimmer, als sich seinen Nachfolger großzuziehen.

Es ist ein blutender Stachel im Herzen, zu sehen, daß ein anderer mehr kann als man selbst. Tschetwergow spürte diesen Dorn in sich und tat etwas, um Konjew zu übertreffen. Er bestellte Boris Horn zu sich nach Alma-Ata, nachdem er von Moskau aus die Instruktionen bekommen hatte, daß im Herbst die ersten Transporte mit den ›freiwilligen Aussiedlern‹ nach Deutschland abgehen würden.

»Genosse«, sagte Tschetwergow sehr ernst, als Boris mit gespannten Augen und ahnend, was kommen würde, vor ihm saß. »Genosse – Ihre Datscha ist herrlich, Sie sind ein fabelhafter Pionier, Sie haben eine Arbeitsbrigade herangezogen, die einmalig ist, Sie sind der beste Bauer von Kasakstan – mir bricht es das Herz, daß Sie uns verlassen wollen.«

»Was will ich?« fragte Boris überrascht.

»Sie haben doch einen Antrag unterschrieben, daß Sie als Deutscher zurück nach Deutschland wollen.«

»Nie!«

»Aber doch! Ihr Antrag liegt bereits bei der Aussiedler-Zentrale in Moskau. Ich habe selbst Ihre Unterschrift gelesen.«

»Das muß ein Irrtum sein!« Boris sprang vom Stuhl hoch und beugte sich über den Tisch zu Tschetwergow vor. Er sah in die kleinen, zusammengekniffenen, asiatischen Schlitzaugen, er sah den weißlichen Tatarenbart und die gelben Hautsäcke unter den Augen. In diesem Augenblick wußte er, daß er überspielt worden war, daß man einen Tölpel aus ihm gemacht hatte, den man abschob in ein Land, das er nicht kannte und von dem er nur die Erinnerung mitgebracht hatte von seinem Vater, der mit gespaltenem Schädel neben der Scheune lag, und seiner Mutter, die geschändet an einem Heuwagen hing.

»Ihr seid ja solche Lumpen«, sagte er bitter. Aber es war keine

Auflehnung in diesen Worten, sondern nur tiefe Traurigkeit. Tschetwergow lächelte hintergründig.

»Sie sollten glücklich sein, in Ihre Heimat zurückzukommen.«

»Ich bin in Rußland geboren!«

»Das höre ich schon seit Jahrzehnten!« Tschetwergow betrachtete seine gelben, langen Finger, deren Haut wie ausgetrocknetes Pergament wirkte. »Wissen Sie, daß Stalin wieder im Kurs steigt?! Wissen Sie, daß man Ihre Akten vom NKWD wieder angefordert hat? Der Fall Borkin ist noch nicht abgeschlossen. Begnadigungen kann man wieder rückgängig machen!«

»Ich soll zurück nach Ust-Kamenogorsk?« sagte Boris leise. Er spürte, wie es kalt über seinen Körper lief, wie sich die Zunge vor Schreck lähmte und das Blut vereiste. Ust-Kamenogorsk ... die Bergwerke im Altai, das Lager mit den täglichen hundert Toten. Tschetwergow hob die Schultern.

»Es liegt vieles in der Luft, Genosse Horn. Und es ist schwül wie vor einem großen Gewitter.«

»Kommt die Welt denn nie zur Ruhe?!« schrie Boris. »Fünf Jahre habe ich aufgebaut, fünf Jahre lang habe ich geschuftet und aus einer verfallenen Datscha ein Mustergut gemacht ... und jetzt will man mich wieder wegjagen, nur weil ich ein Deutscher bin?! Wo ist hier Gerechtigkeit?! Sagen Sie es mir, Tschetwergow?!«

»Wie kann ich etwas dazu sagen? Moskau befiehlt ...«

»Das ist eure einzige Ausrede: Befehl aus Moskau.«

»Etwas, was keine Widerrede duldet. Sie wissen es doch, Genosse. Der neue Kurs sieht vor, daß alle Deutschen ›freiwillig‹ nach Deutschland zurückkommen sollen. Wir wollen dem Westen beweisen, daß wir großzügig sind und es nicht nötig haben, zum Aufbau unseres Landes fremde Kräfte zu gebrauchen. Und schon gar nicht mit Gewalt oder Zwang. Deshalb siedeln wir euch aus, euch Deutsche.«

»Aussiedeln?« Boris ballte die Fäuste. »Ich soll die Datscha verlassen?!«

»Sie haben es ja selbst beantragt.«

»Das ist eine Lüge!« brüllte Boris.

»Moskau lügt nicht«, sagte Tschetwergow hart.

»Ich weigere mich!« Boris legte die geballten Fäuste auf den Tisch. »Ich verlange eine staatliche Untersuchungs-Kommission, die mir bestätigt, daß ich meine Arbeit nicht getan habe und deshalb Rußland verlassen muß. Man soll mir ins Gesicht sagen, daß ich ein Faulenzer bin und eine Belastung des Jahresplanes!«

Tschetwergow strich sich über seinen hängenden Schnurrbart. Unangenehm, dieser Boris. Er kam mit Forderungen, die bestimmt Erfolg versprachen.

»Warum sträuben Sie sich so, Genosse Boris?« sagte er mild.

»Denken Sie einmal! Denken, mein Lieber! Sie sind Deutscher ... wollen Sie es leugnen? Ihre Frau ist eine Deutsche – wer kann es ändern? Und Rußland wird immer ein unruhiges Land sein. Nie werden Sie und Ihre Familie in Ruhe leben können, man wird Sie immer stoßen, verfolgen, streicheln, schlagen, loben und verdammen ... je nachdem, wie der Wind aus Moskau weht. Und Sie wissen, in Rußland drehen sich die Winde wie ein Karussell. Wollen Sie ein ganzes Leben lang gejagt werden? Wollen Sie nie zur Ruhe kommen?! Und denken Sie an Borkin – man wird ihn aus der Vergessenheit holen, um Ihnen schaden zu können. Man wird immer etwas finden, an dem Sie und Ihre Familie zerbrechen! Immer! Rußland ist für Sie wie ein Wolf, der Sie so lange umkreist, bis er Sie fressen kann.«

Entsetzt, innerlich völlig zerrissen, fuhr Boris nach Judomskoje zurück. Er kam spät am Abend auf der Datscha an. Svetlana schlief schon ... er ging in das Schlafzimmer und sah sie im Bett liegen, die langen, goldenen Haare aufgelöst, als liege sie auf einem aus Goldfäden gewirkten Kissen. Neben ihr schaute ein kleiner, dunkler Kopf über die Decke, mit zusammengekniffenen Äuglein und einem geballten Fäustchen, das neben dem Ohr lag.

Mit zitternden Lippen stand Boris in der Dunkelheit an der Tür und sah auf das mit Mondlicht schwach erleuchtete Bild seligen Schlafes.

»Sie werden nie Ruhe haben«, hörte er die helle Asiatenstimme Tschetwergows. »Sie und Ihre Familie werden daran zerbrechen ...«

Boris wischte sich über die Augen. Als er die Hand zurückzog, war sie feucht. Leise verließ er wieder das Schlafzimmer und ging hinüber in das Arbeitszimmer, setzte sich – wie es Borkin oft getan hatte – an die großen Fenster und dachte an alles, was gewesen war und was vielleicht kommen könnte. Und als er alles noch einmal in Gedanken erlitt, war es für ihn wie ein Wunder, daß er noch lebte.

Als der Morgen dämmerte, unterschrieb Boris den mitgebrachten Schein, in dem er sich verpflichtete, im Herbst an der Aussiedlung teilzunehmen.

Erwünschter Ort in Westdeutschland, stand da. Er machte dahinter ein Fragezeichen.

Verwandte in Westdeutschland? – Nein.

Wo wollen Sie, falls keine Verwandten vorhanden, in Zukunft leben?

Er las die Frage noch einmal. Dann schrieb er darunter:

Dort, wo wir Ruhe haben werden für alle Zeit. Dort, wo wir wissen: Hier ist meine Heimat.

Dort, wo Frieden ist!

Es war ein Ort, den ihm niemand auf unserer Erde anweisen könnte —

Als Erna-Svetlana wieder aufstehen konnte, wunderte sie sich, daß Boris sich weniger Mühe gab als bisher. Ein Feld war noch nicht bestellt worden, seit Tagen hatte er die Pferde auf der Steppe nicht mehr kontrolliert ... als ein Sommerbär gemeldet wurde, schickte er einen Knecht hinaus, wo er früher immer selbst gejagt hatte.

»Bist du krank, Bor?« fragte Erna-Svetlana zärtlich, als sie eines Abends nebeneinander im Bett lagen. »Du bist so ernst geworden! Mischa und Mascha sagen schon: ›Der Papa spielt nicht mehr mit uns!‹ Hast du Sorgen, Bor?«

»Nein, Svetla«, log er und küßte sie.

»Aber irgend etwas ist doch mit dir!«

Boris hob die Schultern. Er würgte an den Worten, dann griff er zur Seite und legte die Hand auf Svetlanas bloße Schulter. Die Berührung ihrer glatten, kühlen Haut, das Fühlen ihrer langen, seidigen Haare verschloß ihm wieder den Mund, in dem schon die ersten schrecklichen Worte der Wahrheit lagen, die er ihr offenbaren wollte.

»Es ist wirklich nichts«, log er von neuem. »Schlaf, mein Liebling. Vielleicht habe ich etwas Sorge vor dem Winter ... es soll ein strenger Winter werden, schreiben sie in der Zeitung.«

»In Kasakstan ist alles mild«, sagte Erna-Svetlana glücklich. Sie dehnte sich, schob den Kopf an Boris' Brust und schlief nach wenigen Atemzügen ein, wie ein kleines Mädchen, das die beruhigende Nähe der Mutter spürte.

Boris lag noch lange wach und starrte gegen die getünchte Decke, auf die der Mondschein die Gittermuster der Gardine riesengroß und verzerrt projizierte. Wie ein Wahngebilde sah es aus, wie die Zeichnung eines Riesen.

Ilja Sergejewitsch Konjew hatte ihn gestern zu sich bestellt. Amtlich, wie er sagte. Ausgesprochen amtlich war dann auch der Ton der Unterhaltung gewesen.

»Du bist ein Riesenochse!« hatte Konjew als Einleitung gebrüllt. »Was hast du in den Fragebogen geschrieben, du Kretin?«

»Ich habe nur die Fragen beantwortet, die darin standen«, hatte Boris erstaunt erwidert.

»Du hast die Sowjetunion provoziert!« schrie Konjew weiter. »Hier — Tschetwergow hat es rot unterstrichen und an den Rand geschrieben: Frechheit! — steht deutlich: Wo wollen Sie in Zukunft wohnen? Antwort: Dort, wo Frieden ist! — Das ist Provokation, Genosse! Das ist ein Faustschlag in das Gesicht unserer Republik! Ist in Rußland kein Frieden?«

»Für uns, Konjew? War hier je für uns Frieden?«

»Hast du nicht gelebt wie die Mäuse im Kornhaus?! Hast du keine Datscha? Hast du nicht drei Kinder zeugen können? Hast du nicht die schönsten Pferde in der Steppe, die fettesten Schweine, die besten Rinder? Und du, gerade du Misthund, schreibst hinein: Dort, wo Frieden ist?! Für diesen Satz sollte man dich wieder nach Ust-Kamenogorsk schicken!«

»Das höre ich jetzt immer wieder. Ust-Kamenogorsk! Schickt mich doch zurück! Ich weiß, daß ich nichts mehr zu erhoffen habe. Eure Heuchelei ist widerlich.«

»Beim nächsten Transport nach Deutschland bist du dabei!«

»Auch das weiß ich schon.«

»Von wem?«

»Von Tschetwergow.«

»Raus!« kommandierte Konjew bleich vor Enttäuschung. Als Boris das Zimmer verlassen hatte, rief er sofort in Alma-Ata an. »Was soll ich denn noch hier?« keifte er Tschetwergow an. »Alles, was ich diesem Boris sage, weiß er bereits von Ihnen! Mit nichts kann ich ihn überraschen! Was soll das, Genosse? Wenn Sie mir alles vorwegnehmen —«

»Strengen Sie Ihr brachliegendes Gehirn etwas an, Konjew«, sagte Tschetwergow grinsend. Leider sah Konjew dieses Grinsen nicht. »Beackern Sie die ausgedörrten Furchen Ihres Hirnes — vielleicht bringen Sie wilden Weizen zum Blühen!«

Zitternd vor Wut legte Konjew den Hörer auf.

Wenige Tage später nahm ihm Tschetwergow den letzten und größten Triumph weg. Er erschien selbst in Judomskoje und fuhr hinaus zur Datscha. Konjew sah es von seinem Fenster aus. Daß Tschetwergow ihn nicht mitnahm, war mehr als verdächtig.

»Ich gehe in den Wald, Marussja«, schrie er in die Küche hinein. Dann ritt er schnell weg, schlug um die Datscha einen Bogen und näherte sich von hinten den Gebäuden. Der Wagen Tschetwergows stand im Hof vor dem Herrenhaus ... aber alle Fenster waren geschlossen, und Konjew schlich um die Gebäude wie ein Hund, der eine heiße Hündin wittert, aber nicht weiß, wo sie steckt.

Im Arbeitszimmer saß Tschetwergow in einem der Korbsessel, die Borkin selbst aus Moskau mitgebracht hatte, und fächelte sich mit einem weißen Seidentaschentuch, das ihm seine süße kalmückische Sekretärin zum Geburtstag geschenkt hatte, Luft zu. Es war schwül in dem großen, gläsernen Raum.

»Es wird ein Gewitter geben«, sagte Boris. Es war das erste, was er bisher gesagt hatte. »Wir können es gebrauchen. Die Sonne war zu lange gut.«

»Sie sprechen in prophetischen Bildern, Genosse«, sagte Tschetwergow und tupfte sich über die gelbe, faltige Stirn.

»Wieso?« fragte Boris.

»Es wird ein Gewitter geben. Aber Sie dürfen sich nicht beklagen: Sie haben es herbeigelockt.«

»Der Fragebogen?«

»Nicht allein! Wir haben festgestellt, daß Sie nicht einmal die innere Würde aufbrachten und den Antrag stellten, sowjetischer Staatsbürger zu werden.«

Boris starrte Tschetwergow an. »Das ist doch ein Witz, was Sie da sagen, Genosse«, stotterte er. »Ich bin in Rußland geboren —«

»Wo Sie geboren sind, ist uninteressant. Ihr Vater hat — als er von Hitler gerufen wurde und mit fliegenden Fahnen nach Deutschland zog, die deutsche Staatsbürgerschaft angenommen! Für sich und seine Familie! Auch für Sie, Boris! Und Sie haben, als Sie zurück nach Rußland gebracht wurden, es nicht für nötig gehalten, diese Tat Ihres Vaters zu annullieren und wieder unsere Staatsbürgerschaft zu beantragen.«

»Ich wußte ja von nichts, Genosse!«

»Sie waren zu träge, Boris Horn! Sie dachten: Ach, es geht auch so! Die dummen Russen. Diese Halbaffen! Aber ich, der Deutsche, der Mensch aus der Herrenrasse, ich werde sie ausnützen und mich emporschwingen zu einem kleinen Bojaren. Ich werde ihnen zeigen, den stinkenden Muschiks, wie ein deutscher Herr ist!« Tschetwergow ließ sein Taschentuch fallen, er hatte sich in ehrliche Empörung geredet. »Aber nun ist das vorbei, Boris Horn! Es dauert lange, bis man in Moskau etwas merkt. Aber hat man es gemerkt, dann gibt es kein Entrinnen mehr! Dann werden die Schulden bezahlt!« Tschetwergow hatte den letzten Satz gebrüllt. Er verschluckte sich fast, als er Erna-Svetlana in der Tür stehen sah.

»Wir haben doch keine Schulden, nicht wahr, Bor?« sagte sie. »Man muß Sie falsch beraten haben, Tschetwergow.«

Der Tatare kaute an der Unterlippe. Drei Kinder hat sie schon, dachte er. Und wie schön sie ist! Es ist, als sei sie von Kind zu Kind schöner und reifer geworden. Aber sie ist eine Deutsche, verdammt noch mal!

»Was soll das Weib hier?« fragte er gröber, als ihm zumute war. Boris blickte sich um.

»Sie kann jetzt hören, was hier gespielt wird«, sagte er. Seine Stimme war belegt vor Erregung. »Einmal muß sie es ja doch wissen.«

»Sie weiß es noch nicht?«

»Nein.«

Tschetwergow sah zu Erna-Svetlana hinüber. »Ihr werdet die Datscha verlassen«, sagte er hart.

Sie zuckte nicht zusammen, sie schrie nicht auf, sie veränderte nicht einmal ihre Haltung.

»Gut«, sagte sie laut.

»Gut?« Boris war aufgesprungen. Er zitterte über den ganzen Körper. Für die Roheit Tschetwergows hätte er ihn erschlagen können. Mit geballten Fäusten stand er vor dem kleinen Tataren. »Das ist ein Verbrechen!«

»Moskaus Befehle sind nie Verbrechen, Genosse!« sagte Tschetwergow rauh. »Sie haben für Deutschland optiert!«

»Ich bin betrogen worden!« schrie Boris.

»Aber das glaubt Ihnen keiner. Nur die Tatsache, daß Ihre Unterschrift unter dem Antrag steht, gilt! Wie sie dahin kommt, ist Moskau gleichgültig. Im übrigen wollen wir nicht diskutieren, sondern feststellen: In vier Tagen kommen die neuen Pächter.«

»Wer kommt?« fragte Boris ungläubig.

»Die neuen Herren.« Die Stimme Erna-Svetlanas war ruhig und von einer ergreifenden Gelassenheit. »Hast du geglaubt, Bor, in diesem Lande jemals etwas anderes zu sein als ein Sklave?«

Tschetwergow begann wieder, sich mit dem seidenen Taschentuch zu bewedeln. »Ihr kommt zurück nach Deutschland.«

»Wo wir schon einmal waren?«

»Das ist jetzt polnisch! Nein — nach Westdeutschland. In das Land der Bonzen und Kriegstreiber! Und eines Tages wird dein Boris ein Soldat sein und im grauen Rock gegen Rußland marschieren! Ihr Deutschen habt es immer so gemacht — ihr habt die Kriege verloren, aber immer wieder habt ihr neue Kriege angefangen. Es ist fast schon eine Perversität!«

»Wann?« fragte Erna-Svetlana. Tschetwergow sah sie dumm an.

»Was — wann?«

»Wann müssen wir weg?«

»Das ist noch nicht bekannt. Aber in vier Tagen kommen die neuen Pächter. Ihr könnt weiter hier wohnen, bis die Transporte gehen. Und arbeiten müßt ihr auch!«

»Als Knecht und Magd für einen neuen Pächter?«

»Bist du je etwas anderes gewesen?« sagte Tschetwergow gehässig. »In Deutschland werdet ihr nichts anderes sein!«

»Wer ist der neue Pächter?«

Die Frage war Tschetwergow sehr unangenehm. Er hatte sie erwartet und gefürchtet.

»Sergeij Alexandrowitsch Njomez«, sagte er betont gleichgültig.

»Woher?«

»Was geht's dich an?«

»Aus Alma-Ata.« Svetlana sagte es, und Tschetwergow und Boris fuhren wie nach einem Schlag herum. »Es ist der Vetter von Genosse Tschetwergow.«

»Woher weißt du das?« schrie der Tatare.

»Von Marussja.« Svetlana lächelte schwach. »Ich weiß seit zwei Wochen, daß wir fortmüssen aus Kasakstan –«

Als der neue Pächter mit zwei großen Lastautos von Alma-Ata herüberkam und die Datscha übernahm, lag Marussja im Bett und kühlte ein dick geschwollenes Auge mit kaltem Wasser. Konjew erschien zum Empfang des neuen Bauern mit einigen Kratzern im Gesicht. »Mir sind bei einer Iltissuche die Zweige ins Gesicht geschlagen«, sagte er mißmutig. »Im übrigen willkommen in Judomskoje.«

Sergeij Alexandrowitsch Njomez war ein schmächtiger Mann mit sieben Kindern, der aussah, als habe er die Auszehrung. Er bewunderte die Datscha wie ein Schloß und wagte es kaum, sich in die Sessel zu setzen oder sich auf dem weißgedeckten Tisch das Begrüßungsmahl von Erna-Svetlana servieren zu lassen.

»Der Herr möge es gut haben«, sagte sie mit leiser Stimme. »Die Kinder werden sich glücklich hier fühlen.«

Boris Horn stand neben dem Stall und sah stumm zu, wie die Wagen mit den Möbeln entladen wurden. Es waren alles neue Sachen. Wo hat er nur das Geld her? dachte er. Wie er aussieht, hatte er bis jetzt nichts zu essen und belegte seine Brote mit dem eigenen Daumen. Auch Konjew staunte, denn er kannte – dem Hörensagen nach – Njomez als einen ganz armen Teufel, der am Rande von Alma-Ata gewohnt hatte, in einem Schrebergarten voller Apfelbäume, und der von einer Eselin lebte, aus deren Milch er sich sogar Butter machte. Und jetzt fuhr er mit zwei Lastwagen neuer Sachen vor!

Niemand wußte ja, daß Njomez nur ein Strohmann war. Im Hintergrund stand Tschetwergow. Er war der neue Herr, er würde aus der Datscha herausziehen, was nach der Abführung der Norm an Überschuß vorhanden war. Und das schien allerhand zu sein, wenn man die Vorräte betrachtete, die Boris und Svetlana angelegt hatten, vor allem für den Winter, der streng werden sollte. Jedes Jahr zwei Schweinchen, dachte Tschetwergow. Und dann die Würstchen, die Äpfelchen, das viele, viele Gemüse, die Hühner, Eier, Butter, Milch – o Väterchen, es ließ sich gut leben in Rußland, wenn man es verstand, klug und gerissen zu sein.

Als die Möbel eingeräumt waren, kam Njomez hinüber in den Stall zu Boris. Er streckte ihm die Hand entgegen und sagte:

»Es tut mir leid, Brüderchen, daß es so gekommen ist. Aber ich kann ja nichts dafür. Es ist die Politik.«

»Schon gut, Sergeij Alexandrowitsch. Es freut mich, daß du sieben Kinder hast. Sie werden es gut hier haben.«

»Das sagte Svetlana auch. Ihr seid gute Menschen.«

Er ging wieder zurück zur Datscha mit dem Gefühl, etwas Treffliches gesagt zu haben.

Weniger trefflich benahm sich Konjew. Er kam am nächsten Tag in seiner Eigenschaft als Dorfsowjet und kontrollierte die Arbeit auf der Datscha im Auftrage der Sowchose, der das Gut angeschlossen war.

Er sah Boris im Schweinestall stehen und eine Pfeife rauchen. Konjews Herz begann zu zucken.

»Nanu?« sagte er laut. »Wird hier die Norm in die Luft geblasen?!«

Boris zog die Augenbrauen hoch. »Besser, als wenn sie im Hohlraum eines leeren Kopfes verschimmelt.«

Konjew nahm sich vor, dieses nicht auf sich zu beziehen, wenn es auch weh tat, zu wissen, daß man damit gemeint war.

»Herumgestanden wird erst am Abend«, sagte er laut. »Die Kerle haben zu arbeiten.«

»Sag das in einen Spiegel hinein, Ilja Sergejewitsch.«

»Woher nimmst du nur die Frechheit!« schrie Konjew. Er trat an Boris heran. »Du infamer Karrieremacher! Erst in der Gosse geboren, dann Mörder, dann Herr auf der Datscha —«

Er kam nicht weiter mit seiner Aufzählung. Boris packte ihn am Kragen, drehte den Verblüfften herum, hob das Knie und stieß es mit aller Kraft in Konjews Gesäß. Wie katapultiert flog er aus dem Schweinestall heraus und konnte sich an der Tür noch festhalten, sonst wäre er in den Hofschmutz gefallen.

»Das kostet dich mein letztes Mitleid!« schrie Konjew grell und sich überschlagend.

Boris antwortete nicht. Er ging zur Tür und zog sie zu.

Was kann mir noch geschehen? dachte er. Es gibt nichts an Leiden, was ich nicht kenne. Wäre ich Hiob, reichte mein Körper nicht aus für die Wunden, die man mir schlug.

Am 14. Oktober 1958 ging der erste Transport nach Deutschland.

Aus der ganzen Gegend, aus Kasakstan überhaupt, waren es nur Boris und Svetlana, die wegkamen in die neue Heimat.

Als habe sich nichts geändert, so kam, wie damals 1939 Semjow zu den Eltern, diesesmal Konjew zu ihnen und stellte sich breitbeinig vor Boris auf.

»Morgen früh geht es los!« schrie er. Er schrie deshalb, weil es ein Befehl war. Es liegt in der Eigenschaft des Wortes Befehl, daß man schreien muß ... nicht nur in Rußland! »Pro Kopf sind 30 Pfund Gepäck erlaubt. Mehr nicht. Ich wiege nach!«

»Das ist genug«, sagte Boris still. »150 Pfund sind eine Menge.«

»150 Pfund?« Konjew sah Boris triumphierend an. »60 Pfund, Genosse!«

»Wir haben drei Kinder!«

»Vorzeigen!« schrie Konjew.

»Sind Sie verrückt geworden?« sagte Boris ärgerlich. »Lassen Sie das Theater. Sie kennen sie doch.«

»Ich bin hier amtlich. Ich muß die Kinder sehen!«

Boris ballte die Fäuste. Von der Steppe her blies ein kalter Wind. Die hohen Bäume rund um das Haus knarrten mit den kahlgewehten Zweigen und Ästen. Es würde Schnee geben ... seit Jahren Schnee in der Steppe!

»Komm mit«, sagte Boris.

»Nein. Ich muß sie hier sehen.«

»Ich stelle sie nicht deinetwegen in den Wind!«

»Sie werden noch oft im Wind stehen, die süßen Kleinen«, sagte Konjew genußvoll. »Die ganze Strecke bis nach Deutschland ist schon verschneit und eisig kalt. Man muß sie abhärten, die jungen deutschen Soldaten!«

Er lachte laut und bog sich in den Hüften. Boris hob die Fäuste. Konjew trat ein paar Schritte zurück.

»Stoij!« schrie er. »Wenn die Kinder nicht kommen, erlaube ich nur 60 Pfund!«

Wortlos, schwer, als trüge er eine Zentnerlast auf den Schultern, wandte sich Boris ab und ging zurück zu dem Gesindehaus. Morgen ist alles vorbei, dachte er.

»Wir müssen Konjew die Kinder zeigen«, sagte er, als er Svetlana in der kleinen Küche traf. Sie kochte für die kleine Natascha einen Milchbrei aus Ziegenmilch.

»Jetzt? Bei diesem Wind?«

»Er will es so! Es sind die letzten Schikanen, Svetla ... morgen geht es nach Hause, nach Deutschland ...«

»Nach Hause, Bor ...?«

Er schwieg und sah auf den Boden. Ihre Heimat war Kasakstan, sie wußten, fühlten und verstanden es. Aber es war sinnlos, weiter darüber zu sprechen oder nachzudenken, warum es nicht ihre Heimat sein durfte und sie Deutsche waren, wo sie Deutschland nicht kannten und als Erinnerung aus ihren Kindertagen nichts mitbrachten als die geschändeten und getöteten Mütter und einen Pfarrer, den man an die Tür seiner kleinen Dorfkirche genagelt hatte.

»Komm«, sagte Boris. »Gehen wir hinaus.«

Erna-Svetlana wickelte um die Köpfe der Kinder dicke Schals

aus Schafwolle, steckte sie in Wattejacken und nahm die kleine Natascha auf den Arm. So gingen sie hinaus in den pfeifenden Winterwind, wo Konjew wartete, wütend, daß man ihn hier stehen ließ und nicht schneller kam.

»Dawai!« brüllte er. »Hierher!« Er zeigte vor sich und sah Svetlana an, die mit den Kindern auf ihn zukam. »Halt! In einer Reihe . . .«

Zufrieden betrachtete er sein Werk. In einer Reihe standen Boris, Erna-Svetlana und die beiden größeren Kinder, aufgereiht wie zu einer Truppenbesichtigung. Nur das Kleinste saß auf dem Arm Svetlanas.

Ilja Sergejewitsch Konjew nutzte das Schauspiel bis zum Bersten aus. Es war ein sinnloses, aber unerhört gemeines Spiel, das er trieb und das ihn entschädigte für den Tritt, den er von Boris erhalten hatte.

Wie ein Viehhändler ging er von einem zum anderen. Zuerst zu Boris. Er hob die Hand und befühlte dessen Kopf.

»30 Pfund wert«, sagte er hämisch.

»Wenn du Svetlana anfaßt, erwürge ich dich«, sagte Boris, bevor Konjew zu ihr trat. Ilja Sergejewitsch wußte, daß es ernst war. Er befühlte nicht den Kopf, aber er kommandierte mit schneidender Stimme:

»Tuch ab!«

Wortlos riß sich Erna-Svetlana das Tuch von den langen goldenen Haaren. Konjew nickte.

»30 Pfund.«

Boris knirschte mit den Zähnen. »Auch die Kinder berührst du nicht!« zischte er.

»Keine Angst. Deine Brut fasse ich nicht an.« Konjew stand vor der kleinen Maria. Sie sah ihn aus großen, blauen Augen an. Aus deutschen Augen, wie Konjew gehässig feststellte.

»Tuch ab!« kommandierte er.

Boris trat einen Schritt vor. Aus den Augenwinkeln schielte Konjew zu ihm hin.

»Bei diesem Wind nicht! Was soll das überhaupt? Was bildest du dir ein?! Ich werde es Tschetwergow melden!«

Konjew biß die Zähne aufeinander. Das war das Schlimmste, was man ihm antun konnte . . . ihm mit Tschetwergow drohen. Tschetwergow, der Lump, der ihn um die Datscha betrogen hatte.

»Tücher ab!« schrie er grell. »Oder ich werfe alles vom Wagen, was mehr ist als 60 Pfund!«

Erna-Svetlana sah Boris an und schüttelte den Kopf. Es hat doch keinen Sinn, Bor, sollte es heißen. Sie haben die Macht.

Sie beugte sich zu den Kleinen hinab und löste ihnen die Kopftücher. Auch der zu weinen beginnenden Natascha löste sie das wollene Kopftuch und hielt das Köpfchen in den Wind.

»Hier!« sagte sie laut.

Konjew schob die Unterlippe vor. Er ging langsam von Kind zu Kind, betrachtete den Kopf eingehend und nickte dann.

»Es ist gut«, sagte er dann. »Es bleibt bei 60 Pfund!«

Boris schnellte vor. »Bist du verrückt?!«

»Nein!« Konjew grinste breit. »Aber in der Verfügung heißt es: Pro Kopf und Person 30 Pfund!« Er zeigte auf die Kinder, denen Svetlana wieder die Tücher umband. »Aber das sind ja keine ausgewachsenen Köpfe und Personen. Es sind halbe Köpfe und halbe Menschen ... davon steht nichts in der Verfügung. 60 Pfund und nicht mehr! Alles andere fliegt vom Wagen!«

Er drehte sich um, als habe man ihm ›kehrt‹ kommandiert, und verließ mit großen Schritten den Hof der Datscha.

Jetzt habe ich es ihm gezeigt, triumphierte es in ihm. Jetzt ist er klein wie ein Wurm. Armselig wie eine nasse Maus. Jetzt ist er zerschmettert! Deutsches Pack!

Und er dachte nicht mehr daran, daß er bei der Hochzeit Boris' und Svetlanas auf der Datscha getanzt und Boris sein ›liebstes Brüderchen‹ genannt hatte.

Am 15. Oktober war alles bereit.

Boris hatte einen Leiterwagen beladen und zwei seiner stärksten Pferde vorgespannt. Sergeij Alexandrowitsch Njomez hatte ihm kameradschaftlich geholfen, das Gepäck nachzuwiegen. Genau 60 Pfund waren es ... ein paar Betten, Kleider, Anzüge, zwei Pelze und einige Stücke der Erinnerung ... ein Messer, das Boborykin geschnitzt hatte, einige Bilder von der Datscha, von Judomskoje und der Steppe von Kasakstan.

Schon um sieben Uhr morgens erschien Konjew auf der Datscha und umstrich den Leiterwagen. Njomez sah ihn zuerst und eilte aus dem Haus.

»Sie wollen mich besuchen, Ilja Sergejewitsch?«

»Auch, auch. Zuerst aber will ich kontrollieren, ob das Gepäck —«

»Ich habe es mitgewogen. Es ist kein Gramm zuviel.«

»Ich muß es nachwiegen.«

»Ich garantiere dafür!«

»Moskau wird mich zerreißen, wenn es zuviel ist.«

»Sagen Sie Moskau, daß ich kein Idiot bin und weiß, was 60 Pfund sind!«

»Und ich bin kein Idiot, das nach Moskau zu melden.«

Konjew wog nicht nach. Er stand etwas abseits, als Boris und Erna-Svetlana, die Kinder an der Hand oder auf dem Arm, aus dem Gesindehaus traten. Sie beachteten Konjew nicht, stiegen auf den Wagen, Svetlana hüllte die Kinder in Decken und setzte sich selbst neben die zusammengeschnürten Betten.

»Wir können fahren, Bor«, sagte sie, als machten sie einen Sonntagsausflug. Nur ihre Augen, die noch einmal zur Datscha hinübersahen, waren dunkel und schienen voll Tränen zu hängen.

»In Alma-Ata müßt ihr morgen sein«, sagte Konjew laut. »Und die Pferde werden euch dort abgenommen! Ihr fahrt mit einem Güterzug weiter in eure Heimat!« Er sagte das Wort Heimat breit und betont. Boris nahm die Peitsche.

»Johoij!« schrie er zu den Pferden. »Lauft, Freundchen – lauft schnell!« Er schwang die Peitsche, und es war sicherlich nur Zufall, daß die lange, dünne Lederschnur kurz vor den Stiefelspitzen Konjews den Staub aufschlug und zischend weiterjagte. Konjew prallte zurück, aber als er das Gesicht Njomez' sah, schrie er nicht das, was er auf der Zunge liegen hatte.

»Kapitalistenknechte!« war alles, was er knirschte.

Langsam fuhren Boris, Svetlana und die Kinder aus der Datscha hinaus. Als sie das Einfahrtstor passiert hatten, ließ Boris die Peitsche über die Rücken der Pferde knallen.

Schneller, schneller, meine Lieben ... je schneller wir fahren, um so weniger brennen die Tränen in den Augen. Lauft doch ... o Freunde, lauft doch ... ich will mich nicht umsehen, ich will nicht Abschied nehmen ... ich will vergessen, während der Wind mir ins Gesicht peitscht und eure Hufe den Staub der Straße aufwirbeln ...

Erna-Svetlana hatte sich im Sitzen zurückgedreht.

Sie sah das lange, niedrige Dach der Datscha zwischen den Hofbäumen liegen, sie sah, wie Konjew und Njomez im Tor erschienen und ihnen nachschauten, sie sah die Herden auf den Weiden, die Apfelbaum-Plantagen, die Sonnenblumenfelder, die Rosenrabatten, die sie immer pflegte, die an den Rand der Steppe hingeduckten Blockhäuser von Judomskoje, den Wald von Undutowa, hinter dem die Sümpfe am Balchasch-See begannen, in dem der wilde Boborykin wohnte und Natascha Trimofa sie verbarg.

Sie sah so lange zurück, bis alles hinter Bäumen und Feldern unterging. Sie hatte das Gefühl, weinen zu müssen, aber sie grub die Zähne in die Unterlippe und zwang sich, zu denken: Es wird ja alles besser. Wir löschen jetzt die grauenhafte Vergangenheit aus und ziehen in eine wirkliche Zukunft. Dieses Land hat uns nur Leid gebracht ... ich will es vergessen.

Und sie wußte, daß sie es nie konnte, weil sie nichts mehr so lieben würde wie Kasakstan.

Als der erste Transport in Alma-Ata zusammengestellt und auf dem Güterbahnhof vor den Waggons angetreten war, noch einmal mit den Listen verglichen wurde und Verpflegung empfing – 467 Deutsche, Männer, Frauen, Greise, Kinder, in denen die Erwartung des neuen Landes den Abschiedsschmerz zu überdecken begann –, hatte Tschetwergow sich einen Tag Urlaub genommen und war in die Berge gefahren. Sein Stellvertreter, ein junger kalmückischer Russe, der in Alma-Ata die Staatsschule besucht hatte und zum fanatischen Nachwuchs gehörte, leitete den Abgang des Transportes fast nach der Stoppuhr.

Moskau befahl: um 10.25 Uhr Abgang des Güterzuges.

Es war eine angenommene Zeit ... für den jungen Kalmücken war es ein Befehl. Um 10.15 Uhr wurden die Deutschen in die Waggons gejagt.

»Die Türen werden verriegelt und plombiert!« schrie jemand den Zug entlang. »Wegen Spionagegefahr! Wenn jemand die Türen öffnet, wird sofort geschossen!«

Dann rollten die Waggontüren zu, rasteten ein und wurden von außen verriegelt.

»Wie Schlachtvieh!« sagte ein Bauer laut, der mit Boris und Svetlana in einem Wagen hockte. »Anno 1939 war es genauso. Als man an der polnischen Grenze dann die Türen öffnete, fielen die Toten zwischen die Schienen.«

»Das wird man jetzt nicht wagen«, rief ein anderer Bauer aus der Ecke. »Wir kommen als Propagandasendung nach Deutschland zurück. Chruschtschow braucht uns, um der Welt zu zeigen, wie freundlich er sein kann! Er wird uns pflegen lassen wie Mastlämmer!«

Vier Tage später war dieser Bauer tot. Er starb an einem Lungenriß, weil er bei einem Aufenthalt einen sowjetischen Offizier anschrie, er habe Durst und wolle Wodka. Der Offizier schlug ihn mit der Faust nieder und trat ihn mehrmals in die Brust. Auf dem Rand der Böschung starb er, im ersten Schnee, der über Nacht gefallen war.

Sie rollten fünf Tage und Nächte ununterbrochen durch das riesige russische Land bis Moskau. Sie rollten der Kälte entgegen und dem Winter, den sie in Kasakstan nie so erlebt hatten.

In der dritten Nacht überzog sich das Innere der Waggonwand mit Eis ... kleine Eisenöfen mit etwas Kohlen und Holz wurden in die Wagen gestellt, das Ofenrohr durch ein Loch des seitlichen Entlüftungsschlitzes hinausgeführt.

»Das muß reichen bis Moskau!« schrie einer der Begleitposten. »Wir haben selbst nicht mehr! Der Winter kommt zu früh!«

Erna-Svetlana hatte die Kinder zwischen die Federbetten gepackt. Dort lagen sie warm, und der Tee, den sie auf der Ofenplatte kochte, wärmte sie noch mehr. Boris und Svetlana rollten sich am Abend zusammen in eine Decke und wärmten sich gegenseitig. Sie froren nicht. Was war dieser Waggon schon gegen die Eishöhle, in der sie mit der schwerverletzten Natascha Trimofa gelegen hatten, vor dem Schneewind geschützt durch die Pferdeleiber, die sie an den Eingang der Höhle gelegt hatten. Damals zogen sie ins Ungewisse hinein ... heute wußten sie, daß nach allen Mühen einmal der Tag kommen würde, an dem sie das Ziel erreicht hatten. Der Tag, an dem Deutschland sie aufnahm wie verlorene Söhne.

In Tambow wurden die ersten Toten ausgeladen. Greise und Kinder, erfroren oder an Erschöpfung eingegangen wie ein Licht ohne Sauerstoff. Sie wurden aus den Waggons geworfen, in den Schnee gelegt, mit Schnee zugeschaufelt. Dann fuhr der Zug weiter. Alles ist nur Zeitverlust!

»Wie damals«, sagte der eine Bauer wieder. »In Rußland ändert sich nichts. Damals starben in unserem Transport 92 Menschen!«

»Halt's Maul!« schrie einer aus der Ecke. »Du machst die Weiber nur verrückt.«

Kurz vor Moskau begannen sie, die hölzernen Gegenstände, die sie mitgenommen hatten, in dem kleinen Ofen zu verbrennen. Sie wurden genau dosiert: Zwei Kochlöffel ... ein hölzerner Badezuber, der zerhackt wurde ... ein Holzkoffer. Die Sachen wurden in einem großen Kopftuch als Bündel geschnürt. Was braucht man einen Holzkoffer, wenn man erfriert?!

Die einzige Unterbrechung waren die Mahlzeiten. Dann hielt der Zug kurz auf freier Strecke, die Rotarmisten rannten von Waggon zu Waggon, schoben einige Eimer mit Kapusta in die Wagen und schmissen die Türen wieder zu. Eisiger Wind wehte kurz über die zusammengeballten Menschen ... ein Stück grauer Himmel lag vor ihren Blicken, eine unendliche weiße Landschaft oder unübersehbare Wälder ... »Türe zu!« brüllte da schon eine Stimme. Lieber im Halbdunkel warm leben, als in frischer Luft erfrieren. Mief wärmt, und es ist noch niemand totgestunken worden.

Am 20. Oktober rollte der Güterzug in Moskau ein.

Als man die Türen zur Seite rollte, sahen die Moskauer Beamten in unwirkliche, urweltliche Gesichter ... in bärtige Fratzen, weite Augen und zitternde Münder.

»So sehen Deutsche aus?« fragte ein junger Bursche und schüttelte den Kopf. »Schieben wir sie schnell in ihr Land ab. Sie verunstalten ja nur unsere Kultur!«

460 Halbleichen standen auf dem Moskauer Güterbahnhof und aßen aus Blechschüsseln eine dicke Suppe aus Kohl und Trockenfischen. Sie aßen, bis sie Magenschmerzen bekamen und die ungewohnte fette Suppe wieder neben den Waggons erbrachen.

»Nix kultura«, sagte ein Soldat zu Boris.

Boris antwortete nicht. Nur noch ein paar Tage, und wir werden ein Leben beginnen, als seien wir neugeboren, dachte er.

In Friedland, dem großen Auffanglager Westdeutschlands, trafen die ersten Meldungen ein.

In ca. 5 Tagen kommt der erste Transport.

Die Leute sind in bestem gesundheitlichen Zustand, gut genährt und zufrieden.

Die deutschen Regierungsstellen begannen, ihre Vorbereitungen abzuschließen. Rundfunk und Fernsehen warteten in Friedland, die Presse wurde unterrichtet, die Parteien sprachen von Erfolgen, Teilerfolgen oder Mißerfogen der Regierung und der Politik. Der Bundesbürger Meier saß vor einer 53er-Bildröhre und sah sich einen Dokumentarbericht über Rußland an.

»Wie die doch leben«, stellte er zufrieden fest, denn er hatte zu Abend drei Rühreier mit Schinken und Spargelspitzen gegessen. »Nee . . . da möchte ich nicht sein.« Und er drehte den 53er Bildschirm ab, denn die ausgelaugten Gesichter der russischen Bauern paßten nicht zu der Spätlese, die Emma aus dem Keller holte.

In Moskau wurden unterdessen die Listen noch einmal verglichen. Einige Namen wurden durchgestrichen . . . die Körper zu diesen Namen lagen seitlich der Schienen unter dünnen Schneehaufen.

»In fünf Tagen seid ihr in Deutschland«, sagte ein russischer Offizier zu den 460 in der Kälte zitternden Deutschen. »Schreibt mal, ob es euch dort gefällt. Ihr werdet dort fremder sein als in der tiefsten Taiga!«

Zwei Tage standen sie auf dem Güterbahnhof in Moskau herum. Sie durften das Gelände um die Viehwagen nicht verlassen . . . eine Postenkette von Milizsoldaten riegelte das Gebiet ab.

Erna-Svetlana blieb diese beiden Tage in der Wärme des Wagens. Jetzt gab es genug Holz, sogar Kohlen, mit denen sie den kleinen Eisenofen in der Mitte des Waggons heizte. Mischa und Mascha standen mit Boris draußen auf dem Schotter und beäugten die großen Häuser Moskaus, die so gewaltig für sie waren, daß Mischa einmal sagte: »Badjuschka (Väterchen) — die Wolken müssen dranstoßen. Was machen sie dann?«

Auch die Verpflegung wurde besser. Für die Kinder brachte man Mehl, Schrot und Maispuder heran, aus denen Erna-Svetlana für die kleine Natascha eine dicke Suppe kochte. Die Erwachsenen bekamen Borschtsch, die man in großen Thermoskesseln heranschaffte.

Am zweiten Tag, als die Bauern schon ungeduldig wurden und den leitenden Offizier zu sprechen verlangten, rollten statt der Güterwagen normale, aber alte Personenwagen über die Gleise.

Sie schoben sich dem Güterzug gegenüber zwischen die wartenden und staunenden Menschen.

»Nanu?« rief einer der Bauern, ein rothaariger Feuerkopf. »Soll das für uns sein, Brüderchen?! Personenwagen? Sauber gefegt?! Beginnt man endlich, uns als Menschen zu betrachten?!«

Vier Offiziere fuhren in einem offenen Wagen heran. Sie hatten dicke Aktentaschen voller Papiere bei sich. Die Postenkette rückte näher und schnürte den Raum ein . . . nur die beiden Züge und die dazwischenliegenden Schottersteige blieben übrig.

»Freiheit«, sagte der Rothaarige laut. »Da seht ihr's! Alles ist Mist!«

»Herhören!« brüllte einer der Offiziere. Das Gemurmel der Bauern erstarb. Verblüfft, ratlos sahen sie sich an. Der russische Offizier sprach deutsch zu ihnen! In Moskau, auf dem Bahnhof, sprach einer deutsch zu ihnen. In Uniform. Das war so ungeheuerlich, daß sie es nicht begreifen konnten.

»Mit dem heutigen Tage seid ihr Deutsche!« schrie der Offizier wieder. Sein Deutsch war hart, aber gut verständlich und geläufig. Er sprach es besser als mancher der jungen Bauern, die in Rußland aufwuchsen und die deutsche Sprache nur in einzelnen Brocken von den Eltern kannten. »Moskau hat euch eure Heimat wiedergegeben. Der Großzügigkeit und Menschenfreundlichkeit des Genossen Chruschtschow, des Garanten einer freien Welt, habt ihr es zu verdanken, daß ihr nach Deutschland kommt!« Er hob seine dicke, pralle Aktentasche empor und zeigte sie allen. »In dieser Tasche sind eure ganzen Papiere. Sie werden den deutschen Behörden übergeben. Damit seid ihr keine russischen Genossen mehr, sondern Knechte der Kapitalisten.«

»Das klingt schon anders«, sagte einer aus der Menge laut.

»Wer in Mütterchen Rußland bleiben will, kann es jetzt noch sagen! Noch ist es Zeit. In einer Stunde fährt der Zug ab . . . dann gibt es kein Zurück mehr! Wer hierbleiben will, kann vortreten.«

Boris sah Erna-Svetlana an. Sie stand neben ihm auf dem Schotter, Natascha auf dem Arm, dick vermummt in einen wollenen Schal. Neben ihnen starrten Mischa und Mascha auf den Offizier. Was er sprach, verstanden sie nicht . . . sie konnten nur Russisch.

Svetlana verstand den Blick Boris'. Sie lächelte schwach und schüttelte leicht den Kopf. Boris senkte den Kopf. Durch die dichtgedrängten Reihen der Bauern ging Unruhe, ein Flüstern und Raunen. Aber niemand trat vor. Der russische Offizier grinste.

»Die guten Deutschen!« sagte er voller Hohn. »Schon das Wort deutsch genügt, und sie werden zu Helden!«

»Leck mich am Arsch!« schrie der Rothaarige zurück. Einige Bauern lachten, die Frauen zogen ängstlich die Köpfe ein. Was kommt jetzt? durchzitterte es sie. Jetzt werden wir alle verprügelt. Das ist das geringste, was geschehen wird.

Es geschah nichts. Der Offizier klemmte seine Aktenmappe unter den Arm und ging zurück zu seinem Wagen. Eine zusammengeballte Masse Unverständnis, so starrten ihm die Bauern nach.

»Wir sind doch freie Menschen«, sagte zögernd der Rothaarige. »Er läßt es sich gefallen —«

Zwei Stunden später war das Umladen von den Viehwaggons in die Personenwagen abgeschlossen. Zwar saß in jedem Wagen noch ein bewaffneter Milizsoldat, aber sonst sah der Zug aus wie alle Züge auf der Welt.

Die vier Offiziere saßen wieder in ihrem offenen Wagen. Für sie waren diese 400 Menschen abgeschrieben. Sie verstanden zwar die Politik Chruschtschows nicht mehr ... aber das war unwichtig. In Rußland hatte noch nie jemand verstanden, was aus dem Kreml kam.

Langsam rollte der Zug aus dem Güterbahnhof auf die freie Strecke, Richtung Westen. In einigen Wagen begann man zu singen. Zögernd erst, dann lauter, freier. Schwermütige Lieder aus der Steppe, vom Don, von der Wolga, von den flachen Ufern des Jenissei und des Irtisch. Gesänge aus Kasakstan, Nomadenlieder Innerasiens.

Die Moskauer Milizsoldaten saßen in den Wagen und staunten.

»Ihr wollt Deutsche sein, Brüderchen?« fragte einer von ihnen. »Warum singt ihr keine deutschen Lieder?«

Die jungen Bauern sahen sich an. Deutsche Lieder. Verdammt, wie lange ist es her, daß wir ein deutsches Lied sangen? Immer Arbeit in der Kolchose oder Sowchose, immer Pferde und Kühe hüten in der Steppe, immer mit dem Traktor über die Felder rasseln ... wo blieb da der Sinn für ein deutsches Lied?

Die alten Bauern sahen zu Boden. Sie schämten sich. Plötzlich, je näher sie der wirklichen Heimat kamen, die sie nicht kannten, kam Scham in ihnen hoch, daß sie deutsche Namen trugen, aber russisch dachten und gelebt hatten.

»Was wollt ihr hören?!« schrie der Rothaarige wieder. »Deutschland, Deutschland über alles ...?«

»Ich schlage dir die Zähne ein, Genosse, wenn du's tust«, sagte der Milizsoldat. »Mein Vater ist bei Mogilew von den Deutschen erschossen worden.«

»Das ist 15 Jahre her!« schrie der Rothaarige.

»So etwas vergißt man nie!«

Im Wagen Nr. 4 — die Wagen trugen große, weiße Ziffern auf der ersten Tür — hatte Erna-Svetlana die kleine Natascha auf dem Schoß. Sie schlief, das Köpfchen fest an die Mutter gedrückt. Boris saß am Fenster und starrte hinaus in den Abend, der schnell über das weite Land hereinbrach. Ein düsterer, fahlgrauer Schneehimmel hing über der Landschaft, schwer von Flocken, daß man darauf wartete, die Wolken könnten platzen.

»Es ist kein Himmel wie in Kasakstan«, sagte Boris leise. »Wir fahren von der Sonne weg –«

»Nicht daran denken, Bor.« Svetlana streichelte seine Hände, die auf der Fensterbrüstung lagen. »Auch in Deutschland wird es Sonne geben.«

Der Gesang aus den anderen Wagen flatterte am Zug entlang. Boris schüttelte den Kopf.

»Mein Vater hat damals auch gesungen«, sagte er nachdenklich. »Ich weiß es noch ... Ganz dunkel kann ich mich entsinnen. Ich hatte den Kopf in Mutters Schoß gelegt und wollte schlafen. Aber ich konnte nicht schlafen, weil sie alle sangen. ›Laß uns singen, matja‹, sagte mein Vater und glänzte über das ganze Gesicht, ›wir kommen in ein Paradies!‹ – In diesem Paradies wurde er erschlagen ... Ich kann nicht verstehen, daß sie heute wieder singen.«

Als sie die ersten deutschen Namen lasen, die ersten deutschen Häuser sahen, die ersten deutschen Wälder und Felder, klebten sie alle an den Scheiben wie Trauben von Fliegen.

Auf den Bahnsteigen der kleinen Bahnhöfe, die sie durchfuhren, standen Polizisten und Soldaten in merkwürdigen Uniformen. Deutsche Röcke und russische Helme, russische Waffen in den Händen.

»Warum halten wir denn nicht?« rief einer aus dem Fenster. »Hier ist doch Deutschland!«

»Ostdeutschland, du Rindvieh!« schrie einer zurück.

»Ist das denn kein Deutschland mehr?«

»Ihr seid Adenauer-Knechte!« schrie ein junger Bursche vom Bahnsteig aus. Er trug ein blaues Hemd und ein Gewehr auf dem Rücken.

»Job twojemadj!« brüllte einer der Jungen zurück.

Das war die erste Stunde in Deutschland, daß man sie beschimpfte, weil sie nach Westen fuhren.

»Wir kommen in eine böse Politik hinein«, sagte Boris zu Erna-Svetlana, die mit den beiden größeren Kindern am Fenster saß und ihnen die deutschen Ortsnamen vorlas. Aus der Erinnerung kamen ihr Namen ins Gedächtnis, die sie als Kind gehört oder gelesen hatte ... stückweise, wie die Sprache, die sie nach dreizehn Jahren wieder sprechen sollte. Sie zeigte durch die Scheibe auf die Silhouette einer Stadt, an der sie vorbeifuhren.

»Sieh einmal, Mischa«, sagte sie, »so sehen alle deutschen Städte aus.«

»Alles Häuser aus Stein?«

»Alle.«

»Und auch die Datschas sind aus Stein . . .«

»Es gibt in Deutschland keine Bauernhäuser aus Baumstämmen. Es gibt auch keine Ziehbrunnen. Sie haben in der Wand einen Hahn, und wenn sie ihn aufdrehen, kommt Wasser heraus.«

»Richtiges Wasser, mamaschka?«

»Aber ja. Du kannst es trinken, ohne es durchzusieben.«

»Das ist ja wie im Märchen, mamaschka.«

Sie fuhren an einer langen Fabrikmauer vorbei. Auf den roten Ziegeln war mit weißer Farbe ein Bild Lenins gemalt und darunter ein Spruch: Er gab uns Recht! Er befreite die Arbeiterklasse!

»Die Märchen sind überall gleich«, sagte Boris bitter.

Die Umwälzungen, die nach dem Tode Stalins begonnen hatten, mit Malenkows und Molotows Verschickung in untergeordnete Ämter ihren Höhepunkt erreichten und den immer lächelnden Chruschtschow in den Himmel sowjetischer Macht erhoben, waren auch an Stephan Tschetwergow und Ilja Sergejewitsch Konjew nicht so glatt vorübergegangen, wie sie es sich erträumt hatten.

Ihren verzweifelten Bemühungen, ein gutes Licht in Moskau für sich anzustecken, hatten einen großen Fehler gehabt: Die Übereilung.

Eines Tages erschien aus Moskau eine Prüfungskommission in Alma-Ata. Tschetwergow ahnte von nichts, als es klopfte und drei Herren in guten Anzügen und mit verschlossenen Gesichtern eintraten, ehe Tschetwergow sein »Herein!« sagen konnte.

»Was soll das, Genossen?« schrie er die drei an. »Seit wann herrschen hier die Manieren der Kameltreiber?! Raus mit euch und einzeln eintreten!«

Die drei Herren nickten. Sie schoben sich drei Stühle herbei und setzten sich. Tschetwergow verschlug es die Sprache. Dann aber spürte er, wie es unter seiner Kopfhaut zu jucken begann und wie kalter Schweiß zuerst im Nacken, dann aus allen Haaransätzen brach.

Moskau! O Himmel! Die kommen aus Moskau!

»Sie wünschen, Genossen?« fragte er heiser vor Erregung.

»Einige Auskünfte, Genosse Tschetwergow.« Einer der Herren reichte einen Ausweis über den Schreibtisch. Tschetwergow las ihn gar nicht . . . vor seinen Augen flimmerte es. Tief atmend gab er den Ausweis zurück.

»Ich stehe zu Diensten, Genossen«, sagte er keuchend.

»Zu Diensten ist ein kapitalistisches Wort! Ein Sowjetbeamter dient nicht, er tut seine vaterländische Pflicht.«

»Natürlich, Genossen. Ich wollte es so ausdrücken. Vielleicht waren die Worte etwas falsch –«

»Es ist so ziemlich alles falsch, Genosse!«

Vor Tschetwergow drehte sich das Bild Lenins, das er gegenüber an der Wand hängen hatte. Nur nicht umfallen, sagte er sich vor. Nur nicht weich werden. Noch weiß man nicht, was sie wollen. Und wenn es ganz hart kommt, ist es immer noch Ilja Sergejewitsch Konjew, der schuldig ist. Wo käme man im Leben hin, gäbe es nicht ein Hintertürchen, Genossen ...

»Was soll falsch sein?« fragte er mutig.

»Zunächst die Sache mit der Datscha!«

»Datscha?« fragte Tschetwergow dumm. Aha, dachte er. Daher weht es!

»Die Datscha in Judomskoje, die einmal Stalin an Iwan Kasiewitsch Borkin gegeben hatte.«

»Borkin ist tot, und Stalin auch«, stellte Tschetwergow wie unter einem Intelligenzblitz fest. Die drei Herren aus Moskau gingen darauf nicht ein.

»Wem gehörte sie dann?«

O Mamaschka durchfuhr es Tschetwergow. Schon wieder Boris und Svetlana. Man hätte sie als Kinder ertränken sollen wie junge Katzen, dann wäre alles nicht gekommen.

»Boris Horn und Erna-Svetlana Horn, geborene Bergner.«

»Zwei Deutschen!«

»Genossen –«

»Dem Mörder Borkins –«

»Das ist nicht wahr.« Tschetwergow lächelte überlegen. »Der Mörder ist der Knecht Fedja gewesen. Er hat gestanden. Das Geständnis liegt bei den Akten.«

»Wir haben zwei Geständnisse! Auch Boris Horn hat gestanden.«

»Unter Druck.«

»Bei uns gibt es keinen Druck, Genosse!« brüllte der eine Herr aus Moskau auf. »Sie sind ja völlig durchsetzt mit kapitalistischen Worten! Sie denken ja schon bourgeoise! Unerhört!«

»Das ist es, Genossen.« Tschetwergow kroch in sich zusammen. »Es ist aber die Wahrheit, daß Fedja ...«

»... von Ihnen erpreßt wurde!«

»In Rußland gibt es keine Erpressung, Genosse«, wagte Tschetwergow zu sagen.

»Ruhe!« Die drei aus Moskau sahen Tschetwergow wie einen Delinquenten an. »Wir wissen es genau, daß Boris Horn Borkin erschlagen hat, weil dieser die Braut Boris', eben jene Svetlana, geschändet hat.«

»Das wäre zu beweisen!«

»Konjew hat es gestanden ...«

Über Tschetwergow schwankte die Decke. Er umklammerte mit beiden Händen die Tischplatte. Sein Tatarenkopf wurde fahl und faltig.

»Ilja ... gestanden ... Haben Sie Konjew ...?«

»Wir haben Konjew leider verhaften müssen. In seiner Sowchose wurden für 10 000 Rubel Unterschlagungen festgestellt. Er ist schon auf dem Wege nach Ust-Kamenogorsk. Und die Datscha werden wir an Tagaj zurückgeben.«

»An – Tagaj?! Aber er ist doch –«

»Seine Musik ist in Moskau beliebt. Vorgestern wurde er von Genossen Chruschtschow empfangen –«

Stephan Tschetwergow wischte sich mit beiden Händen über die Augen. Er senkte den Kopf und hing in seinem Sessel wie aus dem Wasser gezogen.

»Wann komme ich weg, Genossen?« fragte er leise.

»Wir nehmen Sie mit, Tschetwergow.«

»Nach Moskau? In die Lubjanka?«

»Ja.«

»In den Keller?«

»Vielleicht –«

Tschetwergow sank in sich zusammen.

»Einmal gehen wir alle dahin«, sagte er dann plötzlich mit asiatischer Gelassenheit. »Auch ihr, Genossen –«

Es war der einzige Punkt, in dem sie alle schweigend übereinstimmten.

Der Zug näherte sich der deutschen Grenze.

»Eine Grenze mitten durch Deutschland«, sagte ein alter Bauer. »Irgendwie stimmt es nicht mehr mit der Politik! Mein Urgroßvater kam aus Pommern ... ist das nun Deutschland oder nicht?«

»Das ist Polen.«

»Und Königsberg?«

»Heißt Kaliningrad und gehört zu Rußland.«

»Meine Großmutter kam aus Breslau«, rief ein anderer.

»Das gehört jetzt zu Polen!«

»Dann gibt es ja gar kein Deutschland mehr«, sagte der alte Bauer verblüfft.

»Etwas hat man übriggelassen, Väterchen.«

»Etwas! Wenn ihr ein Feld nehmt und zerreißt es in kleine Teile ... kann es einen ernähren?! Jeder Bauer kann euch sagen, daß es Dummheit ist ...«

»Aber es sitzen keine Bauern dort, wo regiert wird«, sagte Boris. »Wäre die Politik ein Acker, von dem man leben müßte, sähe es anders aus.«

Mit deutscher Gründlichkeit lief der ›Sonderzug‹, wie er mit dem Betreten Deutschlands hieß, dem Grenzbahnhof zu. Die Telegrafen tickten, die Empfangsbehörden besprachen die letzten Dinge mit Wochenschau und Fernsehen, Abgeordnete der Regierung memorierten noch schnell ihre Ansprache, denn die Wochenschau legte Wert auf eine volkstümliche Rede.

In den Rote-Kreuz-Hilfsstellen stapelten sich die Butterbrote und Geschenke. Schokolade für die Kinder, Plätzchen, für jede Familie ein Paket mit den nötigsten Verpflegungen, Obst, vor allem Apfelsinen und Äpfel, in großen Kesseln kochte Bohnenkaffee und Tee. Die großen Magazine für Bekleidung warteten auf den Andrang, denn man glaubte, daß die Rußlandheimkehrer zerlumpt und abgerissen eintrafen. In zwei Baracken waren die Betten weiß bezogen worden, neue Decken in Laken gelegt, die Tische mit Blumen geschmückt. Kinder standen bereit, die Ankommenden mit Blumensträußen zu begrüßen ... auf der Säuglingsstation wurden dreißig Betten vorbereitet, denn man wußte nicht, wieviel Kleinkinder mit dem Transport kamen.

Um 16.35 Uhr läutete die Freiheitsglocke von Friedland auf, schwang sich in den Winterhimmel und erfüllte die Luft mit dem Lobruf Gottes.

Die ersten Autobusse bogen in die Lagergasse ein und hielten vor dem langgestreckten Verwaltungsgebäude.

Blumensträuße wurden geschwenkt, Wochenschau und Fernsehen richteten ihre Scheinwerfer auf die Menschen, die langsam, zögernd, noch alles nicht begreifend, die zwei Stufen des Omnibuseinganges hinabstiegen.

Auch Boris und Erna-Svetlana standen plötzlich im Scheinwerferlicht und wurden von einer näherfahrenden Kamera gefilmt. Sie hörten einen Sprecher sagen: »Das sind sie, die liebsten Brüder und Schwestern, die heimfanden nach Deutschland. Wir werden Gelegenheit haben, die Heimkehrer noch genauer zu sprechen. Sie kommen vom Rande Asiens her, quer durch einen ganzen Kontinent, weil sie ihre deutsche Art nicht verleugnen wollten.«

Ein fremder Mann mit einem kleinen Spitzbart begrüßte Boris wie einen alten Freund.

»Willkommen in der Heimat«, sagte er laut. »Alles, was Sie und Ihre Gattin an Strapazen hinter sich haben, werden Sie bald vergessen haben! Schließen Sie sich bitte an ... dort, wo die anderen stehen. Sie werden erst registriert und aufgenommen. Alles andere findet sich dann ...«

Mit Blumen bekränzt, die ersten Geschenke kauend, schob sich die Schlange der Bauern in das Verwaltungsgebäude. Die ersten Säuglinge wurden in die Krankenstation getragen.

Die Barackenzimmer waren geöffnet zur Aufnahme, die ersten Teller mit warmem Essen wurden aufgefüllt.

Für Boris und Erna-Svetlana war dies nichts Neues. Baracken, Ausfüllen von Fragebogen, Beantwortung vieler direkter Fragen ... sie kannten alles. Nur die Umgebung war anders ... die Zimmer sauber, die Beamten höflicher, es roch nach Kaffee und Gemüse, und wenn sie aus dem Fenster blickten, sahen sie gegenüber in die Zimmer der Baracken mit ihren weiß bezogenen Betten, den gedeckten Tischen und den Rote-Kreuz-Helferinnen in ihren weißen Schürzen.

»Was hat man Ihnen von Westdeutschland erzählt?« fragte einer der Beamten. Er trug keine Uniform, sondern einen dunkelgrauen Maßanzug.

»Nichts«, sagte Boris.

»Sind Sie gern nach Deutschland zurückgekommen?«

»Ja.«

»Was haben Sie in Rußland erlebt? Erzählen Sie —«

»Erzählen?« Boris sah zur Seite auf Erna-Svetlana. »Wie kann man das jemals erzählen ...«

Der Beamte im dunkelgrauen Maßanzug sah konsterniert an die Decke.

»Sie müssen doch das, was Sie erlebten, erzählen können!«

»Kann man das wirklich? Können Sie dreizehn Jahre in fünf Minuten erzählen?«

»Sie haben doch nicht immer 'was erlebt! Erzählen Sie markante Erlebnisse! In dreizehn Jahren geschieht doch einiges.«

»Ja, einiges.« Boris sah auf die Tischplatte. »Aber vielleicht interessiert es Sie gar nicht. Es ist nichts Besonderes.«

»Schade.« Der Beamte bot Boris eine Zigarette an. »Sie waren Bauer in Undutowa?«

»Kuhhirte, mein Herr.«

»Ach so. Na ja ... Und Ihre Frau?«

»Die war als Haustochter bei dem Stalinpreisträger Borkin, bis ich ihn erschlug.«

Der Beamte legte mit zitternden Fingern seine Zigarette hin. »Wen haben Sie erschlagen?« fragte er heiser.

»Iwan Kasiewitsch Borkin, den Stalinpreisträger und Freund Stalins. Ich bin dafür ins Straflager Ust-Kamenogorsk gekommen, nachdem ich mit meiner Frau versuchte, über die Dsungarei und Tibet nach Indien zu flüchten.«

Der Beamte riß den Mund auf und wischte sich über die Stirn, als steche ihn dort eine Wespe.

»Und das nennen Sie nichts Besonderes?« Sein Kopf zuckte vor. »Sie erschlugen ihn, weil Sie ein Stalingegner waren?«

»Nein. Weil er meine Frau mißbrauchte.«

»Sie waren ein Retter ihrer deutschen Ehre?«

Boris schüttelte den Kopf. »An Deutschland habe ich da nicht gedacht. Ich habe nie daran gedacht, bis ich betrogen wurde mit einer Unterschrift, die ich nie gegeben hätte, wenn ich gewußt hätte, wofür.«

Wenige Minuten später konnten Boris und Erna-Svetlana gehen. Der Beamte im dunkelgrauen Anzug sah ihnen mißbilligend nach.

»Eine fast impertinente Familie«, sagte er leise zu dem Registraturbeamten an seiner Seite. »Typisch Kuhhirte und Madka! Es ist nicht alles Gold, was aus dem Osten kommt. – Es ist wie überall: Es gibt solche und jene . . .«

Die nächsten Aussiedler betraten das Zimmer. Sie kamen aus der Gegend von Stalingrad und konnten viel erzählen vom Aufbau der schon mythisch gewordenen Stadt.

Und der Beamte im dunkelgrauen Anzug war zufrieden mit ihnen und versprach ihnen eine gute Zukunft.

Die Arbeitsvermittlung und die Verteilung der über 400 Aussiedler begann schon am nächsten Tag.

Die Zeit des Wartens, die sie von Rußland her kannten, schien vorbei zu sein. Wie eine gut geölte Maschine lief der große westdeutsche Staatsapparat lautlos und präzise.

Die erste Nacht in einem richtigen Bett mit weißer Wäsche – Erna-Svetlana erinnerte sich, dies zum letztenmal vor etwa sieben Monaten auf der Datscha gehabt zu haben – war erfrischend wie ein kaltes Bad. Der Morgenkaffee war reichlich; alle Menschen waren freundlich zu ihnen, drückten ihnen die Hand, schenkten ihnen etwas. Reporter kamen in die Stuben, fotografierten, fragten sie aus über das Leben in Rußland und träumten von Schlagzeilen.

Vor dem Lager standen die fliegenden Händler und boten zu Überpreisen schlechte Pullover aus Wollgemisch, Decken aus frisierter Baumwolle und Andenkenkitsch an. Sie kamen mit Katalogen und ganzen Warenzügen, mit dicken Mappen voller Ratenzahlungsverträge und lockenden Plakaten: Ein Schlafzimmer für 540 DM komplett! Zahlung in 24 Monatsraten! Oder: Keine Familie in Westdeutschland ohne Eisschrank. 120-l-Schrank nur 368 DM! Keine Anzahlung. Raten bis zu 18 Monaten! Oder: Wer vorwärtskommen will, muß ein Auto haben. Wir finanzieren Wagen aller Klassen und Typen bis zu 36 Monaten!

An den Barackenfenstern standen die Bauern aus Judomskoje

und Sverdlowsk, aus Irkutsk und Saratow und starrten auf die Plakate. Es war ihnen, als bestaunten sie ein Wunder.

Welch eine Welt öffnete sich ihnen! In welch ein Land kamen sie! Welch Paradies auf Erden bot sich ihnen dar.

Komplette Schlafzimmer!

Eisschränke.

Fernsehgeräte, Musiktruhen, Schallplattenvitrinen mit eingebauter, leuchtender Bar.

Couches, Teppiche (echt Orient mit Plombe!), Nußbaumschränke, Gemälde (Leda mit dem Schwan – oder – Pan bläst die Hirtenflöte), Stehlampen, Schaumgummisessel, Elektroküchen, Starmix . . .

Der Rothaarige rieb sich die Augen, als schmerzten sie ihm vom vielen Sehen und Kaumbegreifen.

»Das kann man alles kaufen?« sagte er zu den anderen, die aus dem Fenster lehnten. »So 'was hat ja nicht mal der Natschalnik von Alma-Ata!«

»Wenn du das nötige Geld hast . . .«

»Geld! In 24 Monatsraten, ihr Idioten! Wenn wir Arbeit bekommen, ist das gar kein Problem!«

»Und wenn du keine Arbeit bekommst?«

»Die haben uns 'rübergeholt, damit wir hier arbeiten.«

»Abwarten, Rotkopf!«

Kritisch sahen sie zu, wie die ersten Bauern die ersten Geschäfte mit den Händlern tätigten. Sie unterschrieben die Verträge, weil sie glaubten, einen neuen Hof zu bekommen oder wenigstens doch soviel Geld, um im Wunderland der Kapitalisten leben zu können wie im ersehnten Paradies. –

Als Boris die Arbeitsvermittlung betrat, saß ihm ein etwas griesgrämiger Beamter gegenüber, der leberkrank und deshalb ein Pessimist war. Die Kartei war schon von der Registratur herübergekommen . . . bestimmungsgemäß wurde sie noch einmal verglichen mit den Angaben, die Boris machte.

»Wo wollen Sie hin?« fragte der Beamte.

»Das ist mir gleich. Ich kenne Deutschland nicht und habe auch keine Verwandten hier.«

»Ich kann Sie als Knecht auf ein Gut ins Rheinland vermitteln«, sagte der Beamte. »Erwarten Sie nicht zuviel für den Anfang. Wir haben schließlich den Krieg verloren.« Er sah zu Boris, der vor ihm stand, hinauf. »Haben Sie etwa auch schon Abzahlungsverträge unterschrieben?«

»Nein. Ich muß erst wissen, was mit uns wird.«

»Vernünftiger Mann!« Der Beamte blätterte in den Listen der Arbeitsangebote. »Ein Gut im Rheinland«, wiederholte er. »Lohn wöchentlich 70 DM bei freier Wohnung. Jährlich ein Deputatschwein, täglich 3 Liter Vollmilch als Deputat. Wohnung vorhanden.« Er blickte wieder auf Boris. »Ist das richtig für Sie?«

»Wenn Sie es vermitteln, wird es gut sein«, sagte Boris bescheiden. Wöchentlich 70 DM, dachte er. Was kann man damit kaufen? Das sind im Monat 280 DM! Was sind 280 DM in Deutschland wert? Ich weiß es nicht. Aber wenn es ein deutscher Beamter vorschlägt, muß es gut sein. »Ich nehme an.«

»Wie alt sind Sie?« Der Beamte blickte auf die Kartei. »Ach ja ... 26 Jahre. Und Ihre Frau 24 Jahre!« Der Beamte lächelte freundlich. »Wie jung noch! Sie haben das Leben ja noch vor sich! Mit dreißig beginnt ja erst das Leben –«

Boris nickte. Mit dreißig beginnt erst das Leben, dachte er. Und was war das, was hinter uns liegt ...?

Als er zurückkam in die Baracke, hatte Erna-Svetlana von einem der Händler Kleider für die Kinder gekauft. Sie hatte eine ›Überbrückungshilfe‹ bekommen und traf, als sie aus der Zahlstelle trat, auf den Händler, der sich ihr mit einem netten Lächeln näherte.

»Haben Sie Kinder, gnädige Frau?« fragte er.

Erna-Svetlana starrte den fremden Mann an. »Meinen Sie mich?« fragte sie verblüfft.

»Wie Sie aussehen, müßten Sie ganz entzückende Kinderchen haben, gnädige Frau«, flötete der Händler. »Ich habe eine Auswahl bester Knabenanzüge und Mädchenkleider bei mir ... Modelle, wie sie auf der Königsallee in Düsseldorf getragen werden!«

»So?« sagte Erna-Svetlana nur. Sie dachte an Mischa und Mascha und an die zerrissenen und alten Sachen, die sie trugen. Wehmütig warf sie einen Blick hinüber auf die Kinder, die außerhalb des Lagers standen. Sie sahen aus wie kleine Fürsten ... wundervolle Wintermäntel aus bunter Wolle, Strickmützen, farbige Schals ... in Svetlana zog sich das Herz zusammen, wenn sie an die Kleider dachte, in denen Mischa und Mascha aufgewachsen waren.

Langsam schüttelte sie den Kopf. »Ich darf es nicht.«

»Wer will Ihnen etwas befehlen! Sie sind nicht mehr in Rußland, gnädige Frau! Sie leben im freien Westen! Sie können tun und lassen was Sie wollen.«

»Mein Mann –«

Der Händler machte eine wegwerfende Handbewegung. »Sie leben im Land der völligen Gleichberechtigung! Wenn es Ihnen gefällt, können Sie alles kaufen ... der Mann hat gar nichts mehr zu sagen.«

»So einfach wird es nicht sein.«

»Wir haben im Westen alles auf einen einfachen Nenner

gebracht, gnädige Frau. Recht hat, wer Geld hat! Ist das nicht einfach?« Der Händler schob seine Krawatte gerade. Sie war aus weißer Seide mit roten Punkten. »Denken Sie an Ihre Kleinen, gnädige Frau. Ihr Mann wird entzückt sein, wenn er sie in den neuen Sachen sieht. Männer wollen optisch überzeugt sein. Ich bin ja selbst ein Mann, haha! Mag er erst brummen ... das legt sich und wird zu Vaterstolz!«

»Glauben Sie? Was haben Sie für Sachen? Ich habe drei Kinder ...«

»Drei?« Der Händler schien vor Begeisterung umzufallen. »Drei Kinder!« rief er enthusiastisch. »An Ihnen zeigt es sich, daß eine Frau mit jedem Kinde schöner wird.«

Es dauerte noch zehn Minuten, dann hatte er Svetlana überredet. Sie kaufte für Mischa einen Anzug, für Mascha ein Wollkleid und für die kleine Natascha ein Wintermäntelchen aus einem hellblauen Flauschstoff.

Boris wußte zunächst nicht, was er sagen sollte. Er sah, wie glücklich Svetlana war, wie sehr sie sich freute, den Kindern zum erstenmal etwas Schönes kaufen zu können.

»Willst du schimpfen, Bor?« fragte sie kläglich, als sie sein Gesicht sah.

»Ich müßte es, Svetla!«

»Sie sehen so süß aus.«

»Man hat dich betrogen! Die ganzen Sachen kannst du billiger und besser in den Städten kaufen, in anständigen Geschäften!«

»Mascha sieht aus wie eine kleine Dame, und Mischa ist ein richtiger kleiner Herr!« sagte sie glücklich. »Sie sind doch das einzige, was wir noch haben, Bor. Unsere Kinder ...«

Boris sagte nichts mehr. Als die Kinder hereinkamen, in ihren neuen Kleidern, war er selbst ein wenig glücklich und freute sich. Sie sahen so anders aus, fand er. Richtig westlich. Kann schon die Kleidung einen Menschen wandeln?

»Wir werden in drei Tagen weiterfahren«, sagte er. »An den Rhein.«

»Wieder in ein Lager?«

»Nein. Ich habe eine Stellung bekommen. Als Knecht.«

»Auf einer Datscha?«

»Sie nennen es hier Gut!« Er nahm die Hände Erna-Svetlanas und streichelte sie. »Eine Wohnung werden wir haben. Ein Schwein im Jahr, jeden Tag frische Milch und Butter und im Monat 280 Mark westdeutsches Geld.«

»Ist das viel, 280 Mark?«

»Das wird sich alles zeigen, Svetla. Wir werden beide arbeiten, soviel wir können. Wir wollen wieder einmal selbst einen Hof haben, einen kleinen Hof nur. Ein guter Bauer ist immer gesucht und noch nie verhungert. Auch wir werden es schaffen.«

»Ich will dafür beten, Bor. Jeden Tag beten. Hier dürfen wir es ja wieder.«

»Wir sind endlich frei, Svetlana!«

»Ich kann es noch nicht glauben.«

Am Abend wurde Bor von der politischen Polizei zum Verhör geholt ...

»Was wollten sie von dir?« fragte Svetlana, als Boris nach einer Stunde zurückkam in die Barackenstube. Die Kinder schliefen bereits ... sie hatten ihre neuen Kleider neben sich auf der Decke liegen und umfaßten sie, als seien sie die schönste Puppe.

»Sie wollten wissen, wie es in Rußland ist.«

»Gerade von dir?«

»Sie haben alle gefragt.«

»Hast du ihnen alles erzählt?«

»Nein. Sie wollten wissen, wie hoch die Normen sind, wo die Sowchosen liegen, wie es in einem Straflager aussieht, wieviel in einem Straflager sind. Sie fragten nach Uranbergwerken, nach Kernspaltungszentren ... sie fragten Dinge, die ich gar nicht kenne. Das war alles. Ich habe zwei Zigaretten geraucht und zwei Gläser von etwas getrunken, was sie Cognac nennen. Es schmeckte gut, besser als der beste Wodka von Borkin.«

»Du wolltest den Namen nicht mehr nennen, Bor ...«

»Es war das letztemal. Alles soll jetzt hinter uns liegen! Übermorgen geht es los in die endgültige Heimat. An den Rhein.«

Vor der Baracke entstand Lärm. Der Rothaarige hatte einen der Händler am Kragen und ohrfeigte ihn rechts und links. Der Kopf des Mannes flog von einer Seite zur anderen, als habe er gar keinen Hals mehr, der ihn festhielt.

»Du Sauhund!« brüllte der Rothaarige. »Erst verkaufst du mir ein Feuerzeug, und dann gehst du zu Axinija und willst sie mitnehmen in die Großstadt in einen Puff! Du verdammter Hund! Ich schlage dich tot!«

Drei Männer stürzten herbei und rissen den Rothaarigen von dem Händler weg. Der Mann fiel in den Schnee und wischte sich das Blut aus dem Mund.

»Das kostet dich Zuchthaus, du Russenlümmel!« stöhnte er.

»Laßt mich los!« schrie der Rothaarige. »Ich zerreiße ihn!«

»Anzeigen werde ich dich! Körperverletzung! Versuchter Mord! Das kannst du bei deinen Bolschewiken machen, du Halbaffe, aber nicht in Deutschland! Geh zurück zu deinen Asiaten ... hier herrscht Ordnung!«

»Weg!« brüllte der Rothaarige. Er trat um sich, aber die drei Männer hielten ihn fest umklammert. »Er beleidigt uns alle. Sind wir darum nach Deutschland gekommen, daß man unsere Frauen in einen Puff vermitteln will?!«

»Hier kann jeder machen, was er will!« schrie der Händler zurück. Er hatte sich erhoben und klopfte seinen Mantel ab. »Gegen dich Bolschewistenschwein bekomme ich immer noch Recht! Man weiß ja in Deutschland, was man uns da von Rußland 'rüberschickt! Den Abschaum, von dem man drüben froh ist, daß er weg ist! Und bei uns bläst man euch Zucker in den Hintern! Ersäufen sollte man euch!«

Boris schloß das Fenster seines Zimmers. Sein Gesicht war kantig und wie gefroren.

»Deine Freiheit, Bor ...«, sagte Svetlana leise und sah zu Boden.

In Moskau verendete unterdessen Stephan Tschetwergow.

Er starb nicht, o nein, so konnte man das nicht mehr nennen. Er krepierte regelrecht. Nur einmal stellte man ihm Ilja Sergejewitsch gegenüber ... er erkannte ihn nicht und hätte nicht geglaubt, daß es Ilja sei, wenn der Mann, der vor ihm stand, es nicht selbst gesagt hätte.

Ein geschwollener Kopf, blutunterlaufene Augen, ein zahnloser, aufgeschlagener Mund, eine schiefe Nase ... ein Zerrbild von einem Menschen, entstiegen aus den Gruselkabinetten des Stummfilms.

»Er ist allein schuldig«, sagte der deformierte Mann mit der Stimme Konjews. »Ich habe nur seine Befehle ausgeführt. Er ließ sich alles melden, was in Judomskoje vorging und machte seine Befehle.«

Konjew sagte es her, wie einstudiert. Monoton, leiernd, den Blick starr geradeaus, über Tschetwergow hinweg, den er gar nicht zu sehen schien. Ein Stoß in den Rücken wirbelte ihn herum. Wie eine aufgezogene Puppe marschierte er aus der Zelle heraus. Nur der verhörende Kommissar blieb ruhig.

»Na, Stephan«, sagte er gemütlich. »Hast du gehört, was dein Freundchen ausgesagt hat? Willst du noch leugnen?«

Tschetwergow tastete mit der Hand über seine Stirn und wischte den kalten Schweiß weg. Aber es half nichts ... es war, als seien seine Poren wie ein Wasserfall ... der Schweiß überschwemmte sein faltiges, gelbes Tatarengesicht.

»Ich weiß gar nicht, Genosse, was ich leugnen soll!«

»Daß du als Beamter des Sowjetstaates Schweinereien gemacht hast. Du hast dein Amt mißbraucht, um Sabotage am Staatsvermögen —«

»Nein, Genosse, nein!« schrie Tschetwergow. Er wußte, daß

das, was man ihm vorwarf, sein Todesurteil bedeutete. »Meine Abrechnungen stimmen, meine Kassen ...«

»Du hast die Datscha verschachert!«

»Hat sie jemals die Norm nicht erfüllt?!«

»Auch noch frech werden, was?« Der Kommissar erhob sich. Dann schlug er zu ... mit der flachen Hand auf die Nase Tschetwergows, der kurz darauf das Blut in seinen Mund rinnen spürte. »Du kommst nachher in den Keller!« sagte er gleichgültig. Tschetwergow fuhr empor.

»Nein!« brüllte er tierisch grell. »Nein! Gnade, Genosse! Nicht in den Keller! Ich flehe Sie an! Ich will alles gestehen! Ich ... ich ... nicht in den Keller! Nein!«

Der Kommissar verließ wortlos die Zelle und warf die Tür hinter sich zu. Als das Schloß davor klirrte, brüllte Tschetwergow noch einmal auf.

»Ich will alles gestehen!« schrie er grell. »Ich will nicht in den Keller! Habt doch Mitleid, Brüder ... habt doch ein Herz! Ich will ja alles sagen ... nur nicht in den Keller! Wir sind doch Brüder, wir sind doch Menschen! Bitte ... bitte ...«

Als zwei Wärter ihn abholen wollten, fanden sie Tschetwergow am Bettpfosten sitzend auf der Erde. Er hatte sich mit seinem in Streifen gerissenen Hemd erdrosselt. Es mußte ein fürchterlicher Tod gewesen sein, denn seine Augen enthielten alles, was sie an Grauen ausdrücken konnten.

Damit war die Akte Boris Horn endgültig abgeschlossen.

Es geht nichts über eine peinlich genau arbeitende Bürokratie.

Das Gut Gerberhof lag am Niederrhein, dort, wo der Strom breit und behäbig wird und sich vorbereitet, nach einem Durchlaufen der holländischen Ebene in die Nordsee aufzugehen.

Die Ankunft des neuen Knechtes wurde mit geteilter Erwartung aufgenommen.

»Ich will mit dä Pimokken nichts zo dunn han«, sagte der 1. Knecht, ein stämmiger Bursche aus dem Kölner Vorgebirge. »Die rießen de Schnüß up und dunn nichts!«

»Abwarten, Hännes.« Der Verwalter sah auf seine Uhr. »In zehn Minuten kommt der Omnibus vom Bahnhof. Vielleicht haben wir Glück und bekommen anständige Leute.«

»Us Rußland? Nä, Chef!«

»Herr von Gerber wird wissen, was er tut.«

Von weitem hörte man Hupen. Hännes hob die breiten Schultern und rollte die Arme in den Gelenken, als solle es zu einem Boxkampf gehen.

»Jleich sind se do!«

»Benimm dich anständig, Hännes.« Der Verwalter lächelte. »Wenn er nun zwei Meter groß ist und stark wie ein Bulle?«

Der Omnibus bog um die Ecke des Gutswaldes und rollte über die Straße langsam bis vor das Tor des Gutes. Dort hielt er mit knirschenden Bremsen.

Durch die Scheibe des Wagens starrten Boris und Svetlana, Mischa und Mascha auf die langgestreckten Gebäude und Ställe des Gutes Gerberhof. Eine zwei Meter hohe Mauer umgab Gutshaus und Wirtschaftsgebäude ... dahinter dehnten sich die Felder, Waldstücke, ein Teich mit Schwänen und Gänsen und Enten. Sie waren noch im Wasser, denn die Kälte, die Rußland bereits in eine Eiswüste verwandelt hatte, war noch nicht bis hierher gedrungen.

»Eine schöne Datscha, Papaschka!« rief der kleine Mischa.

Der Verwalter ging zu dem Omnibus und reichte Erna-Svetlana die Hand, als sie herunterstieg. Sie hatte die kleine Natascha an sich gedrückt, als könne man sie ihr wegnehmen.

»Kommen Sie – geben Sie mir das Kindchen! Ich habe selbst drei ...« Er nahm ihr Natascha ab und stützte sie, bis sie auf dem Boden stand. »Willkommen auf Gerberhof«, sagte er ehrlich erfreut. Er streifte Erna-Svetlana mit einem verwunderten Blick. Dieses schmale, feine Gesicht, diese langen, goldenen Haare, diese zartgliedrige Figur. Wie mochte sie erst aussehen, wenn sie vernünftig gekleidet war und gepflegt nach westlichen Begriffen. Man wird Hännes festhalten müssen, dachte er. Oder Boris wird ihn eines Tages erschlagen, wenn er ihn bei seiner Frau sieht.

Er sah sich um. Mit breitem Lächeln stand Hännes bereits neben Svetlana und grinste sie an.

»Wat e lecker Mädche!« sagte er laut.

»Ab!« kommandierte der Verwalter. »In den Stall! Ich brauche Sie nicht mehr!«

»Aber ich sollte doch das Gepäck –«

»Weg, sage ich!«

Brummend trollte sich der Knecht zurück zu den Ställen. Boris stieg aus dem Omnibus, hinter ihm kletterten Mischa und Mascha heraus. Der Verwalter streckte Boris beide Hände entgegen.

»Es soll Ihre neue Heimat werden, Herr Horn«, sagte er fast feierlich. »Nach all dem, was Sie erlebt haben, werden Sie sich hier wie auf einer seligen Insel vorkommen! Sie sollen endlich wissen, wofür Sie leben und arbeiten.«

»Ich will daran glauben.« Boris sah hinüber zu den großen Gebäuden. »Wir müssen ganz von vorn anfangen. Zum drittenmal in zwanzig Jahren.«

»Es wird Ihnen nicht schwerfallen. Und jetzt kommen Sie herein.«

Fast feierlich gingen sie durch das große Tor und betraten den weiten Innenhof des Gutes. Sie sahen hinüber zu dem Herrenhaus, zu dessen Eingang eine große Freitreppe hinaufführte. Wie ein Schloß sah es aus. Wie ein Landsitz der großen Katharina.

»Wie schön«, sagte Erna-Svetlana leise.

»Herr von Gerber wird Sie heute abend empfangen. Er will mit Ihnen essen.«

»Essen? Aber wir haben doch nichts anzuziehen. Wir haben nur das, was wir hier auf dem Leibe tragen. So können wir doch nicht...«

Der Verwalter winkte ab. »So und nicht anders. Sie kennen Herrn von Gerber nicht. Wenn er hier ist, unterscheidet er sich nicht von den Knechten. Er ist ein fabelhafter Chef.«

Sie gingen hinüber zu den Gesindewohnungen. Eine Wohnung war bereitgestellt ... ein kleine Küche, ein Schlafzimmer und ein Wohnzimmer. Keine großen Räume, aber licht und sauber und neu tapeziert. Wie vor einem Wunder stand Mischa vor dem Wasserhahn in der Küche und drehte ihn auf und zu.

»Es ist tatsächlich wahr, Papaschka«, rief er voller Entzücken. »Das Wasser läuft aus der Wand. Ich hab's nicht geglaubt...«

»Und einen elektrischen Kochherd haben wir auch«, sagte Erna-Svetlana. »Und einen weißen Küchenschrank...« Sie lehnte sich an Boris' Schulter und weinte plötzlich. »Es ist wie im Paradies, Bor ... Ich kann es noch nicht begreifen...«

»Noch gehört alles nicht uns. Noch müssen wir arbeiten, um alles zu bezahlen. Und wir werden arbeiten!«

Sie nickte. »Wir werden die Norm verdoppeln, schon aus Dank.«

»Hier gibt es keine Norm, mein Liebling.« Boris mußte lächeln. Er streichelte über Svetlanas Wange und drückte ihren Kopf an sich. »Langsam beginne ich zu begreifen, warum der Russe den Westen haßt.«

Sie begannen, ihre Koffer und Säcke auszupacken und legten die armseligen Sachen auf den Boden der Wohnung ... die Steppjacken, die alten, oft geflickten Mäntel, die Kopftücher, einige verbeulte Kochtöpfe, zwei Kissen mit Entenfedern, einige Schürzen, drei Paar dicke, klobige Bauernstiefel ... Als Svetlana den Kleiderschrank öffnete – er war innen aus Birnbaum –, schüttelte sie den Kopf.

»Da können wir unsere Dinge nicht hineinhängen. Der Schrank ist zu schade.«

»Wenn wir uns vom ersten Geld neue Kleider kaufen, werden wir alles verbrennen...«

»Verbrennen??!« Svetlana sah Boris entsetzt an. »Das hier ist Rußland. Wir wollen es nicht verbrennen! Wir wollen es immer hier behalten und daran denken und glücklich sein trotz allem, was vielleicht noch kommen wird...«

Vor dem Fenster pfiff es. Boris öffnete es und sah hinaus.

»Um halb neun Uhr erwartet euch Herr von Gerber«, rief der Verwalter hinauf. »Soll ich euch jemanden zum Einräumen schicken?«

»Nein, nein, danke.« Boris winkte hinab. »Wir haben nicht viel. Wir kommen ja als Bettler um ein neues Leben.«

Später saßen sie am Fenster.

Die Kinder schliefen in den wundervollen weichen Betten und träumten, sie schwebten auf einer Wolke. Im Schlaf lächelten sie so selig, daß Erna-Svetlana lange bei ihnen saß und in ihre träumenden Gesichter sah.

Nun saßen sie am Fenster, gewaschen, gekämmt, so sauber, wie es möglich war. Stumm sahen sie hinaus auf die Felder und Wälder und auf den kleinen Hang, hinter dem der Rhein floß. Nebeneinander, Kopf an Kopf, starrten sie in den Abend.

»Woran denkst du, Svetla?« fragte Boris nach einer langen Zeit des Schweigens leise.

»Woran auch du denkst, Bor.«

»An Kasakstan —«

»An den Himmel, Bor ... Wenn der Abend kam, war er wie ein Tuch aus bunten Streifen ...«

»Und die Steppe war rot ...«

»Und die Häuser blau ...«

»Und die Wälder schwarz mit goldenen Spitzen ...«

Sie schwiegen wieder und starrten hinaus in den fahlen Herbstabend. Ihre Köpfe lagen aneinander, und mit den Händen hielten sie sich fest.

»Wir wollen tapfer sein«, sagte Boris leise.

»Ganz tapfer, Bor ...«

»Weißt du, was jemand zu mir sagte?«

Svetlana schüttelte den Kopf. »Nein —«

»Mit dreißig beginnt erst das Leben —«

Sie nickte ergeben. »Wir wollen daran glauben«, sagte sie leise. »Und wir müssen es beweisen ... schon wegen der Kinder, Boris.«